U0217521

中国中药资源大典

资源大典

广东卷

7

黄璐琦／总主编

晁　志　严寒静／主编

北京科学技术出版社

图书在版编目（CIP）数据

中国中药资源大典. 广东卷. 7 / 晁志, 严寒静主编. --
北京 : 北京科学技术出版社, 2024. 6. -- ISBN 978-7
-5714-4009-1

Ⅰ. R281.4

中国国家版本馆CIP数据核字第2024SS4158号

责任编辑：侍　伟　李兆弟　王治华　庞璐璐　吕　慧
责任校对：贾　荣
图文制作：樊润琴
责任印制：李　茗
出 版 人：曾庆宇
出版发行：北京科学技术出版社
社　　址：北京西直门南大街16号
邮政编码：100035
电　　话：0086-10-66135495（总编室）　　0086-10-66113227（发行部）
网　　址：www.bkydw.cn
印　　刷：北京博海升彩色印刷有限公司
开　　本：889 mm × 1 194 mm　　1/16
字　　数：848千字
印　　张：38.25
版　　次：2024年6月第1版
印　　次：2024年6月第1次印刷
审 图 号：GS京（2023）1758号
ISBN 978-7-5714-4009-1

定　价：490.00元

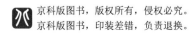

《中国中药资源大典·广东卷》

总编写委员会

总主编　黄璐琦（中国中医科学院）

主　编　潘超美（广州中医药大学）

叶华谷（中国科学院华南植物园）

廖文波（中山大学）

夏念和（中国科学院华南植物园）

晁　志（南方医科大学）

黄海波（广州中医药大学）

严寒静（广东药科大学）

童毅华（中国科学院华南植物园）

童　毅（广州中医药大学）

赵万义（中山大学）

凡　强（中山大学）

编　　委（按姓氏笔画排序）

凡　强（中山大学）

王亚荣（中山大学）

王英强（华南师范大学）

邓旺秋（广东省科学院微生物研究所）

叶华谷（中国科学院华南植物园）

叶幸儿（广东药科大学）

付　琳（中国科学院华南植物园）

白　琳（中国科学院华南植物园）

刘基柱（广东药科大学）

严寒静（广东药科大学）

李泰辉 （广东省科学院微生物研究所）

肖凤霞 （广州中医药大学）

何春梅 （广东省林业科学研究院）

张宏伟 （南方医科大学）

陈　娟 （中国科学院华南植物园）

陈秋梅 （广州中医药大学）

林哲丽 （韶关学院）

赵万义 （中山大学）

秦新生 （华南农业大学）

夏　静 （广州白云山和记黄埔中药有限公司）

夏念和 （中国科学院华南植物园）

晁　志 （南方医科大学）

黄海波 （广州中医药大学）

梅全喜 （深圳市宝安区中医院）

彭泽通 （广州中医药大学）

童　毅 （广州中医药大学）

童家赟 （广州中医药大学）

童毅华 （中国科学院华南植物园）

曾飞燕 （中国科学院华南植物园）

楼步青 （广东省中医院）

廖文波 （中山大学）

潘超美 （广州中医药大学）

《中国中药资源大典·广东卷7》

编写委员会

主　　编　晁　志　严寒静

副 主 编　王英强　秦新生　张宏伟　刘基柱

编　　委　（按姓氏笔画排序）

王英强　叶华谷　申聪春　田恩伟　匡艳辉　成夏岚　朱　慧　刘基柱

阳　君　严寒静　李　放　吴清韩　何梦玲　张宏伟　张宏意　张春荣

张荣京　林正眉　罗　碧　罗景斌　周先叶　周良云　周欣欣　施　诗

姜春宁　秦新生　夏　静　晁　志　黄　荣　黄久香　曾云保　路国辉

廖沛然　潘超美

黄 序

  中药资源是中医药事业传承和发展的物质基础，是关系国计民生的战略性资源。为促进中药资源保护、开发和合理利用，国家中医药管理局组织开展了第四次全国中药资源普查。广东省得天独厚的地理环境，孕育了丰富多样、具有岭南特色的中药资源。《中国中药资源大典·广东卷》对广东省中药资源现状的总结，也是广东省中药资源普查成果的集中体现。

  本书分上、中、下篇，上篇介绍了广东省中药资源概况、中药资源普查工作及中药资源产业现状等，中篇介绍了广东省23种道地、大宗中药资源的栽培面积、分布区域、资源利用等，下篇为广东省3 514种中药资源的基本信息。本书充分反映了广东省中药资源的最新研究成果，内容丰富，体例新颖，图文并茂，为一部具有较高学术价值和实用价值的工具书。

  相信本书的出版可为进一步开展中药品质研究与评价、推动中药产业的健康和可持续发展、为地方制定中药产业政策提供支撑，为推动区域经济社会高质量发展贡献力量。

  欣闻本书即将付梓，乐之为序。

中国工程院院士

中国中医科学院院长

第四次全国中药资源普查技术指导专家组组长

2024 年 4 月

序 言

　　中药资源是中医药事业发展的物质基础，国家高度重视中药资源保护及其可持续利用。我国已开展了4次全国范围的中药资源普查，其中第四次全国中药资源普查工作起止时间为2011—2021年。第四次全国中药资源普查确认了我国共有18 817种药用资源，与第三次普查相比增加了6 000多种，其中，3 151种为我国特有的药用植物，464种为需要保护的物种；还发现196个新物种，其中约100种具有潜在药用价值。

　　广东省第四次中药资源普查工作于2014年开始、2021年11月结束，历时近8年，普查区域实现了对全省全部县级行政区域的覆盖。为推广中药资源普查成果，更好地服务于广东省中药产业发展，广东省第四次全国中药资源普查（试点）工作办公室（以下简称广东省普查办）、广东省中药资源普查（试点）工作技术专家指导委员会组织相关专家、学者和技术人员，从广东省中药资源概况、重点中药资源情况、中药资源监测体系建设、中药材种植生产区划、传统医药知识收集、种质资源圃建设等方面入手，进行了数据统计和细致的整理研究工作，汇总了广东省在中药资源保护、科研和产业等领域取得的一系列成果。一是基本摸清了广东省中药资源家底，为编制《中国中药资源大典·广东卷》提供了翔实的数据。本次普查共发现药用植物3 443种，其中涵盖栽培药用植物185种；发现新种8种，新分布记录属和新分布记录种共11种；对区域内水生和耐盐药用资源、菌类药用资源、瑶药资源等进行了专项调研，构建了广东省岭南中药资源信息管理系统。二是建立了广东省中药资源动态监测信息和技术服务体系，形成了区域内中药资源动态监测网络，与国家中药资源动态监测信息和技术服务体系实现了数据共享，形成了长效机制，可实时掌握广东省中药材的产量、流通量、价格和质量等的变化趋势，促进中药产业的健康发展。广东省中药资源普查过程中开展了区域内重点道地药材品种的标准化建设，开展了中药材产业扶贫行动，使中药材生产成为推进乡村振兴的重要抓手，为加快区域中药材产业的发展贡献了力量。三是建立了省级中药材种子种苗繁育基地、省中药药用植物重点物种保存圃和种质资源圃，保存广东省活体中药药用植物种质资源2 639份，从源头上保证了中药材的质量，促进了珍稀、濒危、道地药材的繁育和保护，凸显了中药资源保护和可持续利用工作的重要性。四是在汇总广东省中药资源相关传统知识调查成果的基础上，梳理了广东省岭南地区独特地理气候条件下的人群体质特点，形成了具有地域特色的岭南中医药学体系亮点，如广东凉茶、罗浮山百草油、沙溪凉茶、冯了性风湿跌打药酒、跌打万花油、乌鸡白凤丸等具有岭南特色的中药配伍应用；整理出岭南民间特色治疗验方554首，挖掘、传承、保护与中药资源相关的传统知识。五是汇编出版了《广东省中药资源志要》《梅州中草药图鉴》《乳源瑶医瑶药志要》《岭南采药录考释》等专著。

《中国中药资源大典·广东卷》是对广东省第四次中药资源普查工作成果的全面汇总，是全体普查人员经过多年努力，获得的广东省中药资源现状的第一手资料。《中国中药资源大典·广东卷》由广州中医药大学、中国科学院华南植物园、中山大学、南方医科大学、广东药科大学、华南农业大学等17个普查技术单位的200多位普查技术人员共同编撰完成。全书分为上篇、中篇、下篇，共12册。上篇全面介绍了广东省中药资源生态环境、分布概况，梳理了广东省中药资源和产业现状，对比广东省第三次中药资源普查结果，对广东省野生药用资源分布、人工种植（养殖）中药资源物种的变化、中药材市场流通情况、岭南民间用药特点等进行了分析，并提出了广东省中药资源区划和发展建议；中篇详细地介绍了广东省23种道地、大宗中药资源的资源情况、分布情况、栽培情况、采收应用等内容，为中药材产业的高质量发展提供了技术服务，为中药材生产布局提供了参考；下篇对广东省境内3 514种中药资源物种（药用植物、药用动物、药用矿物）做了图文并茂的介绍，展现了广东省中药资源领域的最新数据信息成果。《中国中药资源大典·广东卷》的出版客观真实地反映了广东省中药资源的整体情况，对广东省乃至全国中药资源的保护、合理利用、开发、科研、教学以及产业规划等将发挥重要的指导作用。

《中国中药资源大典·广东卷》编写委员会

2024 年 3 月

前　言

广东省位于我国大陆最南端，北回归线横穿其中部。全省地势北高南低，山脉大多呈东北—西南走向。气候从北向南分别为中亚热带、南亚热带和热带气候，受海洋上的湿润气流影响，夏季高温多雨、多台风，冬季多干旱且有冷空气侵袭。广东省年平均气温为18.9 ~ 23.8 ℃，气温呈南高北低的特点，南端雷州半岛年平均气温最高，为23.8 ℃，粤北山区年平均气温最低，为18.9 ℃；历史极端最高气温为42.0 ℃，极端最低气温为−7.3 ℃。

广东省光、热、水资源丰富，得天独厚的地理环境和气候为生物的生长创造了优越的条件，动植物种类繁多，药用植物资源非常丰富。广东省的植被类型有纬度地带性分布的北亚热带季雨林、南亚热带季风常绿阔叶林、中亚热带典型常绿阔叶林和沿海的热带红树林，还有非纬度地带性分布的常绿落叶阔叶混交林、常绿针阔叶混交林、常绿针叶林、竹林、灌丛和草坡，以及水稻、甘蔗和茶树等栽培植被。

2014 年，广东省启动了第四次中药资源普查工作，到2021 年11 月普查结束。广东省本次中药资源普查共记录调查信息445 240 条、中药资源4 692 种（已确认的药用植物3 443 种），调查中药材栽培面积14.3 万 hm²，涵盖药用植物栽培品种185 种；记录病虫害种类351 种，调查市场主流药材品种852 种，记录传统医药知识信息629 条。通过统计分析现有典籍专著和文献记载的广东省药用资源种类信息，结合广东省本次中药资源普查结果，确定广东省现有中药资源种类为3 587 种。广东省本次中药资源普查调查代表区域 368 个，调查样地 4 056 个，调查样方套 20 273 个，记录有蕴藏量的中药资源 330 种，收集药材标本 4 977 份、中药材种质资源 2 639 份。此外，本次普查还对广东省菌类和水生、耐盐等药用植物资源进行了专项调研，收载大型药用真菌 217 种，隶属 26 科 46 属；记录水生药用植物资源 160 种、耐盐药用植物资源 269 种。

广东省是我国南药的主产区，与第三次中药资源普查相比，其道地药材和岭南特色药材的生产现状发生了很大的变化。广东省目前生产的道地药材品种主要有春砂仁、何首乌、广藿香、巴戟天、白木香、檀香、穿心莲、肉桂、广陈皮、芡实、山柰、益智等，珍稀野生药材品种有金毛狗、桫椤、青天葵、华南龙胆、蛇足石杉、金线兰等，岭南特色药材品种有莪术、红豆蔻、草豆蔻、甘葛、广山药、猴耳环、溪黄草、凉粉草、九节茶、鸡骨草、广金钱草、牛大力、千斤拔、黑老虎、铁皮石斛等。

广东省是中成药、中药配方颗粒、凉茶的生产大省，每年消耗的中药原料达数千吨，而许多中药原料主要来源于野生资源，导致野生药用资源品种数和蕴藏量均急剧减少。为了保证国家基本药物所需中药原料的可持续利用，广东省大部分制药企业建立了配套的中成药原料基地，还建立了野生中药资源转家种的药材原料基地，主要种植品种有黑老虎、吴茱萸、猴耳环、九里香、白花蛇舌草、溪黄草、紫茉莉、岗梅、毛冬青、两面针、三桠苦、草珊瑚、南板蓝根、山银花、鸡血藤、虎杖、龙脷叶、金樱子、金毛狗、钩藤、土牛膝、佩兰、千年健、山豆根、桃金娘、五指毛桃、无花果、地胆草、紫花杜鹃、裸花紫珠等稀缺原料药材，这些药材种植基地的建立对广东省中药资源的保护和可持续利用具有重要意义。

广东省第四次中药资源普查为广东省中药材产业提供了准确的资源信息，已有的成果数据信息可以更好地服务于产业发展，同时也为区域内主管部门制定相关法规政策提供了数据支撑。我们对广东省近 8 年来的普查数据进行了系统、严谨的梳理和统计，这对促进区域内中药资源的保护和可持续利用、促进地方中药资源产业和国民经济的发展具有重要意义。

《中国中药资源大典·广东卷》编写委员会

2024 年 3 月

凡 例

（1）本书分为上篇、中篇、下篇，共12册。上篇内容包括广东省自然地理概况、广东省第四次中药资源普查实施情况、广东省第四次中药资源普查成果、广东省中药资源发展存在的问题与建议；中篇重点介绍广东省23种道地、大宗中药资源；下篇是各论，共收载植物、动物、矿物等药用资源3 514种，以药用资源物种为单元进行介绍。本书主要参考《中国药典》《中国药材学》《中华本草》《中国植物志》《全国中草药汇编》等，以及历代本草文献等权威著作。为检索方便，本书在第1册正文前收录1 ~ 12册总目录，在页码前均标注了其所在册数（如"[1]"）。同时，还在第12册正文后附有1 ~ 12册所录中药资源的中文笔画索引、拉丁学名索引。

（2）植物分类系统。蕨类植物采用秦仁昌1978年分类系统。裸子植物采用郑万钧1975年分类系统。被子植物采用哈钦松分类系统。少数类群根据最新研究成果稍作调整；属、种按拉丁学名的字母顺序排列。

（3）本书下篇各品种按照其科名及属名、物种名、药材名、形态特征、生境分布、资源情况、采收加工、药材性状、功能主治、用法用量、凭证标本号、附注依次著述，资料不全者项目从略。

1）科名及属名。该项包括科、属的中文名和拉丁学名。

2）物种名。该项包括中文名和拉丁学名。

3）药材名。该项介绍药用部位及药材的别名。未查到药材别名的则内容从略。

4）形态特征。该项简要介绍物种的形态。

5）生境分布。该项介绍物种的生存环境及其在广东省的分布区域，栽培品种则介绍其主产地及道地产区。分布中的地级市专指其城区范围，不涵盖其管辖的县域范围，正文中采用"地级市（市区）"的形式表示，如"茂名（市区）"。

6）资源情况。该项介绍物种的蕴藏量情况，野生资源以丰富、较丰富、一般、较少、稀少表示，并说明药材来源于栽培资源还是野生资源。

7）采收加工。该项简要介绍药材的采收时间、采收方式及加工方法。

8）药材性状。该项主要介绍药材的性状特征。对于民间习用的鲜草药或冷背药材，则此项内容从略。

9）功能主治。该项介绍药材的味、性、毒性、归经、功能和主治。

10）用法用量。该项介绍药材的使用方法及用量范围。

11）凭证标本号。该项为第四次全国中药资源普查收载的物种标本号或补充收录物种的馆藏标本号。依据文献记载补充的经确认广东省已有、普查未收录的物种同时附上中国科学院华南植物园标本馆（IBSC）、深圳市中国科学院仙湖植物园植物标本馆（SZG）、广东省韩山师范学院植物标本室（CZH）等的标本号。补充收录的动物和矿物药用资源的标本号引用《广东中药志》《广东省中药材标准》《中国药用动物志》等文献的记录；菌类药用资源的标本号引用广东省科学院微生物研究所标本馆（GDGM）的标本号。

12）附注。该项简述物种的品种情况、民间使用情况、资源利用情况等内容。

目录

Contents

被子植物

荨麻科 Urticaceae 苎麻属 Boehmeria

密球苎麻

Boehmeria densiglomerata W. T. Wang

| 药 材 名 | 土麻仁（药用部位：全草。别名：野紫苏）。

| 形态特征 | 多年生草本。茎高 32 ～ 46 cm，上部疏被短糙伏毛，下部无毛。叶对生；叶片草质，心形或圆卵形，宽 5 ～ 8 cm，边缘具密集小牙齿，两面均被较稠密的短糙伏毛。团伞花序组成穗状花序，两性花序下部或近基部有少数分枝，稀不分枝，雄性花序分枝，雌性花序不分枝，雌团伞花序相互邻接；雄花具 4 花被片。瘦果卵形，藏于宿存花被内。花期 6 ～ 7 月，果期 8 ～ 9 月。

| 生境分布 | 生于海拔 250 ～ 1 100 m 的山地林下或溪旁草丛中。分布于广东翁源、始兴、乐昌、蕉岭、英德。

| 资源情况 | 野生资源较少。药材来源于野生。

| 采收加工 | 夏、秋季采收，鲜用或晒干。

| 功能主治 | 祛风除湿。用于风湿痹痛。

| 用法用量 | 外用适量，煎汤洗；或捣敷。

| 凭证标本号 | 441825190804015LY、441284190715695LY。

荨麻科 Urticaceae 苎麻属 Boehmeria

海岛苎麻 *Boehmeria formosana* Hayata

| 药 材 名 | 海岛苎麻（药用部位：叶）。

| 形态特征 | 多年生草本或亚灌木。茎高 80 ～ 150 cm，常不分枝。叶对生或近对生；叶片草质，长圆状卵形、长圆形或披针形，边缘在基部之上具多数小牙齿。由团伞花序组成的穗状花序常为单性，雌雄异株时不分枝，雌雄同株时具分枝，生于茎上部的为雌性花序，生于茎下部的为雄性或两性花序；雄花具 4 花被片；雌、雄花的花被片均为椭圆形。瘦果近球形，光滑。花果期 7 ～ 11 月。

| 生境分布 | 生于海拔 1 400 m 以下的山地溪旁疏林下或路旁灌丛中。分布于广东翁源、乐昌、大埔。

| **资源情况** | 野生资源较少。药材来源于野生。 |

| **采收加工** | 春、夏、秋季采收，洗净，鲜用。 |

| **药材性状** | 本品叶片长圆状卵形、长圆形或披针形，长 8 ~ 21 cm，宽 2.5 ~ 8 cm，先端尾状或长渐尖，基部钝或圆形，边缘在基部之上有多数小牙齿，两面疏被短伏毛或近无毛；叶柄长 0.5 ~ 6 cm。 |

| **功能主治** | 辛、苦，平。活血散瘀，消肿止痛。用于跌打损伤，瘀血肿痛。 |

| **用法用量** | 外用适量，捣敷；或煎汤洗。 |

| **凭证标本号** | 441622200907019LY、441882190616019LY、441224180827035LY。 |

荨麻科 Urticaceae 苎麻属 Boehmeria

野线麻

Boehmeria longispica Steud.

| 药 材 名 | 长穗苎麻（药用部位：全草。别名：大叶苎麻）。

| 形态特征 | 亚灌木或多年生草本。茎上部常有糙毛。叶对生；叶片纸质，近圆形、圆卵形或卵形，较大，长 7 ~ 26 cm，宽 5.5 ~ 20 cm，先端骤尖，有时具不明显 3 骤尖，基部宽楔形或截形，边缘在基部之上有牙齿，上面粗糙，有短糙伏毛，下面沿脉网有短柔毛。雌雄异株，穗状花序单生于叶腋，不分枝，有时具少数分枝；雄花花被片 4。瘦果倒卵球形，长约 1 mm，光滑。花期 6 ~ 9 月。

| 生境分布 | 生于海拔 300 ~ 600 m 的丘陵、低山灌丛、疏林、田边或溪边。分布于广东乳源、新丰、翁源、乐昌、和平、蕉岭、从化、连南。

| 资源情况 | 野生资源一般。药材来源于野生。 |

| 采收加工 | 夏、秋季采收,鲜用或晒干。 |

| 药材性状 | 本品根较粗壮,直径约 1 cm,淡棕黄色,表面有点状突起和须根痕;质地较硬,断面淡棕色,有放射纹。茎细,长 1 ~ 1.5 cm,茎上部四棱形,具白色短糙毛。叶对生;叶片多皱缩,展平后呈宽卵形,长 7 ~ 16 cm,宽 5 ~ 12 cm,先端长渐尖或尾尖,基部近圆形或宽楔形,边缘具粗锯齿,上部常具重锯齿,两面均有毛;叶柄长 3 ~ 8.5 cm。茎上部叶腋生有穗状果序;果实狭倒卵形,光滑。气微,味淡。 |

| 功能主治 | 甘、辛,凉。清热解毒,化瘀消肿。用于风热感冒,麻疹,痈肿,毒蛇咬伤,皮肤瘙痒,疥疮,风湿痹痛,跌打损伤,骨折。 |

| 用法用量 | 内服煎汤,6 ~ 15 g。外用适量,捣敷;或煎汤洗。 |

| 凭证标本号 | 441825190709007LY、441623180627001LY。 |

荨麻科 Urticaceae 苎麻属 Boehmeria

水苎麻
Boehmeria macrophylla Hornem.

药材名

阔叶苎麻（药用部位：全草或根）。

形态特征

亚灌木或多年生草本。茎上部有短伏毛。叶对生或近对生；叶片卵形或椭圆状卵形，叶缘牙齿近等大，两面被毛，叶背脉网稍明显，侧脉 2 ~ 3 对；叶柄长 0.8 ~ 8 cm，同一对叶的叶柄不等长。穗状花序单生于叶腋，长 7 ~ 15 cm，通常有稀疏且近平展的短分枝，雌雄异株或同株；雄花花被片 4。花期 7 ~ 9 月。

生境分布

生于海拔 800 m 左右的山地密林下或河边。分布于广东阳山、清新、英德、博罗、龙门、阳春、信宜等。

资源情况

野生资源较丰富。药材来源于野生。

采收加工

夏、秋季采收，鲜用或晒干。

| 功能主治 | 微苦、辛，温。祛风止痛。用于风湿痹痛，跌打损伤。

| 用法用量 | 内服煎汤，10 ~ 30 g。外用适量，煎汤洗；或捣敷。

| 凭证标本号 | 440783200103008LY、441823200901004LY。

荨麻科 Urticaceae 苎麻属 *Boehmeria*

苎麻 *Boehmeria nivea* (L.) Gaudich.

| 药材名 |

白麻（药用部位：根及根茎、茎皮、茎或带叶嫩茎、叶、花。别名：青麻、家苎麻、圆麻）。

| 形态特征 |

亚灌木或灌木。茎上部与叶柄均密被开展的长硬毛和近开展并贴伏的短糙毛。叶互生；叶片草质，叶缘在基部之上有牙齿，叶面稍粗糙，疏被短伏毛，叶背密被雪白色毡毛；托叶分生，钻状披针形。团伞花序组成的圆锥花序腋生；雄花花被片4。瘦果近球形，长约 0.6 mm，光滑，基部突缩成细柄。花期 8 ～ 10 月。

| 生境分布 |

生于海拔 200 ～ 1 700 m 的村边、沟旁、路旁和草丛等。广东各地均有分布。广东各地均有栽培。

| 资源情况 |

野生资源丰富。栽培资源丰富。药材来源于栽培。

| 采收加工 |

根及根茎，冬、春季采挖，除去地上茎和泥

土，晒干。茎皮，夏、秋季采收茎，剥取茎皮，鲜用或晒干。茎或带叶嫩茎，春、夏季采收，鲜用或晒干。叶，春、夏、秋季采收，鲜用或晒干。花，夏季花盛期采收，鲜用或晒干。

| 药材性状 | 本品根略呈纺锤形，长约 10 cm，直径 1 ~ 1.3 cm，表面灰棕色，有纵皱纹及横长皮孔，断面粉性；根茎呈不规则圆柱形，稍弯曲，长 4 ~ 30 cm，直径 0.4 ~ 5 cm，表面灰棕色，有纵皱纹及多数皮孔，并有多数疣状突起及残留须根；质坚硬，不易折断，折断面纤维性，皮部棕色，木部淡棕色，有的中间有数个同心环纹，中央有髓或中空；气微，味淡，有黏性；以色灰棕色、无空心者为佳。茎皮为长短不一的条片，甚薄，粗皮绿棕色，易脱落或有少量残留，内皮白色或淡灰色；质软，韧性强，曲而不断；气微，味淡。茎圆柱形，有粗毛，体较轻而韧，皮易纵向撕裂，韧性足，断面淡黄色，中央为髓。叶对生，叶片多皱缩或破碎，棕绿色，完整者展平后呈宽卵形，长超过 15 cm，宽 5 ~ 10 cm，先端渐尖，基部近圆形或宽楔形，边缘有粗齿，基出脉 3，叶背微隆起，两面均有毛，叶柄较长，长达 7 cm；气微，味微辛、微苦。雄花序为圆锥花序，多干缩成条状，花小，淡黄色，花被片 4，雄蕊 4，雌花序簇生成球形，淡绿黄色，花小，花被片紧抱子房，花柱 1；质地柔软；气微香，味微辛、微苦。

| 功能主治 | 根及根茎，清热利尿，凉血安胎。用于血热妄行所致的咯血、吐血、衄血、血淋、便血、崩漏、紫癜，胎动不安，胎漏下血，小便淋沥，痈疮肿毒，蛇虫咬伤。茎皮，清热凉血，散瘀止血，解毒利尿，安胎回乳。用于瘀热心烦，天行热病，产后血晕、腹痛，跌打损伤，创伤出血，血淋，小便不通，肛门肿痛，胎动不安，乳房胀痛。茎或带叶嫩茎，散瘀，解毒。用于金疮折损，痘疮，痈肿，丹毒。叶，凉血止血，散瘀消肿，解毒。用于咯血、吐血，血淋，尿血，月经过多，外伤出血，跌打肿痛，脱肛，丹毒，疮肿，乳痈，湿疹，蛇虫咬伤。花，清心除烦，凉血透疹。用于心烦失眠，口舌生疮，麻疹透发不畅，风疹瘙痒。

| 用法用量 | 根及根茎，内服煎汤，5 ~ 30 g；或捣汁。外用适量，鲜品捣敷；或煎汤熏洗。茎皮，内服煎汤，3 ~ 15 g；或酒煎。外用适量，捣敷。茎或带叶嫩茎，内服煎汤，6 ~ 15 g；或入丸、散剂。外用适量，研末调敷；或鲜品捣敷。叶，内服煎汤，10 ~ 30 g；或研末；或鲜品捣汁。外用适量，研末掺；或鲜品捣敷。花，内服煎汤，6 ~ 15 g。

| 凭证标本号 | 441825191001004LY、441284190816435LY、441523191018018LY。

荨麻科 Urticaceae 苎麻属 Boehmeria

小赤麻 *Boehmeria spicata* (Thunb.) Thunb.

药材名

细野麻（药用部位：全草或根。别名：小红活麻）。

形态特征

多年生草本或亚灌木。茎高 40 ~ 100 cm，常分枝。叶对生；叶片薄草质，卵状菱形或卵状宽菱形，边缘具 3 ~ 8 大牙齿。由团伞花序组成的穗状花序单生于叶腋，不分枝，雌雄异株或雌雄同株，雌雄同株时茎上部的为雌性花序，茎下部的为雄性花序；雄花无梗，花被片 4；雌花花被片在果期呈菱状倒卵形或宽菱形。花期 6 ~ 8 月。

生境分布

生于丘陵或低山草坡、石上、沟边。分布于广东乳源、始兴。

资源情况

野生资源较少。药材来源于野生。

采收加工

全草，夏、秋季采收，鲜用或晒干。根，秋季采集，洗净，鲜用或晒干。

| **功能主治** | 全草，辛、酸、苦，平。利尿消肿，止血。用于水肿，腹胀，麻疹。根，辛、微苦，凉。活血，消肿，止痛。用于跌打损伤，痔疮肿痛。 |

| **用法用量** | 全草，内服煎汤，6～15 g。外用适量，鲜品捣敷；或煎汤熏洗。根，外用适量，鲜品捣敷；或煎汤熏洗。 |

| **凭证标本号** | 441882180814079LY。 |

荨麻科 Urticaceae 苎麻属 Boehmeria

悬铃叶苎麻

Boehmeria tricuspis (Hance) Makino

| 药 材 名 |

方麻（药用部位：根、叶。别名：水苎麻、山麻、龟叶麻）。

| 形态特征 |

亚灌木或多年生草本。茎高 50 ~ 150 cm。叶对生，稀互生；叶片纸质，扁五角形或扁圆卵形，茎上部叶常为卵形，先端具 3 骤尖或 3 浅裂，边缘有粗牙齿。团伞花序组成的穗状花序单生于叶腋，或同一植株上的花序均为雌性，或茎上部的花序为雌性，下部的花序为雄性；雌花序分枝呈圆锥状或不分枝，雄花序分枝呈圆锥状；雌雄花的花被片均为椭圆形。花期 7 ~ 8 月。

| 生境分布 |

生于海拔 500 ~ 1 400 m 的平地田野、路旁和山地疏林下或灌丛中。分布于广东乳源、南雄、乐昌、连山及肇庆（市区）。

| 资源情况 |

野生资源一般。药材来源于野生。

| 采收加工 |

秋季采挖根，夏、秋季采收叶，洗净，鲜用

或晒干。

| **药材性状** | 本品根圆柱形，略弯曲，直径 1 ～ 2 cm；表面暗赤色，有较多的点状突起及须根痕；质硬，断面棕白色，有较细密的放射状纹理；水浸后略有黏性。气微，味微辛、微苦、涩。叶片扁五角形、扁圆卵形或卵形，顶部具 3 骤尖或 3 浅裂；叶面粗糙，有糙伏毛，叶背密被短柔毛，侧脉 2 对，边缘有粗牙齿。

| **功能主治** | 根，活血止血，解毒消肿。用于跌打损伤，胎漏下血，痔疮肿痛，疖肿。叶，清热解毒，收敛止血，生肌。用于咯血，衄血，尿血，便血，崩漏，跌打损伤，无名肿毒，疮疡。

| **用法用量** | 根，内服煎汤，6 ～ 15 g；或浸酒。外用适量，鲜品捣敷；或煎汤洗。叶，内服煎汤，6 ～ 15 g。外用适量，捣敷；或研末调涂。

| **凭证标本号** | 441825190804018LY、441823200901023LY。

荨麻科 Urticaceae 水麻属 *Debregeasia*

鳞片水麻 *Debregeasia squamata* King ex Hook. f.

| 药 材 名 | 大血吉（药用部位：地上部分。别名：野苎麻、山苎麻、山野麻）。

| 形态特征 | 落叶矮灌木。分枝有红色肉质皮刺并贴生短柔毛。叶薄纸质，卵形或心形，叶面具明显的点状钟乳体；托叶宽披针形，在上部 1/3 处 2 裂，背面密被短柔毛，具缘毛。花序雌雄同株，2 ~ 3 回二歧分枝，团伞花簇由多数雌花和少数雄花组成。瘦果浆果状，橙红色，梨形；宿存花被薄膜质，壶形，包被着果实。花期 8 ~ 10 月，果期 10 月至翌年 1 月。

| 生境分布 | 生于海拔 150 ~ 1 500 m 的溪谷两侧阴湿灌丛中。分布于广东和平、大埔、龙门、封开、新兴、罗定、阳春。

| **资源情况** | 野生资源较少。药材来源于野生。 |

| **采收加工** | 夏、秋季采收，洗净，鲜用或晒干。 |

| **药材性状** | 本品分枝粗壮，有红色肉质皮刺，皮刺弯生，干时变为棕红色。叶卵形或心形，基出脉3，叶边缘具牙齿。浆果状瘦果梨形，干时变为铁锈色。 |

| **功能主治** | 甘、微苦，凉。止血，活血。用于外伤出血，跌打损伤。 |

| **用法用量** | 内服煎汤，6～15 g。外用适量，鲜品捣敷；或干品研粉掺。 |

| **凭证标本号** | 441284191220694LY、441422191215274LY。 |

荨麻科 Urticaceae 楼梯草属 Elatostema

楼梯草
Elatostema involucratum Franch. et Sav.

| 药 材 名 | 半边伞（药用部位：茎、叶。别名：养血草）。

| 形态特征 | 多年生草本。茎肉质，不分枝或有 1 分枝，无毛。叶片草质，斜倒披针状长圆形或斜长圆形，有时稍镰状弯曲，长 4.5 ~ 19 cm，先端骤尖，上面有少数短糙伏毛，钟乳体密且明显，长 0.3 ~ 0.4 mm，叶脉羽状；托叶狭条形或狭三角形，无毛。花序雌雄同株或异株；雄花序有长梗，花序托不明显。瘦果卵球形，有少数不明显纵肋。花期 5 ~ 10 月。

| 生境分布 | 生于海拔 200 ~ 1 000 m 的山谷沟边石上、林中或灌丛中。分布于广东乳源、乐昌、蕉岭。

| **资源情况** | 野生资源较丰富。药材来源于野生。 |

| **采收加工** | 茎、叶：春、夏、秋季采收，洗净，切碎，鲜用或晒干。 |

| **药材性状** | 本品茎长约40 cm。叶皱缩，展平后呈斜长椭圆形，先端尖锐，带尾状，基部斜，半圆形，边缘中部以上有粗锯齿。 |

| **功能主治** | 辛、苦，温；有小毒。祛风除湿，活血散瘀。用于赤白痢疾，高热惊风，黄疸，风湿痹痛，水肿，淋证，闭经，疮肿，痄腮，带状疱疹，毒蛇咬伤，跌打损伤，骨折。 |

| **用法用量** | 内服煎汤，6～9 g。外用适量，鲜品捣敷；或捣烂，和酒揉擦。 |

| **凭证标本号** | 441823191019015LY、441827190119034LY。 |

荨麻科 Urticaceae 楼梯草属 Elatostema

狭叶楼梯草

Elatostema lineolatum Wight var. *majus* Wedd.

| 药 材 名 |

多齿楼梯草（药用部位：全株）。

| 形态特征 |

亚灌木。茎高 50 ～ 200 cm，多分枝；枝密被短糙毛。叶片草质或纸质，斜倒卵状长圆形或斜长圆形，宽 1 ～ 4 cm，边缘在狭侧上部有 2 ～ 3（～ 4）小齿，在宽侧有 2 ～ 5 齿，钟乳体密集，长 0.2 ～ 0.3 mm。花序雌雄同株，无梗；雄花序有多数密集的花，花序托小，雄花花被片 4，基部合生；雌花序小苞片多数，密集。瘦果有纵肋。花期 1 ～ 5 月。

| 生境分布 |

生于海拔 160 ～ 600 m 的山地沟边、林边或灌丛中。分布于广东翁源、乐昌、博罗、英德、新兴、信宜及肇庆（市区）。

| 资源情况 |

野生资源一般。药材来源于野生。

| 采收加工 |

夏、秋季采收，鲜用或晒干。

| **药材性状** | 本品长约 40 cm。茎上部密被短毛。叶皱缩，展平后呈斜倒卵状长圆形或斜长圆形，长 5 ~ 11 cm，宽 1.5 ~ 3.5 cm，先端长渐尖，基部狭楔形，边缘上部有疏锯齿，上面有毛或无毛，下面沿脉有毛；托叶钻形。雄花序托圆形，苞片多数；雌花序近球形。果实小，卵形，有纵肋。 |

| **功能主治** | 苦，寒。活血通络，消肿止痛，清热解毒。用于风湿痹痛，跌打损伤，骨折，外伤出血，痈疽肿痛。 |

| **用法用量** | 内服煎汤，6 ~ 15 g。外用适量，鲜品捣敷；或干品研末调敷。 |

| **凭证标本号** | 441523190920033LY、441827190119046LY。 |

荨麻科 Urticaceae 楼梯草属 *Elatostema*

多序楼梯草 *Elatostema macintyrei* Dunn

| 药 材 名 | 菜板（药用部位：全株。别名：石生楼梯草、青叶楼梯草）。

| 形态特征 | 亚灌木。茎高 30 ~ 100 cm。叶柄短；叶片坚纸质，斜椭圆形或斜椭圆状倒卵形，长 8 ~ 18 cm，先端尖头边缘有密齿，叶缘有浅牙齿，两面无毛，或下面沿中脉及侧脉有伏毛，钟乳体极明显，长 0.3 ~ 0.7 mm，极密，沿脉尤密，半离基三出脉。花序雌雄异株；雄花序数个腋生，有梗，花序托小，雄花有短梗；雌花序 5 ~ 9 簇生，有梗。瘦果椭圆球形，有纵肋。花期春季。

| 生境分布 | 生于海拔 170 ~ 750 m 的山谷林中或沟边阴处。分布于广东新丰、高要及深圳（市区）、云浮（市区）、茂名（市区）。

| **资源情况** | 野生资源一般。药材来源于野生。 |

| **采收加工** | 夏、秋季采收，鲜用或晒干。 |

| **功能主治** | 辛、苦，寒。清热凉肝，润肺止咳，消肿止痛。用于肝炎，咳嗽，跌打损伤。 |

| **用法用量** | 内服煎汤，10 ~ 30 g。外用适量，鲜品捣敷。 |

| **凭证标本号** | 441322150405691LY。 |

荨麻科 Urticaceae 糯米团属 Gonostegia

糯米团 *Gonostegia hirta* (Blume) Miq.

| 药 材 名 |

糯米草（药用部位：全草。别名：糯米藤、糯米条）。

| 形态特征 |

多年生草本。茎蔓生或渐升，长1 m 左右，基部稍呈木质，嫩处被短柔毛。叶对生；叶片宽披针形至狭披针形，长3 ～ 10 cm，宽1.2 ～ 2.8 cm，先端长渐尖至短渐尖，基部浅心形，全缘，上面稍粗糙，有稀疏短伏毛或无毛，下面沿脉有疏毛或无毛，基出脉3。花两性或单性异株，排成腋生团伞花序，宽达1 cm；雄花具短梗，花被片5，分离，长约2 mm，雄蕊5；雌花花被合生，纺锤形，长约1 mm，果时宿存，增大，有10纵肋，柱头长约3 mm，有密毛。瘦果卵形，长约1.5 mm，黑色，有光泽。花期6 ～ 7月，果期10 ～ 11月。

| 生境分布 |

生于海拔100 ～ 1 000 m 的丘陵或低山林中、灌丛、沟边草地。广东各地均有分布。

| 资源情况 |

野生资源较丰富。药材来源于野生。

| 采收加工 | 全年均可采收，鲜用或晒干。

| 药材性状 | 本品根粗壮，肉质，圆锥形，有支根；表面浅红棕色；不易折断，断面略粗糙，呈浅棕黄色。茎黄褐色。叶多破碎，暗绿色，粗糙，有毛或无毛，湿润展平后3 基脉明显，背面网脉明显。有时可见簇生的花或瘦果。果实卵形，先端尖，其外宿存花被约具 10 纵肋。气微，味淡。

| 功能主治 | 淡，平。健脾消食，清热利湿，解毒消肿。用于乳痈，肿毒，痢疾，消化不良，食积腹痛，疳积，带下，水肿，小便不利，痛经，跌打损伤，咯血，吐血，外伤出血。

| 用法用量 | 内服煎汤，10 ~ 30 g，鲜品加倍。外用适量，捣敷。

| 凭证标本号 | 441825190807036LY、441284190805123LY、441523190517012LY。

荨麻科 Urticaceae　花点草属　*Nanocnide*

毛花点草 *Nanocnide lobata* Wedd.

药 材 名	花点草（药用部位：全草。别名：雪药、油点草）。
形态特征	一年生或多年生草本。茎柔软，铺散，自基部分枝，长 17 ~ 40 cm，半透明，有时下部带紫色，被向下弯曲的微硬毛。叶互生，膜质，三角状宽卵形、半圆形或扇形，长与宽近相等，均为 1.5 ~ 2 cm，先端圆或钝，基部平截或楔形，边缘浅裂成 9 ~ 14 小圆齿片，基出脉 3 ~ 5，两面散生短杆状钟乳体；叶柄下长上短，被向下弯曲的短柔毛；托叶膜质，小，具缘毛。花单性同株；雄花序常生于枝的上部叶腋，具短梗，长 5 ~ 12 mm，雄花淡绿色，直径 2 ~ 3 mm，花被 4 ~ 5 深裂，雄蕊 4 ~ 5，具退化雌蕊；雌聚伞花序团伞状，聚生于枝顶叶腋，具短梗或无梗，雌花长 1 ~ 1.5 mm，花被片绿色，

不等 4 深裂，子房椭圆形，无花柱。瘦果椭圆形，褐色，长约 1 mm，具宿存花被片。花期 3 ~ 5 月，果期 5 ~ 6 月。

| 生境分布 | 生于海拔 25 ~ 1 400 m 的山谷溪旁、石缝、路旁阴湿处和草丛中。分布于广东乐昌、连山、高要。

| 资源情况 | 野生资源较少。药材来源于野生。

| 采收加工 | 春、夏季采集，鲜用或晒干。

| 药材性状 | 本品皱缩成团。根细长，棕黄色。茎纤细，多扭曲，直径约 1 mm，枯绿色或灰白色，被白色柔毛。叶皱缩卷褶，多脱落，完整叶呈三角状卵形或扇形，枯绿色。有的可见圆球状淡绿色花序。气微，味淡。

| 功能主治 | 酸，凉。清热解毒，消肿散结。用于肺热咳嗽，瘰疬，咯血，烫火伤，痈肿，跌打损伤，蛇咬伤，外伤出血。

| 用法用量 | 内服煎汤，15 ~ 30 g。外用适量，鲜品捣敷；或浸菜油、麻油搽。

| 凭证标本号 | 440281190426019LY、440224180331006LY、441882190617002LY。

荨麻科 Urticaceae 紫麻属 Oreocnide

紫麻 *Oreocnide frutescens* (Thunb.) Miq.

| 药 材 名 | 山麻（药用部位：地上部分。别名：紫苎麻、白水苎麻、野麻）。

| 形态特征 | 灌木，稀小乔木，高 1 ~ 3 m。嫩枝被短柔毛。叶互生，纸质，卵形或狭卵形，长 3 ~ 15 cm，宽 1.5 ~ 6 cm，先端渐尖或尾状渐尖，基部圆形，边缘自下部以上有锯齿或粗牙齿，上面无毛或散被短毛，下面常被灰白色毡毛，以后毛渐脱落，基出脉 3；叶柄长 1 ~ 7 cm，被粗毛；托叶条状披针形，长约 10 mm。雌雄异株，花序生于去年生枝和老枝上，几无梗，呈簇生状，团伞花簇直径 3 ~ 5 mm；雄花花被片 3，下部合生，长圆状卵形，雄蕊 3，外伸，退化雌蕊棒状，被绵毛；雌花无梗，长 1 mm。瘦果卵形，长约 1 mm；肉质花托浅盘状，包围着果实的基部，成熟时则常增大而呈壳斗状，包围着果

实的大部分。花期 3 ~ 5 月，果期 6 ~ 10 月。

| **生境分布** | 生于海拔 300 ~ 1 500 m 的山谷、林缘半阴湿处或石缝。分布于广东乳源、新丰、翁源、始兴、南雄、乐昌、曲江、和平、连平、平远、龙门、博罗、连山、阳山、连州、英德、德庆、封开、怀集、新兴、罗定、阳春、信宜及东莞（市区）、深圳（市区）、广州（市区）。

| **资源情况** | 野生资源较丰富。药材来源于野生。

| **采收加工** | 夏、秋季采收，洗净，鲜用或晒干。

| **药材性状** | 本品长达 1 m。茎上有棱槽。嫩枝有毛。叶皱缩，展平后呈卵状长圆形或卵状披针形，长 4 ~ 12 cm，宽 1.7 ~ 5 cm，先端渐尖，基部楔形，边缘有锯齿；叶柄长 3 ~ 4 cm。果实卵形，大部分被肉质花托包被。气微，味微甜。

| **功能主治** | 甘，凉。清热解毒，行气活血，透疹。用于感冒发热，跌打损伤，牙痛，麻疹不透，肿疡。

| **用法用量** | 内服煎汤，30 ~ 60 g。外用适量，捣敷；或煎汤含漱。

| **凭证标本号** | 441825190713011LY、440783191103004LY、441823190928021LY。

荨麻科 Urticaceae 紫麻属 Oreocnide

倒卵叶紫麻 *Oreocnide obovata* (C. H. Wright) Merr.

| 药 材 名 | 凸尖紫麻（药用部位：根。别名：灰背叶紫麻）。

| 形态特征 | 直立或攀缘灌木，高 1.5 ~ 3 m。枝灰褐色，被粗毛和短柔毛，后毛渐脱落。叶倒卵形或狭倒卵形，长 7 ~ 17 cm，宽 3 ~ 9 cm，先端具尖头，基部宽楔形，边缘自下部以上有牙齿或钝锯齿，上面粗糙，疏生伏毛，后毛脱落，下面被浅灰色毡毛，后部分毛脱落，脉上有短粗毛；叶柄长 1 ~ 7 cm；托叶条形，长 7 ~ 10 mm。花单性异株，花序生于当年生枝和老枝上，长 0.8 ~ 1.5 cm，2 ~ 3 回二歧分枝，花序梗被短粗毛，团伞花簇直径 3 ~ 4 mm；雄花花被片 3，卵形，雄蕊 3，退化雌蕊棒状，被绵毛；雌花卵形，长约 1 mm。瘦果卵形，长 1 ~ 1.2 mm，基部具盘状肉质花托。花期 12 月至翌年 2 月，果

期翌年 5 ~ 8 月。

| **生境分布** | 生于海拔 200 ~ 1 400 m 的山谷水旁林下。分布于广东连山、博罗、高要及云浮（市区）等。

| **资源情况** | 野生资源一般。药材来源于野生。

| **采收加工** | 夏、秋季采挖，洗净，鲜用或晒干。

| **功能主治** | 辛，温。发表透疹，祛风化湿，活血散瘀。用于麻疹，水痘，风湿痹痛，跌打损伤，骨折。

| **用法用量** | 内服煎汤，3 ~ 9 g。外用适量，鲜品捣敷。

| **凭证标本号** | 440281190423014LY。

荨麻科 Urticaceae 赤车属 Pellionia

赤车
Pellionia radicans (Siebold. et Zucc.) Wedd.

| **药 材 名** | 赤车使者（药用部位：全草。别名：岩下青、坑兰、拔血红）。

| **形态特征** | 多年生草本。茎下部卧地，节处生根，上部渐升，长 20 ~ 60 cm。
叶互生；叶片草质，狭卵形或披针形，长 2 ~ 5 cm，宽 1 ~ 2 cm，
先端短渐尖至长渐尖，基部偏斜，在狭侧钝，在宽侧呈耳形，中部
以上叶缘具波状锯齿，两面无毛或近无毛，钟乳体稍明显或不明显，
具半离基三出脉；叶柄长 1 ~ 4 mm；托叶钻形。雌雄异株；雄花序
为稀疏的聚伞花序，花序梗长 2 ~ 5 cm，雄花花被片 5，椭圆形，
长约 1.5 mm，具角，雄蕊 5；雌花序通常有短梗，直径 3 ~ 5 mm，
有多数密集的花，雌花花被片 5。瘦果卵形，长约 1 mm，有小疣点。
花期 4 ~ 7 月，果期 7 ~ 8 月。

| 生境分布 | 生于海拔 200 ~ 1 500 m 的山谷林下、灌丛中阴湿处或溪边。分布于广东乳源、新丰、翁源、始兴、乐昌、曲江、和平、龙门、从化、连山、阳山、英德、怀集、高要、罗定、阳春、信宜及深圳（市区）。

| 资源情况 | 野生资源较丰富。药材来源于野生。

| 采收加工 | 夏、秋季采收，洗净，鲜用或晒干。

| 药材性状 | 本品根茎呈圆柱形，细长，长短不一，直径约 1 mm，表面棕褐色。叶互生，皱缩卷曲，多已破碎，完整叶展平后呈狭卵形或披针形，基部不对称，上表面绿色，下表面灰绿色，质脆易碎。有的可见小花序。气微，味微苦、涩。

| 功能主治 | 辛、苦，温；有小毒。祛风除湿，活血散瘀。用于风湿关节痛，跌打肿痛，骨折，疮疖，牙痛，骨髓炎，丝虫病引起的淋巴管炎，肝炎，支气管炎，毒蛇咬伤，烫火伤。

| 用法用量 | 内服煎汤，15 ~ 30 g。外用适量，鲜品捣敷；或研末调敷。

| 凭证标本号 | 441825190502012LY、441823210205006LY、440224190313013LY。

荨麻科 Urticaceae 赤车属 Pellionia

吐烟花

Pellionia repens (Lour.) Merr.

| 药 材 名 | 吐烟花（药用部位：全草）。

| 形态特征 | 多年生匍匐草本。茎肉质，节处生根，常分枝。叶具短柄，与退化叶对生；正常叶片斜长椭圆形或斜倒卵形，长 1.8 ~ 7 cm，宽 1.2 ~ 3.7 cm，先端钝或圆形，基部不对称，边缘有波状浅钝齿或近全缘，上面无毛，下面沿脉有短毛，钟乳体密且明显，长 0.3 ~ 0.8 mm，具半离基三出脉；叶柄长 1.5 ~ 5 mm；托叶膜质，三角形，长 4 ~ 8 mm，宽 2 ~ 5 mm；退化叶小，卵形或近条形。雌雄同株或异株，花序腋生；雄花序为疏散的聚伞花序，花序梗长 2 ~ 11 cm，雄花花被片 5，下部合生，雄蕊 5，退化雌蕊棒状；雌花序无梗，有多数密集的花，雌花花被片 5，稍不等大，船状狭长圆形，长约

1 mm。瘦果椭圆形，淡棕色，有小瘤状突起。花果期 5 ~ 10 月。

| 生境分布 | 生于海拔 800 ~ 1 100 m 的山地林下、溪旁或石上阴湿处。广东广州（市区）、深圳（市区）等有栽培。

| 资源情况 | 栽培资源一般。药材来源于栽培。

| 采收加工 | 全年均可采收，洗净，鲜用或蒸后晒干。

| 药材性状 | 本品干品多缠绕扭曲。茎细长，暗紫色，节处可见纤细的不定根或合生的小托叶。叶有 2 种，1 种细小，呈线形，另 1 种较大，湿润并展平后呈斜卵形，长 2 ~ 6 cm，宽 1 ~ 3 cm，先端钝圆，基部极不对称，边缘有波状浅钝齿，表面深绿色，可见明显而稠密的钟乳体，边缘处钟乳体更密集。质脆。气微，味微甘、涩。

| 功能主治 | 甘、微涩，凉。清热利湿，宁心安神。用于湿热黄疸，腹水，失眠，健忘，过敏性皮炎，下肢溃疡，疮疖肿毒。

| 用法用量 | 内服煎汤，6 ~ 15 g，鲜品 30 ~ 60 g。外用适量，鲜品捣敷；或煎汤洗。

| 凭证标本号 | 441823191115017LY。

蔓赤车
Pellionia scabra Benth.

| 药 材 名 | 毛赤车（药用部位：全株。别名：羊眼草、石解骨、坑兰）。

| 形态特征 | 亚灌木。茎渐升，高30 ～ 100 cm，基部木质，常分枝，嫩枝被糙毛。叶互生，草质，具短柄或近无柄，不对称，斜狭卵状圆形或斜椭圆形，长3.2 ～ 8.5 cm，宽1 ～ 3 cm，先端渐尖，基部在狭侧微钝，在宽侧呈宽楔形，边缘中部以上具钝锯齿，上面无毛或近无毛，钟乳体细，稍明显，具半离基三出脉，叶脉羽状。雌雄异株；雄聚伞花序分枝稀疏，长达4.5 cm，雄花花被片5，基部合生，其中3花被片较大，顶部有角状突起，2花被片较小，无突起，雄蕊5，退化雌蕊钻形；雌花序头状，花密集，雌花花被片4 ～ 5，不等大，退化雄蕊极小。瘦果椭圆形，长约1 mm，有小瘤状突起。花期4 ～ 7

月，果期 7 ~ 9 月。

| **生境分布** | 生于海拔 700 m 以下的山地溪边、密林下和石边阴湿处。分布于广东乳源、翁源、仁化、乐昌、连平、蕉岭、平远、大埔、龙门、惠东、博罗、从化、增城、连州、英德、封开、高要、郁南、新会、阳春及深圳（市区）。

| **资源情况** | 野生资源较丰富。药材来源于野生。

| **采收加工** | 全年均可采收，洗净，多鲜用。

| **功能主治** | 甘、淡，凉。清热解毒，凉血散瘀。用于目赤肿痛，痄腮，蛇串疮，牙痛，扭挫伤，闭经，疮疖肿痛，烫火伤，毒蛇咬伤，外伤出血。

| **用法用量** | 内服煎汤，30 ~ 60 g。外用适量，鲜品捣敷；或捣汁涂。

| **凭证标本号** | 441523200104005LY、440783191005023LY、441422190302507LY。

湿生冷水花 *Pilea aquarum* Dunn

| 药 材 名 | 四轮草（药用部位：全草）。

| 形态特征 | 肉质草本，高达 10 ~ 30 cm。具匍匐根茎。叶对生，膜质，宽椭圆形或卵状椭圆形，长 1.5 ~ 6 cm，宽 1 ~ 4 cm，先端急尖或钝，边缘有粗锯齿，基出脉 3；叶柄长 0.5 ~ 3.5 cm，被短柔毛或近无毛；托叶近心形。花单性异株；雄花序聚伞圆锥状；雌花序聚伞状，密集成簇生状；雄花花被片 4，雄蕊 4；雌花花被片 3，不等大，宿存。瘦果宽卵圆形，褐色，表面有细点状突起。花期 3 ~ 5 月，果期4 ~ 6 月。

| 生境分布 | 生于海拔 350 ~ 1 500 m 的山地疏林下、溪谷边阴湿处。分布于广

东仁化、南雄、乐昌、大埔、龙门、连山、英德。

| **资源情况** | 野生资源较少。药材来源于野生。

| **采收加工** | 夏、秋季采收，鲜用或晒干。

| **功能主治** | 淡，凉。清热解毒。用于疮疖。

| **用法用量** | 内服煎汤，15 ~ 30 g。外用适量，捣敷。

| **凭证标本号** | 440224190312004LY、440224190313016LY。

荨麻科 Urticaceae 冷水花属 *Pilea*

波缘冷水花 *Pilea cavaleriei* H. Lévl.

| 药 材 名 | 石油菜（药用部位：全草。别名：石苋菜、石花菜、小石芥）。

| 形态特征 | 肉质无毛草本，高 5 ~ 30 cm。叶对生，集生于枝顶；叶片近圆形、宽卵形或菱状卵形，长和宽均为 6 ~ 20 mm，先端钝或近圆形，全缘而略呈波状，上面密布线形钟乳体，基出脉 3；叶柄长 5 ~ 20 mm。雌雄同株；聚伞花序常密集成近头状；雄花花被片 4，雄蕊 4；雌花花被片 3，不等大，花后宿存。瘦果卵形，稍扁，光滑。花期 5 ~ 8月，果期 8 ~ 10 月。

| 生境分布 | 生于海拔 200 ~ 1 500 m 的林下石上或石缝中、溪边等。分布于广东乳源、仁化、阳山、连山、封开。

| 资源情况 | 野生资源较少。药材来源于野生。

| 采收加工 | 全年均可采收，洗净，鲜用或晒干。

| 功能主治 | 甘、淡，凉。清热解毒，润肺止咳，消肿。用于肺热咳嗽，肺结核，肾炎性水肿，烫火伤，跌打损伤，疮疖肿毒。

| 用法用量 | 内服煎汤，15 ~ 30 g，鲜品加倍。外用适量，捣敷。

| 凭证标本号 | 441823200710014LY、440224190608016LY。

荨麻科 Urticaceae 冷水花属 Pilea

山冷水花 *Pilea japonica* (Maxim.) Hand.-Mazz.

| 药 材 名 |

苔水花（药用部位：全草）。

| 形态特征 |

肉质草本，高约 30 cm。叶对生，顶生叶较密集，菱状卵形或卵形，长 1 ~ 6 cm，宽 0.8 ~ 3 cm，先端渐尖，叶缘每边具 1 ~ 4 粗齿，上面疏生短毛，基出脉 3，钟乳体细条形。花单性同株或异株，排成近球状团伞花序；苞片卵形，雄花花被合生，5 裂，裂片不等大，雄蕊 5；雌花花被片 5，近等大。瘦果卵形，几被宿存花被包裹。花期 7 ~ 9 月，果期 8 ~ 11 月。

| 生境分布 |

生于海拔 500 ~ 1 900 m 的山坡林下或山谷湿地，常成片生长。分布于广东翁源、紫金、潮安等。

| 资源情况 |

野生资源较少。药材来源于野生。

| 采收加工 |

夏、秋季采收，洗净，鲜用或晒干。

| **功能主治** | 甘，凉。清热解毒，利水通淋。用于扁桃体炎，尿路感染，宫颈炎，赤白带下。

| **用法用量** | 内服煎汤，6 ~ 9 g，鲜品 15 ~ 30 g。

| **凭证标本号** | 441882180814002LY。

荨麻科 Urticaceae 冷水花属 Pilea

小叶冷水花 *Pilea microphylla* (L.) Liebm.

| 药 材 名 | 透明草（药用部位：全草。别名：玻璃草）。

| 形态特征 | 纤细肉质小草本，铺散，多分枝，高不及 20 cm。叶很小，对生，同对不等大；叶片倒卵形至匙形，长 3 ～ 7 mm，宽 1.5 ～ 3 mm，先端钝，全缘，稍反曲，钟乳体条形，在上面明显，叶脉羽状；叶柄纤细。花单性同株，聚伞花序密集成近头状；雄花花被片 4，雄蕊 4；雌花花被片 3，稍不等长。瘦果卵形，成熟时呈褐色，光滑。花期夏、秋季，果期秋季。

| 生境分布 | 生于路边石缝和墙上阴湿处。广东各地均有分布。

| 资源情况 | 野生资源丰富。药材来源于野生。 |

| 采收加工 | 夏、秋季采收，洗净，鲜用或晒干。 |

| 药材性状 | 本品干品呈蓝绿色。叶小，对生，同对不等大，倒卵形至匙形，展开后长 3 ~ 7 mm，宽 1.5 ~ 3 mm，先端钝，全缘，稍反曲，干时呈细蜂巢状，钟乳体条形，在上面明显，叶脉羽状。聚伞花序密集成近头状。瘦果卵形，成熟时呈褐色，光滑。 |

| 功能主治 | 淡、涩，凉。清热解毒。用于痈疮肿痛，丹毒，无名肿毒，烫火伤。 |

| 用法用量 | 内服煎汤，5 ~ 15 g。外用适量，鲜品捣敷；或绞汁涂。 |

| 凭证标本号 | 441523190920046LY、440783200426009LY、440781190712018LY。 |

荨麻科 Urticaceae 冷水花属 Pilea

冷水花 *Pilea notata* C. H. Wright

| 药 材 名 | 冷水花（药用部位：全草。别名：长柄冷水麻）。

| 形态特征 | 多年生草本。茎肉质，高达 70 cm，茎和叶均密布钟乳体。叶对生；叶片卵状披针形或卵形，长 4 ~ 11 cm，宽 1.5 ~ 4.5 cm，先端尾尖或渐尖，有浅锯齿，基出脉 3。花单性异株，聚伞花序腋生；雄花序呈聚伞总状而疏生；雌花序较短而密集；雄花花被绿黄色，4 深裂，雄蕊 4；雌花花被片 3，宿存。瘦果圆卵形，先端歪斜。花期 6 ~ 9 月，果期 9 ~ 11 月。

| 生境分布 | 生于海拔 300 ~ 1 500 m 的山谷、溪旁或林下阴湿处。分布于广东乳源、仁化、连平、连山、封开。

| 资源情况 | 野生资源一般。药材来源于野生。

| 采收加工 | 夏、秋季采收，鲜用或晒干。

| 功能主治 | 淡、微苦，凉。清热利湿，生津止渴，利胆退黄。用于湿热黄疸，赤白带下，淋浊，尿血，小儿夏季热，疟母，消化不良，跌打损伤，外伤感染。

| 用法用量 | 内服煎汤，15 ~ 30 g；或浸酒。外用适量，捣敷。

| 凭证标本号 | 440785181001018LY。

荨麻科 Urticaceae 冷水花属 Pilea

盾叶冷水花 *Pilea peltata* Hance

| 药 材 名 | 背花疮（药用部位：全草）。

| 形态特征 | 肉质无毛草本，高 5 ~ 27 cm，不分枝。叶常集生于茎顶，对生；叶片盾状着生，近圆形，长 1 ~ 4.5 cm，宽 1 ~ 3.5 cm，先端锐尖或钝，边缘有数枚圆齿，钟乳体条形，在上面密布，基出脉 3。雌雄同株或异株，团伞花序数个疏生于花序轴上，呈串珠状；雄花花被片 4，雄蕊 4；雌花花被片 3，不等大，宿存。瘦果卵形，顶歪斜。花期 6 ~ 8 月，果期 8 ~ 9 月。

| 生境分布 | 生于海拔 100 ~ 500 m 的石灰岩山上石缝中或灌丛下阴处。分布于广东乳源、连州、高要、阳春及云浮（市区）。

曾佑派提供

| **资源情况** | 野生资源较少。药材来源于野生。 |

| **采收加工** | 夏季采收，鲜用或晒干。 |

| **功能主治** | 辛、淡，凉。清热解毒，祛痰止咳，化瘀。用于肺热咳嗽，肺痨久咳，跌打损伤，外伤出血，疳积。 |

| **用法用量** | 内服煎汤，5～15 g。外用适量，捣敷。 |

| **凭证标本号** | 441823200901013LY、441882180509003LY。 |

荨麻科 Urticaceae 冷水花属 Pilea

矮冷水花 *Pilea peploides* (Gaudich.) Hook. et Arn.

| 药 材 名 | 圆叶豆瓣草（药用部位：全草。别名：坐镇草、莛艾冷水花）。

| 形态特征 | 无毛小草本。茎肉质，高 3 ~ 20 cm。叶对生；叶片菱状圆形，长 3.5 ~ 18 mm，宽 3 ~ 16 mm，先端钝，基部宽楔形，全缘或呈波状，或具浅牙齿，两面均生紫斑，下面紫斑更明显，钟乳体条形，基出脉 3。雌雄同株，聚伞花序密集成头状；雄花具梗，花被片 4，雄蕊 4；雌花具短梗，花被片 2，不等大，果时增厚。瘦果卵形，稍歪斜，光滑。花期 4 ~ 7 月，果期 7 ~ 8 月。

| 生境分布 | 生于海拔 200 ~ 950 m 的山坡阴湿石缝或长苔藓的石上。分布于广东乳源、仁化、始兴、乐昌、连平、连山、阳山、英德、信宜。

资源情况	野生资源一般。药材来源于野生。
采收加工	全年均可采收，洗净，鲜用或晒干。
功能主治	辛，微寒。清热解毒，祛瘀止痛。用于跌打损伤，无名肿毒。
用法用量	内服煎汤，6 ~ 9 g，鲜品 30 ~ 60 g；或浸酒。外用适量，鲜品捣敷；或浸酒涂。
凭证标本号	440783200426001LY。

荨麻科 Urticaceae 冷水花属 Pilea

透茎冷水花 *Pilea pumila* (L.) A. Gray

| 药 材 名 |

透茎冷水花（药用部位：全草。别名：美青豆、直苎麻、肥肉草）。

| 形态特征 |

草本，高 5 ~ 50 cm。茎无毛，肉质且透明。叶对生；叶片菱状卵形或宽卵形，长 1 ~ 9 cm，宽 0.6 ~ 5 cm，先端渐尖或锐尖，基部以上边缘有粗锯齿，钟乳体条形，基出脉 3。花单性同株、同序，腋生聚伞花序呈蝎尾状，密集；雄花花被片 2 ~ 4，舟形，雄蕊 2 ~ 4；雌花花被片 3，近等大，宿存。瘦果扁卵形，光滑。花期 6 ~ 8 月，果期 8 ~ 10 月。

| 生境分布 |

生于海拔 400 ~ 1 400 m 的山坡林下或阴湿岩石缝。分布于广东乳源、新丰、乐昌、和平、连平、龙门、阳山、怀集。

| 资源情况 |

野生资源一般。药材来源于野生。

| 采收加工 |

夏、秋季采收，洗净，鲜用或晒干。

| **功能主治** | 甘，寒。利尿解热，安胎。用于糖尿病，胎动不安，先兆流产。

| **用法用量** | 内服煎汤，15 ～ 30 g。外用适量，捣敷。

| **凭证标本号** | 441882180814064LY、440783200425042LY。

荨麻科 Urticaceae 冷水花属 *Pilea*

厚叶冷水花 *Pilea sinocrassifolia* C. J. Chen

| 药 材 名 | 石芫荽（药用部位：全草）。

| 形态特征 | 平卧肉质草本，全株无毛，多分枝。叶对生，鲜时呈肉质，干时呈纸质，近圆形或扇状圆形，长 4 ~ 8.5 mm，先端圆形，基部截形，全缘，钟乳体仅在上面明显，梭形，基出脉 3，不明显。雌雄同株；雄聚伞花序密集成头状，雄花大，淡黄绿色，花被片 4，倒卵状长圆形，内凹，外面近先端具 2 囊状突起，雄蕊 4；雌花未见。花期 11 月至翌年 3 月。

| 生境分布 | 生于山坡阴处石上。分布于广东仁化、乳源、封开、连南、清新等。

| 资源情况 | 野生资源较少。药材来源于野生。

| 采收加工 | 秋、冬季采收，鲜用或晒干。

| 功能主治 | 苦，凉。清热解毒。用于热毒疮疡，热结便秘。

| 用法用量 | 内服煎汤，6 ~ 15 g。

| 凭证标本号 | 441823200707044LY、441225180611040LY。

荨麻科 Urticaceae 冷水花属 Pilea

粗齿冷水花 *Pilea sinofasciata* C. J. Chen

| **药 材 名** | 紫绿麻（药用部位：全草）。

| **形态特征** | 草本，高达 1 m。茎肉质。叶对生；叶片椭圆形或卵形，长 4 ~ 17 cm，宽 2 ~ 7 cm，先端长尾状渐尖，边缘有稀疏粗锯齿，上面沿中脉常有 2 白斑带，钟乳体蠕虫形，在下面明显，基出脉 3。雌雄异株或同株，花序聚伞圆锥状；雄花花被片 4，在下部合生，雄蕊 4；雌花花被片 3，近等大，宿存。瘦果圆卵形，先端歪斜。花期 6 ~ 7 月，果期 8 ~ 10 月。

| **生境分布** | 生于海拔 700 ~ 1 500 m 的山坡林下阴湿处。分布于广东乳源、仁化、博罗、阳山、连州。

| **资源情况** | 野生资源一般。药材来源于野生。

| **采收加工** | 夏、秋季采收，鲜用或晒干。

| **功能主治** | 辛，平。清热解毒，润肺止咳，理气止痛，祛风，止血，活血。用于高热，咽喉肿痛，鹅口疮，跌打损伤，骨折，风湿痹痛。

| **用法用量** | 内服煎汤，5 ～ 15 g。外用适量，捣敷。

| **凭证标本号** | 441882181130019LY。

荨麻科 Urticaceae **冷水花属** *Pilea*

三角形冷水花 *Pilea swinglei* Merr.

药 材 名	三角叶冷水花（药用部位：全草。别名：玻璃草）。
形态特征	无毛草本，高达 30 cm。叶对生；叶片三角状宽卵形或狭卵形，长 1 ~ 5.5 cm，宽 0.8 ~ 3 cm，先端锐尖或短渐尖，基部心形，边缘 具稀疏粗锯齿，上面绿色，下面浅绿色，钟乳体条形，在上面明显，基出脉 3。花雌雄同株，团伞花簇呈头状；雄花花被片 4，雄蕊 4；雌花花被片 2，极不等大，宿存。瘦果扁卵形，稍歪斜。花期 6 ~ 8 月，果期 8 ~ 11 月。
生境分布	生于海拔 400 ~ 1 500 m 的山谷溪边和石上阴湿处。分布于广东和 平、蕉岭、龙门、博罗、从化、连州。

| **资源情况** | 野生资源一般。药材来源于野生。 |

| **采收加工** | 全年均可采收，洗净，鲜用或晒干。 |

| **功能主治** | 淡、微甘，凉。解毒消肿。用于疔肿痈毒，毒蛇咬伤，跌打损伤。 |

| **用法用量** | 内服煎汤，9～30 g。外用适量，鲜品捣敷。 |

| **凭证标本号** | 441825190710015LY。 |

| **附　注** | 本种在我国分布较广，植株大小、叶形、叶缘形状等变异甚大。但雌花花被片2（稀3）、花序呈串珠状为本种较稳定的特征。 |

雾水葛
Pouzolzia zeylanica (L.) Benn. et R. Br.

药材名

啜脓膏（药用部位：全草。别名：粘榔根）。

形态特征

多年生草本，高 15 ~ 60 cm。茎下部有 1 ~ 3 对分枝，披散或伏地，多少有毛。叶对生或互生，纸质，卵形或宽卵形，长 1.2 ~ 3.8 cm，宽 0.8 ~ 2.6 cm，先端短渐尖，全缘，两面有毛，脉羽状。花单性同株，混杂腋生的团伞花序；雄花花被片 4，基部稍合生，雄蕊 4；雌花花被先端 2 齿裂，花后宿存，增大。瘦果卵形，有光泽。花果期 9 ~ 11 月。

生境分布

生于海拔 300 ~ 800 m 的草地、路边或田边、丘陵或低山的灌丛或疏林中、沟边。分布于广东乳源、翁源、始兴、乐昌、和平、丰顺、大埔、揭西、陆河、惠东、博罗、连山、高要、郁南、新兴、罗定、台山、阳春、高州、徐闻及深圳（市区）、广州（市区）。

资源情况

野生资源较丰富。栽培资源一般。药材来源于野生和栽培。

采收加工	全年均可采收，洗净，鲜用或晒干。
药材性状	本品根细小。主茎短，分枝较多，被疏毛，淡紫红色。叶纸质而脆，易碎，大多数对生，展开后呈卵形或宽卵形，长 1.2 ～ 3.8 cm，宽 0.8 ～ 2.6 cm，先端短渐尖，基部圆形，全缘，钟乳体细，点状；叶柄纤细。气微，味淡。
功能主治	甘，凉。清热利湿，解毒排脓。用于疮疡痈疽，乳痈，风火牙痛，痢疾，腹泻，小便淋痛，白浊。
用法用量	内服煎汤，15 ～ 30 g，鲜品加倍。外用适量，捣敷；或捣汁含漱。
凭证标本号	440783190715030LY、440281200709020LY、441823200623002LY。

多枝雾水葛 Pouzolzia zeylanica (L.) Benn. et R. Br. var. microphylla (Wedd.) W. T. Wang

| 药 材 名 | 石珠（药用部位：全草。别名：强盗草）。

| 形态特征 | 多年生草本或亚灌木，常铺地，长 40 ~ 200 cm，多分枝。末回小枝常多数，互生，长 2 ~ 10 cm，有很小的叶（长约 5 mm）。茎下部叶对生，上部叶互生，分枝的叶通常全部互生或下部的对生，叶形变化较大，卵形、狭卵形至披针形，先端短渐尖，基部圆，全缘，两面被疏伏毛。团伞花序腋生。瘦果卵形，有光泽。

| 生境分布 | 生于平原或海拔 500 m 以下的丘陵草地、田边或草坡上。分布于广东和平、高州及惠州（市区）、深圳（市区）。

| 资源情况 | 野生资源一般。药材来源于野生。

| 采收加工 | 夏、秋季采收，除去杂质，鲜用或晒干。 |

| 功能主治 | 甘、苦，凉。解毒消肿，接骨。用于痈肿，梅毒，肺结核，骨折。 |

| 用法用量 | 内服煎汤，10 ~ 15 g，鲜品 15 ~ 30 g。外用适量，鲜品捣敷。 |

| 凭证标本号 | 440224181113036LY、440523190730016LY、441284190816477LY。 |

荨麻科 Urticaceae 藤麻属 Procris

藤麻
Procris crenata C. B. Rob.

| 药 材 名 |

平滑楼梯草（药用部位：全草。别名：石羊草、金玉叶）。

| 形态特征 |

草本或亚灌木，高达 80 cm，全株无毛。叶对生，异型；正常叶大，叶片长椭圆状披针形，长 8 ~ 20 cm，宽 2 ~ 4.5 cm，先端渐尖，基部偏斜，楔形，边缘中上部有少数浅齿，钟乳体线形，两面明显；退化叶小，早落，具羽状脉。花单性同株，花序簇生；雄花花被 5 深裂，雄蕊 5；雌花花被片 4 或 5。瘦果卵形，扁。花期 6 ~ 10 月，果期 11 月至翌年 2 月。

| 生境分布 |

生于海拔 300 ~ 1 000 m 的山地林下或溪边石旁等阴湿处，有时攀附于大树上。分布于广东新丰、翁源、五华、博罗、龙门、惠东、从化、怀集、阳春、信宜及深圳（市区）。

| 资源情况 |

野生资源一般。药材来源于野生。

| 采收加工 | 全年均可采收，洗净，鲜用。

| 功能主治 | 淡，凉。消肿拔毒，清热凉肝，润肺止咳。用于角膜云翳，风火赤眼，烫火伤，跌打损伤，骨折，无名肿毒，皮肤溃疡。

| 用法用量 | 外用适量，捣敷；或煎汤滴眼。

| 凭证标本号 | 440224180403036LY。

大麻科 Cannabinaceae 葎草属 Humulus

葎草
Humulus scandens (Lour.) Merr.

| 药 材 名 | 割人藤（药用部位：全草。别名：拉拉秧、拉拉藤、五爪龙）。

| 形态特征 | 缠绕草本，茎、枝、叶柄均具倒钩刺。单叶对生；叶片掌状 5 ~ 7 深裂，长、宽近相等，均为 7 ~ 10 cm，边缘具粗锯齿，两面具糙毛；叶柄长 5 ~ 10 cm。花单性异株；雄花序圆锥状，雄花花被片 5，雄蕊 5；雌花序球果状，苞片卵形，覆瓦状排列，每苞片内着生 1 雌花。瘦果扁球形，成熟时露出苞片外。花期 7 ~ 8 月，果期 9 ~ 10 月。

| 生境分布 | 生于沟边、荒地、废墟、林缘。广东各地均有分布。

| 资源情况 | 野生资源丰富。药材来源于野生。

| **采收加工** | 9～10月选择晴天采收，除去杂质，晒干或鲜用。 |

| **药材性状** | 本品叶皱缩成团，完整叶片展平后近五角状肾形，掌状深裂，裂片5～7，边缘有粗锯齿，两面有毛，下面有黄色小腺点；叶柄有纵沟和倒刺。茎圆形，有倒刺和茸毛；质脆易碎，断面中空，不平坦，皮部、木部易分离。气微，味淡。 |

| **功能主治** | 甘、苦，寒。清热解毒，利尿消肿。用于肺热咳嗽，肺痈，虚热烦渴，热淋，水肿，小便不利，湿热泻痢，热毒疮疡，皮肤瘙痒。 |

| **用法用量** | 内服煎汤，10～15 g，鲜品30～60 g；或捣汁。外用适量，捣敷；或煎汤熏洗。 |

| **凭证标本号** | 441825190807004LY、441823190927005LY、440224181116015LY。 |

冬青科 Aquifoliaceae 冬青属 Ilex

满树星
Ilex aculeolata Nakai

| 药 材 名 | 满树星（药用部位：根皮。别名：鼠李冬青、秤星木、天星木）。

| 形态特征 | 落叶灌木，高 1 ~ 4 m。叶片膜质或薄纸质，倒卵形，边缘具锯齿；托叶微小，三角形，宿存。花序单生于长枝的叶腋内或短枝顶部的鳞片腋内；雄花序具 1 ~ 3 花，花萼盘状，4 深裂，花冠白色，辐状，裂片圆卵形，基部稍合生，雄蕊 4 或 5，花药长圆形，不育子房呈卵球形且具短喙；雌花单花生于短枝鳞片腋内或长枝叶腋内，花萼与花冠同雄花，退化雄蕊长为花瓣的 2/3，败育花药箭头状；子房卵球形，柱头厚盘状，4 浅裂。果实球形，成熟时呈黑色，基部具宿存花萼，先端有宿存柱头；分核 4，椭圆形；内果皮骨质。花期 4 ~ 5 月，果期 6 ~ 9 月。

| 生境分布 | 生于海拔 100 ～ 1 200 m 的山谷、路旁疏林或灌丛中。分布于广东始兴、仁化、乳源、乐昌、南雄、广宁、龙川、连平、和平、阳山、连山、英德、连州及清远（市区）。

| 资源情况 | 野生资源较丰富。药材来源于野生。

| 采收加工 | 冬季挖取根，洗去泥土，剥取根皮，晒干。

| 药材性状 | 本品呈圆柱形，质坚硬，不易折断，皮部可剥落。外表面灰黄棕色或浅褐棕色，纵皱纹明显，皮孔凸出较明显，切面皮部稍厚，褐棕色；内表面呈棕褐色。木部发达，黄白色略带淡蓝色，有稍粗的放射状纹理。气微，味微苦而涩。

| 功能主治 | 微苦、甘，凉。疏风化痰，清热解毒。用于感冒咳嗽，牙痛，烫伤，湿疹。

| 用法用量 | 内服煎汤，9 ～ 15 g。外用适量，捣敷。

| 凭证标本号 | 440281190425003LY、440281190813007LY、441823200721011LY。

冬青科 Aquifoliaceae 冬青属 Ilex

秤星树

Ilex asprella (Hook. et Arn.) Champ. ex Benth.

| 药 材 名 | 岗梅根（药用部位：根）、岗梅叶（药用部位：叶）。

| 形态特征 | 落叶灌木，高达 3 m。叶膜质，卵形或卵状椭圆形，边缘具锯齿；托叶小，胼胝质，三角形，宿存。雄花序 2 或 3 花呈束状或单生于叶腋、鳞片腋内，花 4 或 5 基数，花萼盘状，裂片 4 ~ 5，花冠白色，辐状，花瓣 4 ~ 5，近圆形，基部合生，雄蕊 4 或 5，花药长圆形，败育子房叶枕状，具短喙；雌花序单生于叶腋或鳞片腋内，花 4 ~ 6 基数，花萼 4 ~ 6 深裂，花冠辐状，花瓣近圆形，基部合生，败育花药箭头状，子房卵球状，花柱明显，柱头厚盘状。果实球形，成熟时呈黑色，基部具宿存花萼，先端具宿存柱头；分核 4 ~ 6，倒卵状椭圆形；内果皮石质。花期 3 月，果期 4 ~ 10 月。

| 生境分布 | 生于海拔 400 ～ 1 000 m 的山地疏林或路旁灌丛中。分布于广东始兴、仁化、乳源、乐昌、南雄、广宁、龙川、连平、和平、阳山、连山、英德、连州、惠东、饶平、曲江、翁源、新丰、台山、信宜、德庆、龙门、梅县、平远、蕉岭、紫金、阳春、连南、博罗、大埔、怀集、封开、五华、南海、新会、高州、丰顺、罗定、南澳及汕头（市区）、清远（市区）、惠州（市区）、广州（市区）、肇庆（市区）、云浮（市区）、阳江（市区）、茂名（市区）。 |

| 资源情况 | 野生资源丰富。栽培资源较丰富。药材来源于野生和栽培。 |

| 采收加工 | 岗梅根：秋季采挖，洗净，趁鲜切成小片块，晒干。
岗梅叶：夏、秋季采收，晒干。 |

| 药材性状 | 岗梅根：本品近圆形或呈不规则形，外表面棕褐色或灰黄色，稍粗糙，微有皱纹，有侧根痕及多数圆形的白色小皮孔，大小似秤星；外皮薄，不易剥落，剥去外皮后呈灰白色或灰黄色，可见较密的点状或短条状突起；质坚硬，不易折断，断面木部宽广，黄白色或淡黄白色，有细微的放射状纹理及不规则环纹。气微，味先苦而后甘。 |

| 功能主治 | 岗梅根：苦、甘，凉。归肺、胃经。清热解毒，生津止渴，利咽消肿，散瘀止痛。用于感冒，头痛眩晕，热病燥渴，痧气，热泻，肺痈，咯血，喉痛，痔血，淋病，痈毒，跌打损伤。
岗梅叶：苦，寒。清热解毒，生津止渴，利咽消肿，散瘀止痛。用于感冒，跌打损伤，痈毒，疔疮。 |

| 用法用量 | 岗梅根：内服适量，煎汤。
岗梅叶：内服适量，煎汤。外用适量，捣敷。 |

| 凭证标本号 | 441523190402005LY、441224180331024LY、440783190416016LY。 |

冬青科 Aquifoliaceae 冬青属 Ilex

黄杨冬青 *Ilex buxoides* S. Y. Hu

| 药 材 名 | 黄杨冬青（药用部位：叶）。

| 形态特征 | 常绿乔木，高可达 9 m，稀为灌木。叶片革质，椭圆形、倒卵状椭圆形或近棱形，全缘，具腺点；托叶三角形，宿存。花序簇生于二年生枝的叶腋内；雄花序的单个分枝为具 3 花的聚伞花序，稀具单花，苞片卵形，花 4 或 5 基数，白色，花萼盘状，4 或 5 裂，裂片三角形，花冠辐状，花瓣卵形，基部稍合生，雄蕊 4，稀 5，短于花瓣，花药长圆形，退化子房近球形；雌花未见。果序簇生于叶腋内，分枝具单果；果实球形，成熟后呈红色，具宿存花萼和宿存柱头；分核 4，长圆形；内果皮平滑，革质。花期 4 ~ 5 月，果期 7 ~ 10 月。

| 生境分布 | 生于海拔 800 m 左右的山地密林或疏林中。分布于广东增城、阳山、阳春、海丰及肇庆（市区）、潮州（市区）、梅州（市区）。

| 资源情况 | 野生资源稀少。药材来源于野生。

| 采收加工 | 全年均可采收，除去杂质，晒干。

| 药材性状 | 本品呈革质，椭圆形、倒卵状椭圆形或近棱形，长 2 ~ 4.5 cm，宽 1 ~ 2 cm，全缘，具腺点。

| 功能主治 | 辛、苦，寒。清火，消肿。用于感冒，跌打损伤。

| 用法用量 | 内服适量，煎汤。外用适量，捣敷。

| 凭证标本号 | 441823200708012LY。

冬青科 Aquifoliaceae 冬青属 Ilex

冬青
Ilex chinensis Sims

| 药 材 名 | 四季青（药用部位：叶）。

| 形态特征 | 常绿乔木，高达 13 m。叶片薄革质至革质，椭圆形或披针形，稀卵形，边缘具圆齿。雄花序具 3 ～ 4 回分枝，每分枝具花 7 ～ 24，花淡紫色或紫红色，4 ～ 5 基数，花萼浅杯状，裂片阔卵状三角形，花冠辐状，花瓣卵形，开放时反折，基部稍合生，雄蕊短于花瓣，花药椭圆形，退化子房圆锥状；雌花序具 1 ～ 2 回分枝，具花 3 ～ 7，花萼和花瓣同雄花，退化雄蕊长约为花瓣的 1/2，败育花药心形，子房卵球形，柱头具不明显的 4 ～ 5 裂，厚盘状。果实长球形，成熟时呈红色；分核 4 ～ 5，狭披针形；内果皮厚革质。花期 4 ～ 6 月，果期 7 ～ 12 月。

| **生境分布** | 生于海拔 500 ~ 1 000 m 的山坡常绿阔叶林中和林缘。分布于广东始兴、乳源、乐昌、南雄、惠东、龙川、和平、阳山、连山、英德、连州、饶平。 |

| **资源情况** | 野生资源一般。药材来源于野生和栽培。 |

| **采收加工** | 夏、秋季采收，晒干。 |

| **药材性状** | 本品呈椭圆形或披针形，长 6 ~ 12 cm，宽 2 ~ 4 cm，先端急尖或渐尖，基部楔形，边缘具稀疏浅锯齿；上表面棕褐色或灰绿色，有光泽，下表面色较浅。叶柄长 0.5 ~ 1.8 cm。革质。气微清香，味苦、涩。 |

| **功能主治** | 苦、涩，凉。归肺、大肠、膀胱经。清热解毒，消肿祛瘀。用于肺热咳嗽，咽喉肿痛，痢疾，胁痛，热淋；外用于烫火伤，皮肤溃疡。 |

| **用法用量** | 内服煎汤，15 ~ 60 g。外用适量，煎汤涂。 |

| **凭证标本号** | 440281200709039LY。 |

枸骨
Ilex cornuta Lindl. ex Paxton

| 药 材 名 | 枸骨叶（药用部位：叶）、枸骨根（药用部位：根）、枸骨树皮（药用部位：树皮）、枸骨子（药用部位：果实）。

| 形态特征 | 常绿灌木或小乔木，高 1 ~ 3 m。叶片厚革质，二型，四角状长圆形或卵形，有时全缘；托叶胼胝质，宽三角形。花序簇生于二年生枝的叶腋内，基部宿存鳞片近圆形；苞片卵形，先端钝或具短尖头；花淡黄色，4 基数；雄花基部具阔三角形的小苞片 1 ~ 2，花萼盘状，裂片膜质，花冠辐状，花瓣长圆状卵形，反折，基部合生，雄蕊与花瓣近等长或较花瓣稍长，花药长圆状卵形，退化子房近球形，具不明显的 4 裂；雌花基部具小的阔三角形苞片 2，花萼与花瓣似雄花，退化雄蕊长为花瓣的 4/5，败育花药卵状箭头形，子房长圆状卵

球形，柱头盘状，4浅裂。果实球形，成熟时呈鲜红色，具宿存花萼和宿存柱头；分核4，倒卵形或椭圆形；内果皮骨质。花期4～5月，果期10～12月。

| **生境分布** | 生于海拔1900 m以下的山坡、丘陵等的灌丛、疏林中及路边、溪旁和村舍附近。分布于广东肇庆（市区）。广东各地均有栽培。

| **资源情况** | 野生资源一般。栽培资源丰富。药材来源于野生和栽培。

| **采收加工** | **枸骨叶**：秋季采收，除去杂质，晒干。

枸骨根：全年均可采挖，洗净，晒干。

枸骨树皮：全年均可采剥，去净杂质，晒干。

枸骨子：冬季采摘成熟果实，除去杂质，晒干。

| **药材性状** | **枸骨叶**：本品呈类长方形或矩圆状长方形，稀呈长卵圆形，长3～8 cm，宽1.5～4 cm，先端具较大的硬刺齿3，先端1硬刺齿常反曲，基部平截或呈宽楔形，两侧有时各具刺齿1～3，边缘稍反卷。上表面黄绿色或绿褐色，有光泽；下表面灰黄色或灰绿色。叶脉羽状。叶柄较短。革质，硬而厚。气微，味微苦。

枸骨根：本品为不规则形或类圆形的切片，直径0.8～2.5 cm，外皮多数已脱落，残存者呈灰黄棕色至灰褐色。切面黄白色，较平坦，类圆形者可见细密的放射状纹理及多列同心性环纹。质坚硬。气微，味淡、微苦。

枸骨树皮：本品灰白色，平滑。

枸骨子：本品浆果状，球形，直径4～8 mm。

| **功能主治** | **枸骨叶**：苦，凉。归肝、肾经。清热养阴，益肾，平肝。用于肺痨咯血，骨蒸潮热，头晕目眩。

枸骨根：苦，凉。补肝肾，清风热。用于腰膝痿弱，关节疼痛，头风，目赤，牙痛。

枸骨树皮：苦，凉。补肝肾，强腰膝。用于肝肾不足，腰膝痿弱。

枸骨子：苦、涩，微温。固涩下焦。用于白带过多，慢性腹泻。

| **用法用量** | **枸骨叶**：内服煎汤，9～15 g；或浸酒；或熬膏。外用适量，捣汁或熬膏涂敷。

枸骨根：内服煎汤，9～15 g。外用适量，煎汤洗。

枸骨树皮：内服煎汤，15～30 g。

枸骨子：内服煎汤，6～10 g；或浸酒。

冬青科 Aquifoliaceae 冬青属 *Ilex*

榕叶冬青
Ilex ficoidea Hemsl.

| 药 材 名 | 上山虎（药用部位：根）。

| 形态特征 | 常绿乔木，高 8 ~ 12 m。叶片革质，长圆状椭圆形、卵状或稀倒卵状椭圆形，边缘具不规则的细圆齿状锯齿。聚伞花序或单花簇生于当年生枝的叶腋内，花 4 基数，白色或淡黄绿色；雄聚伞花序具 1 ~ 3 花，苞片卵形，花梗基部或近基部具 2 小苞片，花萼盘状，裂片三角形，花瓣卵状长圆形，基部稍合生，雄蕊长于花瓣，伸出花冠外，花药长圆状卵球形，退化子房圆锥状卵球形，先端微 4 裂；雌花单花簇生于当年生枝的叶腋内，基生小苞片 2，花萼裂片常呈龙骨状，花冠直立，花瓣卵形，退化雄蕊与花瓣等长，不育花药卵形，小，子房卵球形，柱头盘状。果实球形或近球形，成熟后呈红色，

具宿存花萼和宿存柱头；分核4，卵形或近圆形；内果皮石质。花期3～4月，果期8～11月。

| **生境分布** | 生于海拔1 500 m以下的山地常绿阔叶林、杂木林和疏林内或林缘。分布于广东增城、从化、曲江、仁化、翁源、乳源、新丰、乐昌、台山、信宜、广宁、德庆、高要、龙门、梅县、平远、蕉岭、紫金、和平、阳春、阳山、连山、连州、饶平及惠州（市区）。

| **资源情况** | 野生资源较丰富。药材来源于野生。

| **采收加工** | 全年均可采挖，洗净，切片，晒干。

| **药材性状** | 本品为不规则形或类圆形的切片，外皮多数已脱落，切面较平坦；质坚硬。气微，味淡、微苦。

| **功能主治** | 甘、苦，凉。清热解毒，活血止痛。用于肝炎，跌打肿痛。

| **用法用量** | 内服煎汤，9～15 g。

| **凭证标本号** | 441825210314012LY、441827180323009LY。

冬青科 Aquifoliaceae 冬青属 Ilex

光叶细刺枸骨

Ilex hylonoma Hu & Tang var. *glabra* S. Y. Hu

| 药 材 名 | 刺叶冬青（药用部位：根、叶）。

| 形态特征 | 常绿乔木，高 4 ~ 10 m。叶片革质或厚革质，披针形、倒披针形、卵状披针形或椭圆形，边缘具粗而尖的锯齿；托叶三角形，微小。由 3 花组成的雄花聚伞花序簇生于二年生枝的叶腋内，基部具 1 苞片，苞片三角形，花梗基部有具缘毛的小苞片 2，花萼盘状 4 裂，裂片阔三角形，花冠辐状，淡黄色，花瓣 4，倒卵状椭圆形，基部稍合生，雄蕊 4，与花瓣互生，但短于花瓣，花药卵球形，退化子房近球形。2 ~ 5 果序常簇生于叶腋内；果实近球形，成熟时呈红色，具宿存花萼和宿存柱头；分核 4，倒卵形，横切面三棱形；内果皮石质。花期 3 ~ 5 月，果期 10 ~ 11 月。

| 生境分布 | 生于海拔 1 700 m 以下的山坡林中。分布于广东乳源、乐昌。

| 资源情况 | 野生资源较少。药材来源于野生。

| 采收加工 | 根，全年均可采挖，洗净，切片，晒干。叶，全年均可采收，除去杂质，晒干。

| 药材性状 | 本品根为不规则形或类圆形的切片，外皮多数已脱落，切面较平坦，质坚硬；气微，味淡、微苦。叶呈薄革质，椭圆形或长圆状椭圆形，长 6 ~ 12.5 cm，宽 2.5 ~ 4.5 cm，边缘具粗而尖的锯齿，有时齿尖为弱刺。

| 功能主治 | 根，消肿止痛。用于跌打损伤，风湿痹痛。叶，消肿止痛。用于跌打损伤。

| 用法用量 | 内服适量，煎汤。外用适量，捣敷。

| 凭证标本号 | 440224181202008LY。

冬青科 Aquifoliaceae 冬青属 Ilex

扣树

Ilex kaushue S. Y. Hu.

| 药 材 名 | 苦丁茶（药用部位：叶）。

| 形态特征 | 常绿乔木，高 8 m。叶片革质，长圆形至长圆状椭圆形，边缘具重锯齿或粗锯齿。聚伞状圆锥花序或假总状花序生于当年生枝叶腋内，芽时密集成头状，基部具阔卵形或近圆形苞片；雄花组成聚伞状圆锥花序，每聚伞花序具 3 ~ 4 花，小苞片卵状披针形，花萼盘状，4 深裂，裂片阔卵状三角形，花瓣 4，卵状长圆形，雄蕊 4，短于花瓣，花药椭圆形，不育子房卵球形。果序假总状，腋生，轴粗壮，果柄粗，被短柔毛或无毛；果实球形，成熟时呈红色，外果皮干时脆，具宿存花萼和宿存柱头；分核 4，长圆形；内果皮石质。花期 5 ~ 6 月，果期 9 ~ 10 月。

| **生境分布** | 生于海拔 1 000 ～ 1 200 m 的密林中。分布于广东乳源、英德、高要。

| **资源情况** | 野生资源较少。药材来源于野生。

| **采收加工** | 全年均可采收，除去杂质，晒干。

| **药材性状** | 本品呈革质，长圆形至长圆状椭圆形，长 10 ～ 18 cm，宽 4.5 ～ 7.5 cm，边缘具重锯齿或粗锯齿。上表面灰绿色或灰棕色，有光泽，下表面黄绿色，两面均无毛。气微，味苦、微甘。

| **功能主治** | 苦、甘，寒。清热解毒，消炎，祛暑。用于头痛，齿痛，目赤，耳鸣，耳中流脓，热病烦渴，痢疾。

| **用法用量** | 内服煎汤，3 ～ 10 g。

广东冬青 *Ilex kwangtungensis* Merr.

| 药 材 名 | 大叶茶（药用部位：根、叶）。

| 形态特征 | 常绿灌木或小乔木，高达9m。叶片近革质，卵状椭圆形、长圆形或披针形，边缘具细小锯齿或近全缘；托叶无。复合聚伞花序单生于当年生枝的叶腋内。雄花序为2～4回二歧聚伞花序，具12～20花，苞片线状披针形，基部具卵状三角形小苞片，花紫色或粉红色，4或5基数，花萼盘状，裂片圆形，花冠辐状，花瓣长圆形，退化子房圆锥状，具短喙；雌花序为1～2回二歧聚伞花序，具3～7花，苞片披针形，基部具小苞片，花4基数，淡紫色或淡红色，花萼同雄花，花瓣卵形，退化雄蕊长约为花瓣的3/4，败育花药心形，子房卵球形，柱头乳头状，4浅裂。果实椭圆形，成熟时呈红色，

干时呈黑褐色，光滑，具宿存花萼和宿存柱头；分核 4，椭圆形，长约 6 mm，宽约 3 mm，背部中央具 1 宽而深的沟槽，侧面平滑；内果皮革质。花期 6 月，果期 9 ～ 11 月。

| 生境分布 | 生于海拔 300 ～ 1 000 m 的山坡常绿阔叶林和灌丛中。分布于广东乐昌、乳源、连州、连山、连南、阳山、曲江、南雄、始兴、仁化、英德、翁源、新丰、和平、连平、龙门、博罗、惠阳、蕉岭、大埔、信宜、怀集、封开及广州（市区）、肇庆（市区）。

| 资源情况 | 野生资源较丰富。药材来源于野生。

| 采收加工 | 根，全年均可采挖，洗净，切片，晒干。叶，全年均可采收，除去杂质，晒干。

| 药材性状 | 本品根为不规则形或类圆形的切片。叶近革质，卵状椭圆形、长圆形或披针形，长 7 ～ 16 cm，宽 3 ～ 7 cm，边缘具细小锯齿或近全缘，稍反卷。气微，味淡、微苦。

| 功能主治 | 清热解毒，消肿止痛。用于齿痛，目赤。

| 用法用量 | 内服适量，煎汤。

| 凭证标本号 | 440224181201003LY、441224180901009LY。

冬青科 Aquifoliaceae 冬青属 Ilex

大叶冬青
Ilex latifolia Thunb.

| 药 材 名 | 苦丁茶（药用部位：根、叶。别名：大叶茶）。

| 形态特征 | 常绿大乔木，高达 20 m。叶片厚革质，长圆形或卵状长圆形，边缘
具疏锯齿；托叶极小，宽三角形。由聚伞花序组成的假圆锥花序生
于二年生枝的叶腋内；花淡黄绿色，4 基数；雄花假圆锥花序的每
个分枝具 3 ~ 9 花，呈聚伞花序状，苞片卵形或披针形，小苞片
1 ~ 2，三角形，花萼近杯状，花冠辐状，花瓣卵状长圆形，基部
合生，雄蕊与花瓣等长，花药卵状长圆形，不育子房近球形，柱头
4 裂；雌花花序的每个分枝具 1 ~ 3 花和 1 ~ 2 小苞片，花萼盘状，
花冠直立，花瓣卵形，退化雄蕊长为花瓣的 1/3，败育花药小，卵形，
子房卵球形，柱头盘状。果实球形，成熟时呈红色，具宿存柱头和

宿存花萼；外果皮厚，平滑；分核 4，轮廓长圆状椭圆形；内果皮骨质。花期 4 月，果期 9 ~ 10 月。

| **生境分布** | 生于海拔 250 ~ 1 500 m 的山坡常绿阔叶林、灌丛或竹林中。分布于广东乐昌、连州、阳山、英德、丰顺、揭西、陆河、平远、大埔及清远（市区）、深圳（市区）、潮州（市区）。

| **资源情况** | 野生资源一般。栽培资源较丰富。药材来源于栽培。

| **采收加工** | 根，全年均可采挖，洗净，切片，晒干。叶，全年均可采收，除去杂质，晒干。

| **药材性状** | 本品根为不规则形或类圆形的切片；气微，味淡、微苦。叶片厚革质，长圆形或卵状长圆形，长 8 ~ 19 cm，宽 4.5 ~ 7.5 cm，边缘具疏锯齿；气微，味微苦。

| **功能主治** | 苦，凉。清热解毒，止渴生津。用于斑痧腹痛，咽炎，腹泻，病后烦渴，疟疾。

| **用法用量** | 内服煎汤，3 ~ 9 g；或入丸剂。外用适量，煎汤熏洗；或涂搽。

| **凭证标本号** | 445224191004103LY、441422190215077LY、440224180401015LY。

冬青科 Aquifoliaceae 冬青属 Ilex

大果冬青 *Ilex macrocarpa* Oliv.

| 药 材 名 |

见水蓝（药用部位：全株。别名：臭樟树、青刺香）。

| 形态特征 |

落叶乔木，高 5 ~ 10 m。叶片纸质至坚纸质，卵形或卵状椭圆形，稀长圆状椭圆形，边缘具细锯齿；托叶不明显。雄花序为由单花或 2 ~ 5 花组成的聚伞花序，单生或簇生于鳞片腋内或叶腋内；花 5 ~ 6 基数，花萼盘状，花冠辐状，花瓣白色，倒卵状长圆形，基部稍联合，雄蕊与花瓣互生，二者近等长，花药长圆形，退化子房垫状；雌花单生于叶腋或鳞片腋内，基部具卵状小苞片 2，花 7 ~ 9 基数，花萼盘状，7 ~ 9 浅裂，裂片卵状三角形，先端钝或圆，花冠辐状，花瓣基部稍连合，退化雄蕊与花瓣互生，退化雄蕊长为花瓣的 2/3，败育花药箭头形，先端钝，子房圆锥状卵形，花柱明显，柱头圆柱形。果实球形，成熟时呈黑色，具宿存花萼和宿存柱头；分核 7 ~ 9，长圆形；内果皮坚硬，石质。花期 4 ~ 5 月，果期 10 ~ 11 月。

| 生境分布 |

生于海拔 400 ~ 1 000 m 的山地林中。分布于广东乳源、乐昌、信宜、德庆、连州及阳江（市区）、肇庆（市区）、深圳（市区）。

| 资源情况 |　野生资源一般。药材来源于野生。

| 采收加工 |　全年均可采收，洗净，切片，晒干。

| 功能主治 |　辛、苦，平。清热解毒，润肺止咳，祛风止痛。用于肺热咳嗽，咽喉肿痛，咯血。

| 用法用量 |　内服适量，煎汤。

| 凭证标本号 |　441324180803015LY。

冬青科 Aquifoliaceae 冬青属 Ilex

小果冬青 *Ilex micrococca* Maxim.

| 药 材 名 | 细果冬青（药用部位：根、树皮、叶。别名：球果冬青）。

| 形态特征 | 落叶乔木，高达 20 m。叶片膜质或纸质，卵形、卵状椭圆形或卵状长圆形，边缘近全缘或具芒状锯齿；托叶小，阔三角形。伞房状2～3 回聚伞花序单生于当年生枝的叶腋内；雄花 5 或 6 基数，花萼盘状，5 或 6 浅裂，裂片钝，无毛或疏具缘毛，花冠辐状，花瓣长圆形，基部合生，雄蕊与花瓣互生，二者近等长，花药卵球状长圆形，败育子房近球形，具喙；雌花 6～8 基数，花萼 6 深裂，花冠辐状，花瓣长圆形，基部合生，退化雄蕊长为花瓣的 1/2，败育花药箭头状，子房圆锥状卵球形，柱头盘状，柱头以下之花柱稍缢缩。果实球形，成熟时呈红色，具宿存花萼和宿存柱头；分核 6～8，

椭圆形；内果皮革质。花期 5 ~ 6 月，果期 9 ~ 10 月。

| 生境分布 | 生于海拔 500 ~ 1 300 m 的山地常绿阔叶林中。分布于广东仁化、翁源、乳源、乐昌、广宁、封开、德庆、高要、五华、阳山、英德、连州、饶平及汕头（市区）。

| 资源情况 | 野生资源一般。药材来源于野生。

| 采收加工 | 根，全年均可采挖，洗净，切片，晒干。树皮，剥取树皮，晾晒成干品。叶，全年均可采收，除去杂质，晒干。

| 药材性状 | 本品根为不规则形或类圆形的切片。树皮灰色或淡灰色，有纵沟。叶呈膜质或纸质，卵形、卵状椭圆形或卵状长圆形，长 7 ~ 13 cm，宽 3 ~ 5 cm，边缘近全缘或具芒状锯齿，两面无毛。

| 功能主治 | 苦，凉。清热解毒，疗疮消肿。用于痈疮疔肿。

疏齿冬青 *Ilex oligodonta* Merr. et Chun

| **药 材 名** | 疏齿冬青（药用部位：根。别名：少齿冬青、刘明根树）。

| **形态特征** | 常绿灌木，高 1 ～ 3 m。叶片革质至厚革质，长圆状椭圆形或长圆状披针形，全缘或先端具 1 ～ 2 硬毛状牙齿；托叶三角形，微小。花序常与一活动腋芽共同生于叶腋内或鳞片腋内；雄花序簇的个体分枝为具 3 ～ 7 花的聚伞花序，花梗基部具 1 或 2 小苞片，花 4 基数，白色，花萼盘状，4 浅裂，裂片圆卵形，花冠辐状，花瓣卵状长圆形，基部合生，雄蕊与花瓣等长，花药长圆形，退化子房垫状，具短喙；雌花序簇的个体分枝具单花，花萼与花冠同雄花，退化雄蕊长为花瓣的 2/3，败育花药箭头形，先端截形，子房卵球形，柱头盘状，4 裂。果实球形，成熟时呈红色，具宿存花萼和宿存柱头。花期 5 月，

果期 7 ~ 10 月。

| **生境分布** | 生于海拔 800 ~ 1 200 m 的密林中。分布于广东从化、仁化、乳源、乐昌。

| **资源情况** | 野生资源较少。药材来源于野生。

| **采收加工** | 全年均可采挖，洗净，切片，晒干。

| **药材性状** | 本品为不规则形或类圆形的切片，土黄色至灰白色，质坚实。

| **功能主治** | 辛，寒。祛风止痛。用于肺热咳嗽，咽喉肿痛。

| **用法用量** | 内服适量，煎汤。

冬青科 Aquifoliaceae 冬青属 Ilex

毛冬青

Ilex pubescens Hook. et Arn.

| **药 材 名** | 毛冬青（药用部位：根）、毛冬青叶（药用部位：叶）。

| **形态特征** | 常绿灌木或小乔木，高 3 ~ 4 m。叶片纸质或膜质，椭圆形或长卵形，边缘具疏而尖的细锯齿或近全缘。花序簇生于一年生或二年生枝的叶腋内；雄花序簇的单个分枝为具 1 或 3 花的聚伞花序，花 4 或 5 基数，粉红色，花萼盘状，花冠辐状，花瓣 4 ~ 6，卵状长圆形或倒卵形，基部稍合生，雄蕊长为花瓣的 3/4，花药长圆形，退化雌蕊垫状，具短喙；雌花序簇生，单个分枝具单花，稀具 3 花，花 6 ~ 8 基数，花萼盘状，6 或 7 深裂，花冠辐状，花瓣 5 ~ 8，长圆形，退化雄蕊长约为花瓣的一半，败育花药箭头形，子房卵球形，花柱明显，柱头头状或厚盘状。果实球形，成熟后呈红色，具宿存花萼和宿存

柱头；分核 6，稀 5 或 7，椭圆形；内果皮革质或近木质。花期 4 ～ 5 月，果期 8 ～ 11 月。

| 生境分布 | 生于海拔 60 ～ 1 000 m 的山坡常绿阔叶林中或林缘、灌丛中及溪旁、路边。分布于广东始兴、仁化、乳源、乐昌、南雄、广宁、龙川、连平、和平、阳山、连山、英德、连州、惠东、饶平、曲江、翁源、新丰、台山、信宜、德庆、龙门、梅县、平远、蕉岭、紫金、阳春、连南、博罗、大埔、怀集、封开、五华、南海、新会、高州、丰顺、罗定、南澳及汕头（市区）、清远（市区）、惠州（市区）、广州（市区）、肇庆（市区）、云浮（市区）、阳江（市区）、茂名（市区）。

| 资源情况 | 野生资源丰富。药材来源于野生。

| 采收加工 | **毛冬青：**夏、秋季采收，洗净，切片，晒干。
毛冬青叶：全年均可采收，鲜用或晒干。

| 药材性状 | **毛冬青：**本品呈圆柱形，有的有分枝，长短不一，直径 1 ～ 4 cm。表面灰褐色至棕褐色，根头部具茎枝及茎残基，外皮稍粗糙，有纵向细皱纹及横向皮孔。质坚实，不易折断，断面皮部菲薄，木部发达，土黄色至灰白色，有致密的放射状纹理及环纹。气微，味先苦、涩而后甜。商品多为块片状，大小不等，厚 0.5 ～ 1 cm。

毛冬青叶：本品呈椭圆形或长卵形，长 2 ～ 6.5 cm，宽 1 ～ 2.7 cm，先端短渐尖或急尖，基部宽楔形或圆钝，边缘有稀疏的小尖齿或近全缘，中脉在上面凹下，侧脉 4 ～ 5 对，两面有疏粗毛，沿脉有稠密短粗毛。

| 功能主治 | **毛冬青：**苦、涩，寒。清热解毒，活血通络。用于风热感冒，肺热喘咳，咽痛，乳蛾，牙龈肿痛，胸痹，中风偏瘫，血栓闭塞性脉管炎，丹毒，烫火伤，痈疽，中心性浆液性脉络膜视网膜病变。

毛冬青叶：苦、涩，凉。清热凉血，解毒消肿。用于烫伤，外伤出血，痈肿疔疮，走马牙疳。

| 用法用量 | **毛冬青：**内服煎汤，10 ～ 30 g。外用适量，煎汤涂。
毛冬青叶：内服煎汤，3 ～ 9 g。外用适量，煎汤敷；或研末调敷；或捣汁涂。

| 凭证标本号 | 441825190411004LY、441523190405014LY、440783190810004L。

冬青科 Aquifoliaceae 冬青属 Ilex

铁冬青 *Ilex rotunda* Thunb.

| 药 材 名 | 救必应（药用部位：茎皮、根皮。别名：熊胆木、白银香、白银茎皮）。

| 形态特征 | 常绿灌木或乔木，高可达 20 m。叶片薄革质或纸质，卵形、倒卵形或椭圆形，全缘；托叶钻状线形，早落。聚伞花序或伞形花序具 4 ~ 13 花，单生于当年生枝的叶腋内；雄花序具 1 ~ 2 小苞片或无，花白色，4 基数，花萼盘状，4 浅裂，花冠辐状，花瓣长圆形，基部稍合生，雄蕊长于花瓣，花药卵状椭圆形，退化子房垫状，中央具喙，喙先端具细裂片 5 或 6；雌花序具 3 ~ 7 花；花白色，5（~ 7）基数，花萼浅杯状，无毛，5 浅裂，裂片三角形，啮齿状，花冠辐状，花瓣倒卵状长圆形，基部稍合生，退化雄蕊长约为花瓣的 1/2，败育花药卵形，子房卵形，柱头头状。果实近球形，稀椭圆形，成熟时

呈红色，具宿存花萼和宿存柱头；分核 5 ~ 7，椭圆形；内果皮近木质。花期 4 月，果期 8 ~ 12 月。

| **生境分布** | 生于海拔 400 ~ 1 100 m 的山坡常绿阔叶林中或林缘。分布于广东始兴、仁化、乳源、乐昌、南雄、广宁、龙川、连平、和平、阳山、连山、英德、连州、惠东、饶平、曲江、翁源、新丰、台山、信宜、德庆、龙门、梅县、平远、蕉岭、紫金、阳春、连南、博罗、大埔、怀集、封开、五华、南海、新会、高州、丰顺、罗定、南澳及汕头（市区）、清远（市区）、惠州（市区）、广州（市区）、肇庆（市区）、云浮（市区）、阳江（市区）、茂名（市区）。广东各地均有栽培。

| **资源情况** | 野生资源较丰富。栽培资源较丰富。药材来源于野生和栽培。

| **采收加工** | 夏、秋季采收，晒干。

| **药材性状** | 本品茎皮呈卷筒状、半卷筒状或略卷曲的板状，长短不一，厚 1 ~ 15 mm，外表面灰白色至浅褐色，较粗糙，有皱纹，内表面黄绿色、黄棕色或黑褐色，有细纵纹；质硬而脆，断面略平坦。根皮表面灰褐色至棕褐色，外皮稍粗糙，有纵向细皱纹。商品多为块片状，大小不等。气微，味苦、微涩。

| **功能主治** | 苦，寒。清热解毒，利湿，止痛。用于感冒发热，扁桃体炎，咽喉肿痛，急、慢性肝炎，急性胃肠炎，复合性胃和十二指肠溃疡，风湿关节痛，跌打损伤，烫火伤。

| **用法用量** | 内服煎汤，9 ~ 15 g。外用适量，捣敷；或熬膏涂。

| **凭证标本号** | 441825190504003LY、441523190404022LY、440281190424045LY。

冬青科 Aquifoliaceae 冬青属 Ilex

四川冬青

Ilex szechwanensis Loes.

| 药 材 名 | 川冬青（药用部位：叶。别名：枝桃树、小万年青）。

| 形态特征 | 灌木或小乔木，高 1 ~ 10 m。叶片革质，卵状椭圆形、卵状长圆形或椭圆形，稀近披针形，边缘具锯齿；托叶卵状三角形，宿存。花4 ~ 7 基数；1 ~ 7 雄花排成聚伞花序，单生于当年生枝基部鳞片或叶腋内，稀簇生，单花花梗基部或近中部具小苞片2，花萼盘状，4 ~ 7 裂，花冠辐状，花瓣4 ~ 5，卵形，基部合生，雄蕊短于花瓣，花药卵状长圆形，退化子房扁球形，具短喙；雌花单生于当年生枝的叶腋内，花梗4浅裂，花冠近直立，花瓣卵形，基部稍合生，退化雄蕊长约为花瓣的1/5，不育花药箭头形，子房近球形，柱头厚盘状，凸起。果实球形，成熟后呈黑色，具宿存花萼和宿存柱头；

分核 4，长圆形或近球形；内果皮革质。花期 5 ~ 6 月，果期 8 ~ 10 月。

| **生境分布** | 生于海拔 1 900 m 以下的丘陵、山地常绿阔叶林、杂木林、疏林、灌丛中及溪边、路旁。分布于广东乳源、乐昌、博罗、五华、阳山、连山、连州。

| **资源情况** | 野生资源较少。药材来源于野生。

| **采收加工** | 全年均可采收，除去杂质，晒干。

| **药材性状** | 本品呈革质，卵状椭圆形、卵状长圆形或椭圆形，稀近披针形，长 3 ~ 8 cm，宽 2 ~ 4 cm，边缘具锯齿。

| **功能主治** | 苦，凉。清热解毒。用于热病燥渴，咽喉肿痛。

| **用法用量** | 内服适量，煎汤。

| **凭证标本号** | 441523190920060LY。

三花冬青
Ilex triflora Blume

药材名

三花冬青（药用部位：根）。

形态特征

常绿灌木或乔木，高 2 ~ 10 m。叶片近革质，椭圆形、长圆形或卵状椭圆形，边缘具近波状线齿。1 ~ 3 雄花排成聚伞花序，1 ~ 5 聚伞花序簇生于当年生或二年、三年生枝的叶腋内，具小苞片 1 ~ 2，花 4 基数，白色或淡红色，花萼盘状，4 深裂，花瓣阔卵形，基部稍合生，雄蕊短于花瓣，花药椭圆形，黄色，退化子房金字塔形，先端具短喙；1 ~ 5 雌花簇生于当年生或二年生枝的叶腋内，花萼同雄花，花瓣阔卵形至近圆形，基部稍合生，退化雄蕊长约为花瓣的 1/3，不育花药心状箭形，子房卵球形，柱头厚盘状，4 浅裂。果实球形，成熟后呈黑色，具宿存花萼和宿存柱头；分核 4，卵状椭圆形；内果皮革质。花期 5 ~ 7 月，果期 8 ~ 11 月。

生境分布

生于海拔 1 500 m 以下的山地阔叶林、杂木林或灌丛中。分布于广东从化、曲江、始兴、仁化、翁源、乳源、新丰、乐昌、南雄、南海、新会、台山、高州、信宜、广宁、怀集、封开、博罗、惠东、龙门、大埔、丰顺、五华、平远、蕉岭、连平、和平、阳春、阳山、连山、英德、连州、饶平、罗定及云浮（市区）、汕头（市区）、清远（市区）、广州（市区）、肇庆（市区）、阳江（市区）、茂名（市区）。

| **资源情况** | 野生资源较丰富。药材来源于野生。

| **采收加工** | 全年均可采挖，洗净，切片，晒干。

| **药材性状** | 本品表面灰褐色至棕褐色，外皮稍粗糙，有纵向细皱纹。商品多为块片状，大小不等。

| **功能主治** | 苦，凉。清热解毒。用于热病燥渴，咽喉肿痛。

| **用法用量** | 内服煎汤，9 ~ 15 g。外用适量，鲜品捣敷。

| **凭证标本号** | 441825190804008LY、441523190515005LY、440783200328008LY。

冬青科 Aquifoliaceae 冬青属 Ilex

绿冬青

Ilex viridis Champ. ex Benth.

| 药 材 名 | 亮叶冬青（药用部位：根、叶。别名：细叶三花冬青）。

| 形态特征 | 常绿灌木或小乔木，高 1 ~ 5 m。叶片革质，倒卵形、倒卵状椭圆形或阔椭圆形，边缘具细圆齿状锯齿。1 ~ 5 雄花排成聚伞花序，单生于鳞片腋内或下部叶腋内，或簇生于叶腋内，花白色，4 基数，花萼盘状，裂片阔三角形，花冠辐状，花瓣倒卵形或圆形，基部稍合生，雄蕊 4，长约为花瓣的 2/3，花药长圆形，退化子房狭圆锥形；雌花单生于当年生枝叶腋内，花萼 4 裂，裂片近圆形，花瓣 4，卵形，基部稍合生，退化雄蕊长为花瓣的 1/3，不育花药箭头形，子房卵球形，柱头盘状突起。果实球形或略呈扁球形，成熟时呈黑色，具宿存花萼和宿存柱头；分核 4，椭圆形；内果皮革质。花期 5 月，

果期 10 ～ 11 月。

| **生境分布** | 生于海拔 300 ～ 1 200 m 的山地常绿阔叶林、疏林及灌丛中。分布于广东乐昌、乳源、连山、阳山、翁源、新丰、连平、和平、龙门、从化、博罗、南澳、新会、德庆及阳江（市区）、深圳（市区）、珠海（市区）。

| **资源情况** | 野生资源较丰富。药材来源于野生。

| **采收加工** | 根，全年均可采挖，洗净，切片，晒干。叶，全年均可采收，除去杂质，晒干。

| **药材性状** | 本品根表面灰褐色至棕褐色，外皮稍粗糙，有纵向细皱纹，木质部发达，黄白色；商品多为块片状，大小不等。叶呈革质，倒卵形、倒卵状椭圆形或阔椭圆形，长 2.5 ～ 7 cm，宽 1.5 ～ 3 cm，边缘略外折，具细圆齿状锯齿，齿尖常脱落而成钝头。

| **功能主治** | 甘、微辛，凉。祛风除湿，活血通络，凉血解毒。用于风热感冒，肺热喘咳，咽痛，牙龈肿痛。

| **用法用量** | 内服煎汤，15 ～ 30 g。外用适量，鲜品捣敷。

| **凭证标本号** | 441224180401028LY、441224180611021LY。

卫矛科 Celastraceae 南蛇藤属 *Celastrus*

过山枫 *Celastrus aculeatus* Merr.

| 药 材 名 | 落霜红（药用部位：根、茎。别名：穿山龙）。

| 形态特征 | 藤状灌木。幼枝被棕褐色短毛，具细棱，密具圆形皮孔；冬芽圆锥状，基部芽鳞宿存。叶椭圆形或长圆形，长 5 ~ 10 cm，宽 2.5 ~ 5 cm，边缘上部具稀疏浅锯齿，下部多全缘，两面无毛；叶柄长 1 ~ 1.8 cm。聚伞花序腋生或侧生，常具 3 花；萼片三角状卵形；花瓣长方状披针形。蒴果球形；宿萼明显增大；种子新月形或弯成半环状，密布小疣点。花期 3 ~ 4 月，果期 8 ~ 9 月。

| 生境分布 | 生于海拔 100 ~ 1 000 m 的山地灌丛或路边疏林中。分布于广东乐昌、乳源、始兴、河源、龙门、封开、大埔、连平、德庆、丰顺、

揭西、南澳、饶平及东莞（市区）、珠海（市区）、广州（市区）、深圳（市区）、梅州（市区）、潮州（市区）。

| **资源情况** | 野生资源丰富。药材来源于野生。

| **采收加工** | 秋后采收，切片，晒干。

| **药材性状** | 本品幼枝被棕褐色短毛，具细棱，无刺或具短粗刺，密具圆形皮孔。

| **功能主治** | 苦，凉。祛湿，止痛，利胆，平肝潜阳。用于风湿痹痛，痛风，肾炎，胆囊炎，白血病。

| **用法用量** | 内服煎汤，6 ~ 15 g。

| **凭证标本号** | 441523190405009LY、441825191002059LY、441823200708035LY。

苦皮藤 *Celastrus angulatus* Maxim.

| **药 材 名** | 苦树皮（药用部位：根或根皮。别名：马断肠、老虎麻、棱枝南蛇藤）。

| **形态特征** | 藤状灌木。小枝具 4 ~ 6 纵棱，密生白色、凸起的圆形皮孔。叶厚纸质，长方状阔椭圆形、阔卵形、圆形，长 7 ~ 17 cm，宽 5 ~ 13 cm，叶片两面叶脉明显凸起；叶柄长 1.5 ~ 3 cm；托叶丝状，早落。聚伞圆锥花序顶生；花单性异株，黄绿色；花萼裂片三角形或卵形；花瓣长圆形，边缘不整齐；子房球形，柱头反曲。蒴果近球形；种子椭圆形。花期 4 ~ 6 月，果期 6 ~ 9 月。

| **生境分布** | 生于海拔 600 ~ 1 000 m 的山地丛林及山坡灌丛中。分布于广东从

李晓东提供

化、乳源、乐昌、怀集、德庆。

| **资源情况** | 野生资源较少。药材来源于野生。

| **采收加工** | 全年均可采收，晒干。

| **功能主治** | 辛、苦，凉；有毒。祛风除湿，舒筋活络，消肿，止血，清热解毒。用于风湿痹痛，骨折，闭经，疮疡溃烂，头癣，阴痒。

| **用法用量** | 内服煎汤，15 ~ 30 g；或浸酒。外用适量，煎汤洗；或捣敷；或研末调敷。

大芽南蛇藤 *Celastrus gemmatus* Loes.

| **药 材 名** | 吊干麻（药用部位：根皮。别名：哥兰叶、霜红藤、地南蛇）。 |

| **形态特征** | 藤状灌木。小枝无毛，具细纵棱和白色、圆形皮孔；冬芽长达1.2 cm。叶长圆形或卵状椭圆形，长 6 ~ 12 cm，宽 3 ~ 7.5 cm，具浅锯齿，网脉在两面均凸起，叶下面或叶脉上具棕色短毛；叶柄长1 ~ 2.3 cm。花序顶生和腋生并存，顶生花序呈总状，侧生花序呈聚伞状或 2 花聚生；花淡绿色；花萼裂片卵形；花瓣长圆状倒卵形。蒴果球形；种子椭圆形。花期 4 ~ 9 月，果期 8 ~ 10 月。 |

| **生境分布** | 生于海拔 100 ~ 2 500 m 的密林或灌丛中。分布于广东乳源、仁化、乐昌、信宜、博罗、平远、阳山、连山、连州、饶平、清新。 |

| **资源情况** | 野生资源一般。药材来源于野生。 |

| **采收加工** | 全年均可采挖根，洗净，剥取根皮，晒干。 |

| **功能主治** | 涩，温。舒筋活血，散瘀。用于风湿痹痛，跌打损伤，月经不调，闭经，产后腹痛，胃痛，骨折等。 |

| **用法用量** | 内服煎汤，10 ~ 30 g；或浸酒。外用适量，研末调涂；或磨汁涂；或鲜品捣敷。 |

| **凭证标本号** | 441882180511007LY。 |

卫矛科 Celastraceae 南蛇藤属 Celastrus

青江藤 *Celastrus hindsii* Benth.

| 药 材 名 | 夜茶藤（药用部位：根。别名：黄果藤）。

| 形态特征 | 常绿藤状灌木。小枝紫色，具稀疏皮孔。叶长圆状窄椭圆形或椭圆状倒披针形，长 7 ~ 14 cm，边缘具疏锯齿，网脉细密，近平行，在两面明显凸起。顶生聚伞状圆锥花序窄长，腋生花序具 1 ~ 3 花；花淡绿色；花萼裂片近半圆形；花瓣狭长椭圆形，具缘毛。蒴果卵球形；种子 1，呈阔卵形。花期 5 ~ 7 月，果期 6 ~ 10 月。

| 生境分布 | 生于海拔 300 ~ 1 100 m 的灌丛或山地林中。广东各地均有分布。

| 资源情况 | 野生资源丰富。药材来源于野生。

| **采收加工** | 秋后采收，切片，晒干。

| **功能主治** | 辛、苦，平。通经，利尿，祛风除湿，壮筋骨。用于闭经，小便不利。

| **用法用量** | 内服煎汤，6 ~ 15 g。

| **凭证标本号** | 441823201101004LY、440523190725016LY、440224181129016LY。

卫矛科 Celastraceae 南蛇藤属 Celastrus

滇边南蛇藤 *Celastrus hookeri* Prain

| 药 材 名 | 尖药南蛇藤（药用部位：根）。

| 形态特征 | 藤本灌木。小枝光滑；腋芽卵状，长 2 ~ 3 mm。叶在花期呈膜质，在果期呈纸质或近革质，阔长方形、长方状椭圆形、倒卵状长方形，稀近圆形，长 6 ~ 12 cm，宽 4 ~ 7 cm，边缘具浅锯齿，叶面常有淡棕紫色斑；叶柄长 7 ~ 15 cm。花序腋生及顶生，腋生者花较少，顶生者花多；萼片钝三角形；花瓣长椭圆形。蒴果近球状；种子椭圆形，有时稍弯。花期 5 ~ 7 月，果期 7 ~ 10 月。

| 生境分布 | 生于海拔 250 ~ 1 200 m 的林中。分布于广东从化、始兴、乳源、翁源、乐昌、博罗、大埔、丰顺、五华、和平、南雄、连平、英德、连南及清远（市区）、云浮（市区）。

资源情况	野生资源较少。药材来源于野生。
采收加工	秋后采收，切片，晒干。
功能主治	苦、辛，温；有小毒。活血行气，祛风化湿。用于风湿痹痛。

卫矛科 Celastraceae 南蛇藤属 Celastrus

粉背南蛇藤 *Celastrus hypoleucus* (Oliv.) Warb. ex Loes.

| 药 材 名 | 博根藤（药用部位：根、茎。别名：绵藤）。

| 形态特征 | 藤状灌木。小枝具稀疏皮孔，当年生小枝无皮孔。叶椭圆形或长方
状椭圆形，长 6 ~ 9.5 cm，边缘具锯齿，叶面绿色，光滑，叶背粉

灰色，主脉及侧脉被短毛或光滑无毛。顶生聚伞圆锥花序长，具多花，腋生者短小，具 3 ～ 7 花；花萼裂片近三角形；花瓣长圆形或椭圆形。果序顶生，下垂；腋生花多不结实；蒴果球状；种子平凸，黑褐色。花期 6 ～ 8 月，果期 10 月。

| 生境分布 | 生于海拔 400 ～ 800 m 的丛林中。分布于广东乳源、乐昌、博罗、阳山、连州。

| 资源情况 | 野生资源较少。药材来源于野生。

| 采收加工 | 秋后采收，切片，晒干。

| 功能主治 | 辛，平。化瘀消肿。用于跌打损伤。

| 用法用量 | 外用适量，煎汤洗。

圆叶南蛇藤 *Celastrus kusanoi* Hayata

| 药 材 名 | 过山枫（药用部位：根。别名：秤星蛇、双虎排牙）。

| 形态特征 | 落叶藤状小灌木。小枝近圆柱形，具稀疏的圆形皮孔，被棕色微柔毛。叶纸质或膜质，阔椭圆形或近圆形，长 6 ~ 12 cm，宽 5 ~ 8 cm，边缘上部具疏浅齿，两面无毛或下面脉腋有白色短柔毛，网脉稀疏，在两面均明显；叶柄长 1 ~ 2 cm。聚伞花序腋生；花淡绿色；花萼裂片三角形；花瓣线状披针形。蒴果球形，果皮具横皱纹；种子暗褐色，新月形，具细皱纹。花期 2 ~ 4 月，果期 9 ~ 10 月。

| 生境分布 | 生于海拔 300 ~ 1 500 m 的山地林缘。分布于广东从化、曲江、仁化、乳源、乐昌、徐闻、高州、信宜、廉江、封开、高要、惠东、龙川、阳春、英德、饶平、和平、大埔及深圳（市区）、汕头（市区）。

| **资源情况** | 野生资源一般。药材来源于野生。

| **采收加工** | 夏、秋季采挖，鲜用，或切片，晒干。

| **功能主治** | 微甘，平。宣肺除痰，止咳，解毒。用于喉炎，肺结核。

| **用法用量** | 内服煎汤，15 ～ 30 g；或取数片，口含。外用适量，鲜品捣敷；或浸酒搽。

| **凭证标本号** | 441882180511006LY。

卫矛科 Celastraceae 南蛇藤属 Celastrus

窄叶南蛇藤
Celastrus oblanceifolius C. H. Wang et P. C. Tsoong

| 药 材 名 | 倒披针叶南蛇藤（药用部位：根、茎）。

| 形态特征 | 藤状灌木。小枝具棱，密被棕褐色短毛，二年生小枝有白色、圆形皮孔。叶纸质，倒披针形，长6～12 cm，宽1.5～3.5 cm，边缘具疏锯齿，两面无毛或下面中脉被棕色短柔毛，网脉在下面明显；叶柄长4～9 cm。聚伞花序腋生；花淡绿色；萼片椭圆状卵形，具缘毛；花瓣长圆状倒披针形，边缘具极短睫毛。蒴果黄色，球状；种子黑色，新月形。花期3～4月，果期6～10月。

| 生境分布 | 生于海拔500～1 000 m的山坡湿地或溪边灌丛中。分布于广东乳源、阳山、连南等。

| **资源情况** | 野生资源较少。药材来源于野生。

| **采收加工** | 全年可采收，鲜用，或切片，晒干。

| **功能主治** | 辛、苦，温。祛风除湿，消肿止痛。用于风湿痹痛，跌打损伤，疝气痛，疮疡肿毒，带状疱疹，湿疹。

| **用法用量** | 内服煎汤，9 ~ 15 g。外用适量，根研末调敷；或根加水，磨汁涂。

| **凭证标本号** | 440224190315015LY、441882180505023LY。

卫矛科 Celastraceae 南蛇藤属 Celastrus

南蛇藤 *Celastrus orbiculatus* Thunb.

| **药 材 名** | 南蛇风（药用部位：根、茎、叶、果实。别名：过山风）。

| **形态特征** | 藤状灌木。小枝光滑无毛，灰褐色，具稀而不明显的皮孔；腋芽小，卵形或卵圆形。叶通常呈阔倒卵形、近圆形或阔椭圆形，长 5 ～ 13 cm，宽 3 ～ 9 cm，边缘具锯齿，两面光滑无毛或叶背脉上具稀疏短柔毛。聚伞花序腋生，间有顶生者；花淡绿色；花萼裂片钝三角形；花瓣倒卵椭圆形。蒴果近球形；种子椭圆状，稍扁，赤褐色。花期 5 ～ 6 月，果期 7 ～ 10 月。

| **生境分布** | 生于海拔 250 ～ 1 200 m 的山坡灌丛。分布于广东从化、增城、乳源、乐昌、博罗、惠阳、大埔、兴宁、梅县、阳山、连山、郁南、罗定、

潮安及深圳（市区）等。

| 资源情况 | 野生资源较丰富。药材来源于野生。

| 采收加工 | 根，8 ~ 10 月采挖，洗净，鲜用或晒干。茎，春、秋季采收，鲜用，或切段，晒干。叶，春季采收，晒干。果实，9 ~ 10 月果实成熟后采摘，晒干。

| 功能主治 | 根、茎，辛，温，祛风活血，消肿止痛。用于风湿痹痛，跌打肿痛，闭经，头痛，腰痛，疝气痛，痢疾。叶，苦，平，解毒，散瘀。用于风湿痹痛，疮疡疔肿，疱疹，湿疹，跌打损伤，蛇虫咬伤。果实，甘、苦，平，安神镇静。用于心悸失眠，健忘多梦，牙痛，筋骨痛，腰腿麻木，跌打伤痛。

| 用法用量 | 根，内服煎汤，15 ~ 30 g; 或浸酒。外用适量，研末调敷; 或捣敷。茎，内服煎汤，9 ~ 15 g; 或浸酒。叶，内服煎汤，15 ~ 30 g。外用适量，鲜品捣敷; 或干品研末调敷。果实，内服煎汤，6 ~ 15 g。

| 凭证标本号 | 441825210313005LY、440281190626032LY、440281190628016LY。

卫矛科 Celastraceae 南蛇藤属 Celastrus

灯油藤 *Celastrus paniculatus* Willd.

| 药 材 名 |

锥序南蛇藤（药用部位：种子）。

| 形态特征 |

藤状灌木。小枝无明显纵棱，常密生凸起的椭圆形皮孔，被毛或无毛。叶纸质，椭圆形、长椭圆形、长圆形、宽卵形、倒卵形或近圆形，长 5 ~ 10 cm，宽 2.5 ~ 5 cm，两面无毛，稀下面脉腋有微毛；叶柄长 0.6 ~ 1.6 cm。聚伞圆锥花序顶生；花淡绿色；花萼裂片半圆形，具缘毛；花瓣长圆形或倒卵状长方形。蒴果球状，具 3 ~ 6 种子；种子椭圆形。花期 4 ~ 6 月，果期 6 ~ 9 月。

| 生境分布 |

生于海拔 200 ~ 1 000 m 的丛林。分布于广东乳源、龙门及梅州（市区）等。

| 资源情况 |

野生资源较少。药材来源于野生。

| 采收加工 |

果实成熟后采收，晒干，取出种子。

| **功能主治** | 辛、苦，平；有小毒。疏风止痛，通便，催吐，消食。用于风湿痹痛，便秘，食积，脘腹胀痛。 |

| **用法用量** | 内服煎汤，1 ~ 3 g。 |

卫矛科 Celastraceae 南蛇藤属 *Celastrus*

短梗南蛇藤 *Celastrus rosthornianus* Loes.

| **药 材 名** | 黄绳儿（药用部位：根。别名：丛花南蛇藤）。

| **形态特征** | 藤状灌木。小枝圆柱形，红褐色，疏生白色、圆形皮孔。叶初为纸质，后变为革质，椭圆形或倒卵状椭圆形，长 3.5 ~ 9 cm，宽 1.5 ~ 4.5 cm，边缘具稀疏浅锯齿，网脉不明显；叶柄长 5 ~ 8 mm，稍被微柔毛。花序腋生和顶生并存，腋生者为聚伞花序，顶生者为总状聚伞花序；花淡绿色；花萼裂片长圆形，边缘啮蚀状；花瓣长圆形。蒴果球形；种子宽椭圆形。花期 4 ~ 5 月，果期 8 ~ 10 月。

| **生境分布** | 生于海拔 500 ~ 1 800 m 山坡林缘和丛林中。分布于广东乳源、乐昌。

| **资源情况** | 野生资源较少。药材来源于野生。

| **采收加工** | 秋后采收，洗净，切片，晒干。

| **功能主治** | 辛，平。祛风除湿，强筋骨，活血止痛，解毒消肿。用于风湿痹痛，跌打肿痛，
疝气痛，疮疡肿毒，带状疱疹，湿疹，毒蛇咬伤。

| **用法用量** | 内服煎汤，9 ~ 15 g。外用适量，研末调敷。

| **凭证标本号** | 441427180407466LY、445121190222276LY、445102190407269LY。

卫矛科 Celastraceae 南蛇藤属 Celastrus

显柱南蛇藤 *Celastrus stylosus* Wall.

药材名

山货榔（药用部位：根、茎。别名：茎花南蛇藤）。

形态特征

藤状灌木。小枝通常光滑，稀具短硬毛。叶纸质或革质，长圆状椭圆形，稀长圆状倒卵形，长 6.5 ~ 12.5 cm，宽 3 ~ 6.5 cm，边缘具钝齿，两面无毛或幼时下面被毛；叶柄长 1 ~ 1.8 cm。聚伞花序腋生及侧生；花淡绿色；花萼片近卵形或椭圆形，边缘微啮蚀状；花瓣长圆状倒卵形，边缘啮蚀状；柱头反曲。蒴果近球形；种子一侧凸起或微呈新月形。花期 3 ~ 5 月，果期 8 ~ 10 月。

生境分布

生于海拔 400 ~ 1 000 m 的山坡林地。分布于广东乳源、清新、连山、阳山、罗定、信宜及河源（市区）、云浮（市区）等。

资源情况

野生资源一般。药材来源于野生。

采收加工

春、秋季采收，切段，晒干。

| **功能主治** | 辛、苦，平；有小毒。祛风除湿，利尿通淋，活血止痛。用于风湿痹痛，脉管炎，淋证，跌打肿痛。 |

| **用法用量** | 内服煎汤，3 ～ 6 g。 |

| **凭证标本号** | 441825190808007LY、441882180412035LY。 |

卫矛科 Celastraceae 卫矛属 *Euonymus*

刺果卫矛 *Euonymus acanthocarpus* Franch.

| **药材名** | 藤杜仲（药用部位：藤茎。别名：长梗刺果卫矛）。

| **形态特征** | 常绿藤状或直立灌木。小枝具4棱，密被黄色细疣突。叶革质，长圆状披针形、长圆状卵形或狭卵形，长7～12 cm，宽3～5.5 cm，边缘浅齿不明显，侧脉在叶边缘处结网；叶柄长1～2 cm。聚伞花序较疏且大，腋生，多2～3回分枝，花序梗宽扁或具4棱；花黄绿色；萼片近圆形；花瓣近倒卵形，基部具短爪。蒴果棕褐色带红色，近球形，刺密集，针状；种子外被橙黄色假种皮。花期6～8月，果期9～10月。

| **生境分布** | 生于海拔700～1 000 m的山地林中或林缘。分布于广东乐昌、乳源、阳春。

| **资源情况** | 野生资源较少。药材来源于野生。 |

| **采收加工** | 秋后采收，洗净，切片，晒干。 |

| **功能主治** | 苦，温。祛风除湿，通经活络。用于风湿痹痛，跌打损伤，骨折，月经不调，外伤出血。 |

| **用法用量** | 内服煎汤，6 ~ 15 g；或浸酒。外用适量，鲜品捣敷。 |

| **凭证标本号** | 441882180814037LY。 |

卫矛科 Celastraceae 卫矛属 Euonymus

星刺卫矛

Euonymus actinocarpus Loes.

| **药 材 名** | 小千金（药用部位：根。别名：硬筋藤、紫刺卫矛）。

| **形态特征** | 灌木。小枝具明显4棱，棱有时稍宽。叶革质，阔卵形、长圆状卵形或长椭圆形，长6～11 cm，宽2～5 cm，边缘密生浅锯齿；叶柄短粗，长3～6 mm。花序多花，通常3～4回分枝；所有花梗均具明显4棱，有时具4窄翅状；苞片和小苞片三角形，早落；花黄绿色；萼片宽扁，近肾形；花瓣倒卵形。蒴果棕红色，近球状或扁球状，刺长而密集。花期4～5月，果期9～10月。

| **生境分布** | 生于海拔400～800 m的山谷林下。分布于广东乳源、乐昌、阳山、饶平及深圳（市区）。

| **资源情况** | 野生资源较少。药材来源于野生。 |

| **采收加工** | 秋后采收，洗净，切片，晒干。 |

| **功能主治** | 辛、微苦，温。祛风除湿，舒筋活络。用于风湿痹痛，跌打扭伤。 |

| **用法用量** | 内服煎汤，15 ～ 30 g。外用适量，捣敷。 |

卫矛科 Celastraceae 卫矛属 Euonymus

卫矛

Euonymus alatus (Thunb.) Siebold

| 药 材 名 | 鬼箭羽（药用部位：带木栓翅的枝条或木栓翅。别名：麻药、四棱树）。

| 形态特征 | 落叶灌木。小枝四棱形，老枝具 2 ~ 4 列宽木栓翅。叶对生，纸质，卵状椭圆形或窄长椭圆形，稀倒卵形，长 2 ~ 8 cm，宽 1 ~ 3 cm，具细锯齿，两面无毛。聚伞花序腋生；花白绿色；花萼裂片半圆形；花瓣近圆形。蒴果深红色，具 1 ~ 4 深裂，裂瓣椭圆形；种子褐色，椭圆形，被橙红色假种皮包围。花期 5 ~ 6 月，果期 7 ~ 10 月。

| 生境分布 | 生于海拔约 600 m 的山坡灌丛、沟地边沿。分布于广东乐昌、乳源。

| 资源情况 | 野生资源较少。药材来源于野生。

| 采收加工 | 全年均可采收，割取带木栓翅的枝条或收集木栓翅，晒干。

| 药材性状 | 本品枝条表面较粗糙，有纵纹及灰白色皮孔，翅状物扁平状，靠近基部处稍厚，向外渐薄，具细长的纵直纹理或微波状弯曲，翅极易剥落，枝条上常见断痕；枝坚硬而韧，断面淡黄白色。气微，味微苦。

| 功能主治 | 辛、苦，寒。破血通经，解毒消肿。用于癥瘕结块，心腹疼痛，闭经，痛经，崩中漏下，产后瘀滞腹痛，恶露不下，疝气，历节痹痛，疮肿，跌打伤痛，虫积腹痛，烫火伤，毒蛇咬伤。

| 用法用量 | 内服煎汤，4～9 g；或浸酒；或入丸、散剂。外用适量，捣敷；或煎汤洗；或研末调敷。孕妇禁服。

卫矛科 Celastraceae 卫矛属 Euonymus

百齿卫矛 *Euonymus centidens* H. Lévl

| 药 材 名 | 丝绵木（药用部位：全株。别名：桃叶卫矛、华北卫矛）。

| 形态特征 | 常绿灌木。小枝方棱状，常有窄翅棱。叶纸质或近革质，窄长椭圆形或近长倒卵形，长 3～10 cm，宽 1.5～4 cm，叶缘具密而深的尖锯齿，齿端常具黑色腺点，近无柄或有短柄。聚伞花序腋生；花淡黄色；萼片齿端常具黑色腺点。花瓣长圆形。蒴果 4 深裂，成熟裂瓣 1～4，每裂内常只有 1 种子；种子长圆形，一面被红色假种皮包围。花期 6 月，果期 9～10 月。

| 生境分布 | 生于海拔 300～700 m 的山坡林下或灌丛中。广东各地均有分布。

| 资源情况 | 野生资源较丰富。药材来源于野生。

| 采收加工 | 全年均可采收，洗净，鲜用，或切段，晒干。

| 功能主治 | 甘、苦，微温。祛风散寒，理气平喘，活血解毒。用于风寒湿痹，腰膝疼痛，胃脘胀痛，气喘，月经不调，跌打损伤，毒蛇咬伤。

| 用法用量 | 内服煎汤，6～15 g；或浸酒。外用适量，研末调敷；或鲜品捣敷。

| 凭证标本号 | 440281190626045LY、440224181202023LY、441882180507004LY。

卫矛科 Celastraceae 卫矛属 Euonymus

裂果卫矛 *Euonymus dielsianum* Loes.

| 药 材 名 | 全育卫矛（药用部位：根、茎皮。别名：宽蕊卫矛）。

| 形态特征 | 常绿灌木或小乔木。小枝稍扁，褐绿色，平滑。叶片革质，窄长椭圆形或长倒卵形，长 4 ~ 12 cm，宽 2 ~ 4.5 cm，近全缘，稀有疏浅小锯齿，齿端常具黑色小腺点，叶柄长达 1 cm。聚伞花序 1 ~ 2回分枝；花黄绿色；萼片阔圆形，边缘具锯齿，齿端具黑色腺点；花瓣长圆形，边缘具浅齿。蒴果 4 深裂，裂瓣卵状；种子长圆形，上半部被盔状橙黄色假种皮包围。花期 6 ~ 7 月，果期 9 ~ 10 月。

| 生境分布 | 生于海拔 200 ~ 600 m 的山坡、山谷疏林下。分布于广东乳源、新丰、乐昌、阳山、英德、连州、连南、封开、信宜及清远（市区）、肇庆

（市区）。

| **资源情况** | 野生资源较少。药材来源于野生。

| **采收加工** | 全年均可采收根、茎，根切片，茎剥皮，晒干。

| **功能主治** | 甘、微苦，微温。强筋壮骨，活血调经。用于肾虚腰膝酸痛，月经不调，跌打损伤。

| **用法用量** | 内服煎汤，10 ~ 30 g；或浸酒。

卫矛科 Celastraceae 卫矛属 Euonymus

鸦椿卫矛 *Euonymus euscaphis* Hand.-Mazz.

| 药 材 名 | 鸦椿卫矛（药用部位：根）。

| 形态特征 | 直立或蔓性灌木。小枝无木栓翅，浅褐色或绿色。叶对生，革质，披针形或窄长披针形，长6～18 cm，宽1～3 cm，边缘具浅细锯齿；叶柄近无至长达8 mm。聚伞花序生于新枝下部；花淡绿色；萼片半圆形，边缘具啮蚀状齿；花瓣扇形或阔三角状倒卵形，边缘浅波状。蒴果4深裂，裂瓣卵圆形；种子椭圆形，被橙黄色假种皮包围。花期4～5月，果期8～10月。

| 生境分布 | 生于山间林中及山坡路边。分布于广东连山、连南及肇庆（市区）。

| 资源情况 | 野生资源较少。药材来源于野生。

| **采收加工** | 秋后采收，洗净，切片，晒干。

| **功能主治** | 辛、苦，平。活血通络，祛风除湿，消肿解毒。用于跌打瘀肿，腰痛，癥瘕，血栓闭塞性脉管炎，痛经，风湿痹痛，痔疮，漆疮。

| **用法用量** | 内服煎汤，10 ~ 15 g。外用适量，煎汤洗。

卫矛科 Celastraceae 卫矛属 *Euonymus*

扶芳藤
Euonymus fortunei (Turcz.) Hand.-Mazz.

| 药 材 名 | 爬行卫矛（药用部位：带叶茎枝。别名：胶东卫矛、常春卫矛）。

| 形态特征 | 常绿藤状灌木。枝具气生根，小枝圆柱形或具不明显4棱，密具疣状突起。叶对生，薄革质，椭圆形、长圆状椭圆形或长倒卵形，长3.5～8 cm，宽1.5～3.5 cm，边缘齿浅，两面无毛；叶柄长3～6 mm。聚伞花序腋生；花白绿色；花萼裂片半圆形；花瓣近圆形。蒴果粉红色，近球形，具4浅沟，平滑；种子褐色，长圆状椭圆形，被鲜红色假种皮包围。花期6月，果期10月。

| 生境分布 | 生于山坡丛林中。分布于广东增城、从化、博罗、始兴、仁化、翁源、乳源、新丰、乐昌、电白、信宜、怀集、封开、龙门、大埔、连平、和平、阳春、连山、连州及深圳（市区）、潮州（市区）。

| **资源情况** | 野生资源较丰富。栽培资源一般。药材来源于野生和栽培。 |

| **采收加工** | 全年均可采收，除去杂质，切碎，晒干。 |

| **药材性状** | 本品茎枝呈圆柱形，表面灰绿色，具气生根，并具小瘤状突起；质脆易折，断面黄白色，中空。叶对生，椭圆形，边缘有细锯齿，质较厚或稍带革质，上面叶脉稍凸起。气微弱，味辛。 |

| **功能主治** | 甘、苦，温。舒筋活络，散瘀止血。用于肾虚腰膝酸痛，半身不遂，风湿痹痛，小儿惊风，咯血，吐血，血崩，月经不调，子宫脱垂，骨折，创伤出血。 |

| **用法用量** | 内服煎汤，15 ~ 30 g；或浸酒，或入丸、散剂。外用适量，研末调敷；或捣敷；或煎汤熏洗。 |

| **凭证标本号** | 441882180814034LY。 |

卫矛科 Celastraceae 卫矛属 Euonymus

西南卫矛

Euonymus hamiltonianus Wall.

| 药 材 名 |

毛脉西南卫矛（药用部位：根皮）。

| 形态特征 |

落叶小乔木。小枝圆柱形，有时有 4 条极窄木栓棱。叶对生，卵状椭圆形、长圆状椭圆形或椭圆状披针形，长 7 ~ 12 cm，宽 3 ~ 7 cm，边缘具浅波状钝圆锯齿；叶柄长达 5 cm。聚伞花序腋生；花淡绿色；花萼裂片半圆形；花瓣倒卵形。蒴果倒卵状心形，上部 4 浅裂，粉红色；种子椭圆形，被橙红色假种皮包围。花期 5 ~ 6 月，果期 9 ~ 10 月。

| 生境分布 |

生于海拔 1 800 m 以下的山地林中。分布于广东乳源、乐昌、阳山怀集及肇庆（市区）。

| 资源情况 |

野生资源较少。药材来源于野生。

| 采收加工 |

全年均可采收，洗净，晒干。

| **功能主治** | 苦，平。祛风湿，强筋骨。用于风寒湿痹，腰痛，跌打损伤，血栓闭塞性脉管炎，痔疮，漆疮。

| **用法用量** | 内服煎汤，15 ~ 30 g；或浸酒。外用适量，煎汤洗；或鲜品捣敷。

卫矛科 Celastraceae 卫矛属 Euonymus

冬青卫矛
Euonymus japonicus Thunb.

| 药 材 名 | 大叶黄杨（药用部位：根、茎枝、叶。别名：扶芳树、正木）。

| 形态特征 | 常绿灌木。小枝近圆柱形，平滑或具较密疣状突起。叶革质，有光泽，倒卵形或椭圆形，长 3 ~ 5 cm，宽 2 ~ 3 cm。聚伞花序疏散，腋生，半圆形，2 ~ 3 回分枝；花淡绿色；花萼裂片半圆形；花瓣近卵圆形。蒴果近球形，淡红色；种子椭圆形，被橘红色假种皮包围。花期 6 ~ 7 月，果期 8 ~ 10 月。

| 生境分布 | 生于海拔 700 ~ 800 m 的山坡丛林中。栽培于公园、道旁或住宅旁。分布于广东连州。广东广州（市区）、中山（市区）、深圳（市区）有栽培。

| **资源情况** | 野生资源较少。栽培资源丰富。药材来源于栽培。

| **采收加工** | 根，冬季采挖，洗去泥土，切片，晒干。茎枝，全年均可采收，切段，晒干。叶，春季采收，晒干。

| **药材性状** | 本品茎皮外表面灰褐色，较粗糙，有呈点状凸起的皮孔及纵向浅裂纹；内表面淡棕色，较光滑。断面略呈纤维性，有较密的银白色丝状物，拉至 3 mm 长时丝状物即断。气微，味淡而涩。

| **功能主治** | 根，祛风湿，活血调经。用于月经不调，痛经，风湿痹痛。茎枝，祛风湿，强筋骨，活血止血。用于风湿痹痛，腰膝酸软，跌打伤痛，骨折，吐血。叶，解毒消肿。用于疮疡肿毒。

| **用法用量** | 根，内服煎汤，15 ~ 30 g。茎枝，内服煎汤，15 ~ 30 g；或浸酒。叶，外用适量，鲜品捣敷。

卫矛科 Celastraceae 卫矛属 Euonymus

疏花卫矛

Euonymus laxiflorus Champ. ex Benth.

| **药 材 名** | 山杜仲（药用部位：根、茎皮。别名：飞天驳、土杜仲、木杜仲）。

| **形态特征** | 常绿灌木。小枝四棱形。叶纸质或近革质，卵状椭圆形、长圆状椭圆形或窄椭圆形，长 5 ~ 12 cm，宽 2 ~ 6 cm，全缘或具不明显锯齿；叶柄长 3 ~ 5 mm。聚伞花序腋生，疏松；花 5 基数；萼片紫红色，半圆形，边缘啮蚀状；花瓣紫红色，近圆形，边缘波状。蒴果倒圆锥形，先端稍浅裂，紫红色；种子长圆状，枣红色，基部被橙红色假种皮包围。花期 5 ~ 6 月，果期 8 ~ 10 月。

| **生境分布** | 生于海拔 300 ~ 1 100 m 的山坡、路边和密林中。广东各地均有分布。

| **资源情况** | 野生资源较丰富。栽培资源一般。药材来源于栽培。

| **采收加工** | 冬季采收根、茎，根切片，茎剥皮，晒干。

| **功能主治** | 淡、涩，平。祛风湿，强筋骨。用于风湿痹痛，腰膝酸软，跌打损伤，骨折，疮疡肿毒，慢性肝炎，慢性肾炎，水肿。

| **用法用量** | 内服煎汤，9 ~ 20 g；或浸酒。外用适量，捣敷；或研末调敷；或浸酒搽。

| **凭证标本号** | 441523190516007LY、441823210528015LY、441284191003396LY。

卫矛科 Celastraceae 卫矛属 Euonymus

白杜
Euonymus maackii Rupr.

| 药 材 名 | 丝棉木（药用部位：根、茎皮、叶。别名：桃叶卫矛、白桃树）。

| 形态特征 | 落叶小乔木。小枝四棱形。叶革质，椭圆形、卵形或椭圆状披针形，长 4 ~ 8 cm，宽 2 ~ 5 cm，边缘具细锯齿，有时深而锐利；叶柄长 1.5 ~ 3.5 cm，上面具狭沟。聚伞花序腋生，1 ~ 2 回分枝，分枝斜展；花淡绿色；花萼裂片半圆形；花瓣长圆形。蒴果粉红色，倒卵状心形，先端 4 浅裂；种子棕黄色，长椭圆形，被橙红色假种皮包围。花期 5 ~ 6 月，果期 9 ~ 10 月。

| 生境分布 | 栽培分布于广东乐昌、博罗、广州、深圳等。

| 资源情况 | 栽培资源较少。药材来源于栽培。

采收加工	根、茎皮，全年均可采收根、茎，洗净，根切片，茎剥皮，晒干。叶，春季采收，晒干。
功能主治	根、茎皮，祛风除湿，活血通络，解毒止痛。用于风湿性关节炎，腰痛，跌打伤痛，血栓闭塞性脉管炎，肺痈，衄血，疔疮肿毒。叶，清热解毒。用于漆疮，痈肿。
用法用量	内服煎汤，15 ~ 30 g，鲜品加倍；或浸酒；或入散剂。外用适量，捣敷；或煎汤熏洗。

卫矛科 Celastraceae 卫矛属 Euonymus

大果卫矛 *Euonymus myrianthus* Hemsl.

| 药材名 | 黄褚（药用部位：根、茎。别名：梅风）。

| 形态特征 | 灌木或小乔木。小枝具纵棱。叶革质，倒卵状椭圆形或倒披针形，长 5 ~ 13 cm，宽 3 ~ 4.5 cm，边缘常呈波状或具明显钝锯齿。聚伞花序顶生或数个聚生于小枝上部；花黄绿色；花萼裂片近圆形；花瓣近倒卵形。蒴果近圆形或倒卵形，长 1 ~ 1.8 cm，直径 1 ~ 1.5 cm，4 浅裂；种子浅褐色，扁圆形，被红色假种皮包围。花期 4 ~ 5 月，果期 9 ~ 11 月。

| 生境分布 | 生于海拔 800 ~ 1 400 m 的山坡溪边或沟谷较湿润处。分布于广东除乳源、乐昌、连南、阳山、信宜、怀集、大埔、高要、恩平、仁化、

连山、博罗、封开及潮州（市区）等。

| **资源情况** | 野生资源较丰富。药材来源于野生。

| **采收加工** | 根，秋后采收，洗净，切片，晒干。茎，夏、秋季采收，切段，晒干。

| **功能主治** | 淡，平。补肾活血，健脾利湿。用于肾虚腰痛，胎动不安，慢性肾炎，产后恶露不尽，跌打损伤，骨折，风湿痹痛，带下。

| **用法用量** | 内服煎汤，10 ～ 60 g。外用适量，煎汤熏洗。

| **凭证标本号** | 441825210313010LY。

卫矛科 Celastraceae 卫矛属 Euonymus

中华卫矛 *Euonymus nitidus* Benth

| 药 材 名 | 华卫矛（药用部位：全株。别名：杜仲藤、矩叶卫矛）。

| 形态特征 | 常绿灌木或小乔木。小枝四棱形。叶对生，革质，倒卵形、椭圆形或长圆状宽披针形，长 4 ~ 13 cm，宽 2 ~ 5.5 cm，两面无毛，近全缘；叶柄较粗，长 0.6 ~ 1 cm。2 ~ 7 聚伞花序丛生于小枝下部叶腋；花淡绿色；萼片半圆形；花瓣阔卵形，基部窄缩成短爪。蒴果三角状卵圆形，具较深 4 裂或圆而宽的 4 棱；种子宽椭圆形，棕红色，被橙黄色假种皮包围。花期 3 ~ 5 月，果期 6 ~ 10 月。

| 生境分布 | 生于海拔 200 ~ 740 m 的山坡、路旁较潮湿林中。分布于广东除西南部以外的地区。

| **资源情况** | 野生资源丰富。药材来源于野生。

| **采收加工** | 全年均可采收，洗净，切段，晒干。

| **功能主治** | 微辛、涩，平。舒筋活络，强壮筋骨。用于风湿痹痛，腰膝酸软，跌打损伤，骨折。

| **用法用量** | 内服煎汤，30 ~ 60 g；或浸酒。

| **凭证标本号** | 441825190502001LY、441523190516039LY、440281190626004LY。

矩圆叶卫矛

Euonymus oblongifolius Loes. et Rehder

| 药 材 名 | 鸡心肚（药用部位：根、果实。别名：黄心卫矛）。

| 形态特征 | 常绿灌木或小乔木。小枝四棱形。叶薄革质，坚实，光亮，长圆状倒卵形、长圆状披针形或椭圆形，长 5 ~ 16 cm，宽 2 ~ 4.5 cm，边缘有细浅锯齿，侧脉及小脉均呈细网状；叶柄长 5 ~ 8 mm。聚伞花序多次分枝，分枝稍平展；花淡绿色；萼片半圆形；花瓣阔倒卵形。蒴果阔倒卵形，具 4 棱；种子近球形，被橙红色假种皮包围。花期 5 ~ 6 月，果期 8 ~ 10 月。

| 生境分布 | 生于中海拔的山谷及近水处。分布于广东乐昌、乳源、翁源、连州、平远、封开及肇庆（市区）。

| **资源情况** | 野生资源丰富。药材来源于野生。

| **采收加工** | 根，全年均可采挖，洗净，切片，晒干。果实，秋季采收，晒干。

| **功能主治** | 苦、涩，寒；有小毒。凉血止血。用于血热鼻衄。

| **用法用量** | 内服煎汤，6 ~ 9 g。

| **凭证标本号** | 441827180407030LY。

卫矛科 Celastraceae 美登木属 *Maytenus*

变叶美登木 *Maytenus diversifolia* (Maxim.) Ding Hou

| 药 材 名 | 变叶裸实（药用部位：地上部分。别名：细叶裸实）。

| 形态特征 | 攀缘灌木或小乔木。小枝灰棕色，常被粉状短毛，先端通常变为劲直的尖刺。叶纸质或近革质，阔倒卵形或长圆状倒卵形，长 1 ~ 4.5 cm，宽 1 ~ 1.8 cm，边缘有极浅圆齿；叶柄长 1 ~ 3 mm。圆锥聚伞花序纤细，腋生；花淡绿色；萼片阔卵形；花瓣狭长椭圆形。蒴果倒圆锥形，血红色，具宿存萼片；种子黑褐色，椭圆形，基部被白色假种子包围。花果期 8 月至翌年 2 月。

| 生境分布 | 生于山坡、路边、海滨疏林中。分布于广东饶平、海丰、徐闻、廉江及湛江（市区）、阳江（市区）、汕尾（市区）、珠海（市区）。

| **资源情况** | 野生资源较少。药材来源于野生。 |

| **采收加工** | 全年均可采收，切段，晒干。 |

| **功能主治** | 辛、苦，温。化瘀消肿，解毒。用于肿瘤。 |

| **用法用量** | 内服煎汤，30 ~ 60 g；或制成片剂。 |

| **凭证标本号** | 440923140902016LY。 |

卫矛科 Celastraceae 美登木属 *Maytenus*

美登木 *Maytenus hookeri* Loes.

| 药 材 名 | 长梗美登木（药用部位：叶。别名：云南美登木）。

| 形态特征 | 灌木，植体高时小枝柔细，稍呈藤本状。小枝通常少刺，老枝有明显疏刺。叶薄纸质或纸质，椭圆形或长方状卵形，长 8 ～ 20 cm，宽 3.5 ～ 8 cm，边缘有浅锯齿；叶柄长 5 ～ 12 mm。1 ～ 6 聚伞花序丛生于短枝上；花淡绿色。蒴果扁，倒心状或倒卵状；种子长卵状，棕色，假种皮浅杯状，白色，干后呈黄色。

| 生境分布 | 栽培于中国科学院华南植物园。

| 资源情况 | 栽培资源较少。药材来源于栽培。

| 采收加工 | 春、夏季采收，晒干。

| 药材性状 | 本品椭圆形或卵圆形，纸质，边缘具浅锯齿。气微，味淡。

| 功能主治 | 苦，温。活血化瘀。用于恶性肿瘤初起。

| 用法用量 | 内服煎汤，30 ～ 60 g；或制成片剂。

| 凭证标本号 | 440882180602902LY。

卫矛科 Celastraceae 雷公藤属 Tripterygium

雷公藤 *Tripterygium wilfordii* Hook. f.

药材名

紫金皮（药用部位：根、叶、花、果实。别名：东北雷公藤、紫金藤）。

形态特征

藤本灌木。小枝棕红色，具细棱，被密毛及细密皮孔。叶椭圆形、倒卵状椭圆形、长方状椭圆形或卵形，长 4 ~ 7.5 cm，宽 3 ~ 4 cm，边缘有细锯齿；叶柄长 5 ~ 8 mm，密被锈色毛。圆锥聚伞花序较窄小；花淡黄色；花萼 5 裂，裂片三角形，密被短柔毛；花瓣长圆形，边缘稍呈啮蚀状。翅果长圆形，具 3 膜质翅，有斜脉纹。花期 5 ~ 6 月，果期 8 ~ 9 月。

生境分布

生于海拔 700 ~ 1 200 m 的山地林内阴湿处。分布于广东乳源、怀集、五华、阳山、连州、信宜、紫金、丰顺及肇庆（市区）、潮州（市区）。

资源情况

野生资源较少。栽培资源一般。药材来源于野生和栽培。

| 采收加工 | 根，秋季采挖，切片，晒干。叶，夏季采收，洗净，晒干。花、果实，夏秋季采收，晒干。

| 功能主治 | 苦、辛，凉；有大毒。祛风，解毒，杀虫。用于风湿性、类风湿性关节炎，肾小球肾炎，肾病综合征，红斑狼疮，干燥综合征，贝赫切特综合征，湿疹，银屑病，麻风病，疥疮，顽癣。

| 用法用量 | 内服煎汤，去皮根 15 ～ 25 g，带皮根 10 ～ 12 g；或制成糖浆、浸膏片等；或研末装胶囊服，每次 0.5 ～ 1.5 g，每日 3 次。外用适量，研末敷；或捣敷；或制成酊剂、软膏涂擦。本品有大毒，内服宜慎。疮疡出血者慎用。

| 凭证标本号 | 441825191002050LY；441224180901016LY。

翅子藤科 Hippocrateaceae　五层龙属 Salacia

五层龙 _Salacia chinensis_ L.

| **药 材 名** | 桫拉木（药用部位：根、茎）。

| **形态特征** | 攀缘灌木。小枝具棱角。叶对生；叶片革质，椭圆形、窄卵圆形或倒卵状椭圆形，长（3 ~ ）5 ~ 11 cm，宽（1 ~ ）2 ~ 5 cm，先端钝或短渐尖，边缘具浅钝齿，叶面光亮，干时表面呈榄绿色，背面褐绿色；叶柄长 0.8 ~ 1 cm。花小，3 ~ 6 花簇生于叶腋内的瘤状突起体上；花梗长 6 ~ 10 mm；萼片三角形，边缘具纤毛；花瓣阔卵形，广展或外弯，先端圆形。浆果球形或卵形，红色；种子 1。花期 12 月，果期翌年 1 ~ 2 月。

| **生境分布** | 生于海拔 200 ~ 700 m 的丛林中。分布于广东廉江。

| **资源情况** | 野生资源稀少。药材来源于野生。 |

| **采收加工** | 全年均可采收，洗净，切片，晒干。 |

| **功能主治** | 涩、温。祛风除湿，通经活血。用于风湿痹痛，血瘀腰痛。 |

| **用法用量** | 内服煎汤，9 ~ 15 g；或浸酒。 |

| **凭证标本号** | 440881180225014LY。 |

翅子藤科 Hippocrateaceae 五层龙属 Salacia

无柄五层龙 *Salacia sessiliflora* Hand.-Mazz.

| 药 材 名 | 狗卵子（药用部位：果实。别名：棱子藤、野柑子、野黄果）。

| 形态特征 | 灌木，小枝暗灰色，具瘤状小皮孔，叶薄革质，长圆状椭圆形或长圆状披针形，长 10 ~ 15 cm，宽 3.5 ~ 5 cm，叶缘具疏而细的锯齿，叶柄长 5 ~ 10 mm，花少数，淡绿色，着生于叶腋内的瘤状突起体上，花梗极短，长不过 1 mm，萼片卵形，缘具短纤毛，花瓣长回形，浆果橙黄色至橙红色，外果皮干时薄革质，种子 3 ~ 4 颗，花期 6 月，果期 10 月。

| 生境分布 | 生于海拔 200 ~ 1 600 m 的山坡灌丛中。分布于广东阳山、连州、清新。

资源情况	野生资源稀少。药材来源于野生。
采收加工	秋季采收，晒干。
功能主治	甘，平。清热开胃，收敛止血，活血通络。用于胃痛。
凭证标本号	441827180822045LY。

茶茱萸科 Icacinaceae 微花藤属 Iodes

小果微花藤 *Iodes vitiginea* (Hance) Hemsl.

| 药 材 名 | 吹风藤（药用部位：根、藤茎。别名：花心藤）。

| 形态特征 | 木质藤本。小枝压扁，被淡黄色硬伏毛，卷须腋生或生于叶柄一侧。叶薄纸质，长卵形至卵形。伞房状圆锥花序腋生，被黄褐色绒毛，花单性；雄花序长 8 ～ 20 cm，雄花黄绿色，萼 5 齿裂，萼与花冠外面均被锈色柔毛，花冠辐状，5 裂，雄蕊 5，花丝极短，退化雌蕊被糙伏毛；雌花序较短，雌花绿色，萼片 5，花瓣 5，无退化雄蕊，子房密被糙伏毛。核果卵形或阔卵形，成熟时呈红色，密被黄色绒毛。花期 12 月至翌年 6 月，果期 5 ～ 8 月。

| 生境分布 | 生于海拔 120 ～ 1 000 m 的沟谷季雨林至次生灌丛中，常攀缘于树上。分布于广东高要、罗定、阳春、高州及云浮（市区）。

| 资源情况 | 野生资源较少。药材来源于野生。

| 采收加工 | 夏、秋季采收，洗净，切片，晒干。

| 药材性状 | 本品呈不规则圆柱形，直径 1.5 ~ 6 cm，长 5 ~ 8 cm，多纵剖成条状或块状，略弯曲。表面多已除去栓皮，呈黄白色、棕黄色或棕褐色，颜色深浅不一，除去栓皮处呈橘黄色麻点状，常有一些浅纵皱及凹陷的横沟或裂口。体重，质坚硬，不易折断；断面富粉性，浅黄白色，形成层明显，浅棕色，韧皮部面积约占断面的 1/4，木质部径向断续排列，长短不一，多集中在形成层附近，略显放射状。味淡，不苦。

| 功能主治 | 辛，微温。祛风散寒，除湿通络。用于风寒湿痹，肾炎，劳伤。

| 用法用量 | 内服煎汤，9 ~ 15 g。

| 凭证标本号 | 440882180429040LY。

茶茱萸科 Icacinaceae 定心藤属 *Mappianthus*

定心藤 *Mappianthus iodoides* Hand.-Mazz.

| 药 材 名 | 甜果藤（药用部位：根、藤茎。别名：马比花、铜钻、藤蛇总管）。

| 形态特征 | 木质藤本。嫩枝褐黄色，密被糙伏毛，老枝灰色，有灰白色皮孔；卷须粗壮，生于对生叶之间。叶长圆状椭圆形，先端骤尖，基部通常钝，全缘，上面近无毛或被稀疏糙伏毛，下面被疏伏毛，网脉在两面均明显。花单性异株，聚伞花序交替腋生；萼杯状；花冠肉质，5裂，黄色，钟状漏斗形。核果近椭圆状，长2～3 cm，成熟时呈橙红色，味甜，被糙伏毛；核有纵条纹。花期4～8月，果期6～12月。

| 生境分布 | 生于海拔500～1 000 m的疏林、灌丛及沟谷林内，常攀缘于树上。分布于广东和平、平远、丰顺、龙门、从化、德庆、封开、怀集、

高要、新兴、台山、阳春、信宜、增城、乳源、仁化、博罗及深圳（市区）、梅州（市区）、潮州（市区）、江门（市区）、清远（市区）。

| **资源情况** | 野生资源较丰富。药材来源于野生。

| **采收加工** | 冬季采收，切片，晒干。

| **药材性状** | 本品根呈长条状，稍呈肉质，弯曲，弯处有凹痕，可见须根残痕，灰黄色，横切面皮部厚而疏松，木质部黄白色，有明显射线；气微香；以根条粗壮、表面灰黄色、皮部肥厚者为佳。藤茎呈圆柱形，直或弯曲，长 40 ~ 60 cm 或更长，直径 1.5 ~ 5.0 cm，多切成斜切片，节处两侧或近两侧处具膨大而凸起的小枝或叶的残留痕迹，外皮暗灰色或灰白色，皮层剥离处呈橘红色或橘黄色，表面粗糙，其上密布灰白色皮孔，皮孔呈长椭圆形或卵圆形，长 1 ~ 2 mm，宽 0.5 ~ 1 mm，质地坚实。气味浓，刺鼻。

| **功能主治** | 苦、涩，平。祛风除湿，调经活血，止痛。用于月经不调，痛经，闭经，产后腹痛，跌打损伤，外伤出血，风湿痹痛，腰膝酸痛。

| **用法用量** | 内服煎汤，9 ~ 15 g；或浸酒；或研末，每次 0.9 ~ 1.5 g。外用适量，研末撒。

| **凭证标本号** | 441825190808010LY、440785180711005LY、441224180613011LY。

茶茱萸科 Icacinaceae 假柴龙树属 *Nothapodytes*

马比木

Nothapodytes pittosporoides (Oliv.) Sleumer

| 药 材 名 | 马比木（药用部位：根皮。别名：公黄珠子、南紫花树）。

| 形态特征 | 灌木，稀小乔木，高 1.5 ~ 5 m。茎褐色。枝条灰绿色，圆柱形，近无毛。叶纸质，长圆状披针形，先端长渐尖，基部楔形，侧脉 6 ~ 8 对，弧曲上升，在远离边缘处网结，中脉通常呈亮黄色，在背面明显凸起，常被长硬毛。聚伞花序顶生，花序轴通常扁平，被长硬毛；花萼绿色，膜质，5 裂齿，裂齿三角形，外面疏被糙伏毛，边缘具缘毛，果时略增大；花瓣黄色，条形，先端反折，肉质，外面被糙伏毛，里面被长柔毛。核果椭圆形，稍扁，幼果绿色，成熟时呈红色。花期 4 ~ 6 月，果期 6 ~ 8 月。

| 生境分布 | 生于海拔 450 ~ 1 000 m 的林中。分布于广东乳源、新丰、阳山、

连州、英德、乐昌、清新。

| **资源情况** | 野生资源一般。药材来源于野生。

| **采收加工** | 全年均可采挖根，洗净，剥取根皮，晒干。

| **药材性状** | 本品纤维性强，皮厚，表面淡黄棕色，有纵皱纹和横环纹。气微，味淡、微苦。

| **功能主治** | 辛，温。祛风利湿，理气散寒。用于风寒湿痹，水肿，疝气。

| **用法用量** | 内服煎汤，5 ~ 15 g。外用适量，煎汤熏洗。

| **凭证标本号** | 44188120150808056LY。

铁青树科 Olacaceae 赤苍藤属 *Erythropalum*

赤苍藤 *Erythropalum scandens* Blume

|药 材 名|

腥藤（药用部位：全株。别名：土白芍、假黄藤、茶藤）。

|形态特征|

常绿藤本。茎长数米，具腋生卷须，稍具条纹。叶互生，纸质，三角状卵形，长 8 ～ 20 cm，宽 4 ～ 15 cm，先端渐尖，基部微心形或截平，上面绿色，背面粉绿色，具三出脉；叶柄长 3 ～ 10 cm。花两性，小，排成腋生的二歧聚伞花序；萼筒具 4 ～ 5 裂片；花冠白色，5 裂；雄蕊 5；花盘隆起。核果稍呈肉质，成熟时淡红褐色，干后为黄褐色，常不规则开裂为 3 ～ 5 裂瓣。花期 4 ～ 5 月，果期 5 ～ 7 月。

|生境分布|

生于海拔 280 ～ 550 m 的山区溪边、山谷、密林或疏林的林缘、灌丛中。分布于广东封开、郁南、罗定、恩平、开平、台山、阳春、信宜、高州、佛冈、五华及肇庆（市区）、云浮（市区）。中国科学院华南植物园有栽培。

| **资源情况** | 野生资源较丰富。药材来源于野生。

| **采收加工** | 春、夏季采收，除去杂质，洗净，鲜用或晒干。

| **功能主治** | 微苦，平。清热利湿，祛风活血。用于水肿，小便不利，黄疸，半身不遂，风湿关节痛，跌打损伤。

| **用法用量** | 内服煎汤，9 ~ 15 g；或浸酒。外用适量，捣敷。

| **凭证标本号** | 441226160828014LY。

铁青树科 Olacaceae 青皮木属 *Schoepfia*

华南青皮木 *Schoepfia chinensis* Gardner et Champ.

| **药 材 名** | 碎骨仔树（药用部位：根、茎枝、叶。别名：管花青皮木、香芙木、退骨王）。

| **形态特征** | 落叶小乔木，高2～6 m，各部均无毛。小枝具白色皮孔。叶坚纸质，矩圆状披针形，长5～9 cm，宽2～4.5 cm，先端渐尖，上面深绿色，背面淡绿色，叶脉红色，网脉不明显；叶柄红色，长3～6 mm。聚伞花序腋生，长约2 cm，花序具2～3（～4）花或花单生；花无梗，芳香；萼筒大部分与子房合生，上端有4～5小萼齿，无副萼；花冠管状，黄白色或淡红色，具4～5小裂齿，略外卷；雄蕊着生在花冠管上，花冠内部着生雄蕊处的下部有1束短毛；子房半下位，柱头3裂，不伸出或偶略伸出花冠管外。核果椭圆形，成熟时呈红

色或紫红色。花叶同放。花期 2 ~ 4 月，果期 4 ~ 6 月。

| 生境分布 | 生于海拔 1 700 m 以下的山谷、溪边密林或疏林中。分布于广东曲江、乳源、乐昌、南雄、连山、连南、阳山、英德、连平、饶平、和平、惠阳、博罗、信宜、增城及肇庆（市区）、云浮（市区）、深圳（市区）等。

| 资源情况 | 野生资源较丰富。药材来源于野生。

| 采收加工 | 根、茎枝，全年均可采收，除去杂质，洗净，捞出，沥干余水，切片或剪成小块，晒干或烘干。叶，夏、秋季采收，鲜用，或切碎，晒干。

| 功能主治 | 甘、淡，凉。清热利湿，消肿止痛。用于黄疸，热淋，风湿痹痛，跌打损伤，骨折。

| 用法用量 | 内服煎汤，15 ~ 60 g。外用适量，鲜品捣敷；或煎汤洗。

| 凭证标本号 | 441825190502009LY、441523190403032LY、440281190426008LY。

青皮木

Schoepfia jasminodora Siebold et Zucc.

| **药 材 名** | 脆骨风（药用部位：全株。别名：碎骨风、吊钟花、鸡白柴）。

| **形态特征** | 落叶小乔木，高 3 ～ 14 m。嫩枝红色。叶纸质，卵形或长卵形，长 3.5 ～ 7（～ 10）cm，宽 2 ～ 4.5（～ 5）cm，先端近尾状，基部圆形，全缘，无毛；叶柄长 2 ～ 3 mm，红色。总状聚伞花序腋生；花无梗，芳香；萼筒杯状，上端有 4 ～ 5 小萼齿，宿存；无副萼；花冠钟形，白色或淡黄色，先端 4 ～ 5 裂，裂片小，外卷；雄蕊着生在花冠管上，花冠内面着生雄蕊处的下部有 1 束短毛；子房半下位，柱头 3 裂，常伸出花冠管外。核果椭圆形，成熟时呈紫红色。花叶同放。花期 3 ～ 5 月，果期 4 ～ 6 月。

| **生境分布** | 生于海拔 500 ～ 1 000 m 的山谷、沟边、山坡、路旁密林或疏林中

湿润处。分布于广东乳源、仁化、博罗、阳山、连山、连州、英德、连平及肇庆（市区）、深圳（市区）。

| **资源情况** | 野生资源较少。药材来源于野生。

| **采收加工** | 夏、秋季采收，洗净，切段，晒干。

| **功能主治** | 甘、微涩，平。祛风除湿，散瘀止痛。用于风湿痹痛，腰痛，产后腹痛，跌打损伤。

| **用法用量** | 内服煎汤，30 ～ 60 g。外用适量，鲜叶捣敷。

| **凭证标本号** | 440224180331005LY、441882180412028LY。

桑寄生科 Loranthaceae 五蕊寄生属 Dendrophthoe

五蕊寄生 *Dendrophthoe pentandra* (L.) Miq.

| **药 材 名** | 茶树寄生（药用部位：全株。别名：乌榄寄生）。

| **形态特征** | 灌木，高达 2 m。芽密被灰色星状短毛，不久毛脱落。叶互生或近对生，革质，叶形多样，披针形至近圆形或椭圆形，长 5 ~ 13 cm，宽 2.5 ~ 8.5 cm，先端急尖或圆钝，基部楔形或圆钝，稍下延。1 ~ 3 总状花序腋生，具花 3 ~ 10，初密被灰色或白色星状毛，后毛渐稀疏；花红黄色；花托圆柱形，长 2 ~ 2.5 mm；副萼具不规则 5 钝齿；花冠长 1.5 ~ 2 cm，下半部稍膨胀，具 5 深裂，裂片披针形，长约 1.2 cm，反折；花盘环状。果实卵球形，顶部较狭，红色，平滑。花果期 12 月至翌年 6 月。

| **生境分布** | 生于海拔 20 ~ 700（~ 1600）m 的平原或山地常绿阔叶林中，寄生

于乌榄、白榄、木油桐、杧果、黄皮、木棉、榕树等多种植物上。分布于广东珠江三角洲及南部、西部。

| 资源情况 | 野生资源丰富。药材来源于野生。

| 采收加工 | 夏、秋季采收，扎成束，晾干。

| 功能主治 | 苦、甘、平。祛风湿，补肝肾，止泻痢。用于风湿痹痛，腰痛，脚膝酸软，腹泻，痢疾。

| 用法用量 | 内服煎汤，15 ~ 30 g。外用适量，煎汤洗。

| 凭证标本号 | 445222180301020LY。

桑寄生科 Loranthaceae 离瓣寄生属 Helixanthera

离瓣寄生 Helixanthera parasitica Lour.

药材名

五瓣寄生（药用部位：带叶茎枝）。

形态特征

灌木，高达 1.5 m。枝和叶均无毛。叶对生，纸质，卵形至卵状披针形，长 5 ～ 12 cm，宽 3 ～ 4.5 cm，先端急尖至渐尖，基部近圆形；叶柄长 0.5 ～ 1.5 cm。1 ～ 2 总状花序腋生，具花 40 ～ 60；花红色、淡红色或淡黄色，被暗褐色或灰色乳头状毛；花托椭圆状；副萼环状，全缘或具 5 浅齿；花冠在花蕾时下半部膨胀，具拱起的棱 5，中部变窄，顶部椭圆状；花瓣 5，反折。果实椭圆状，红色，被乳头状毛。花期 1 ～ 7 月，果期 5 ～ 8 月。

生境分布

生于海拔 20 ～ 1 500 m 的沿海平原或山地常绿阔叶林中，寄生于锥属、柯属、樟属、榕属植物及木荷、油桐、楝等多种植物上。广东各地均有分布。

资源情况

野生资源丰富。药材来源于野生。

| **采收加工** | 全年均可采收，扎成束，晾干。

| **功能主治** | 苦、甘，平。祛风湿，止咳，止痢。用于风湿痹痛，咳嗽，痢疾。

| **用法用量** | 内服煎汤，9 ~ 15 g。

| **凭证标本号** | 441523190515018LY、440783201213005LY、441622200923034LY。

桑寄生科 Loranthaceae 离瓣寄生属 Helixanthera

油茶离瓣寄生
Helixanthera sampsonii (Hance) Danser

| 药 材 名 | 油茶桑寄生（药用部位：全株）。

| 形态特征 | 灌木，高约 70 cm。幼枝、叶密被锈色星状毛，后毛脱落。小枝密生皮孔。叶对生，纸质，黄绿色，卵形，长 2 ~ 4（~ 5）cm，先端短钝尖，基部宽楔形，稍下延；叶柄长 2 ~ 6 mm。1 ~ 2 总状花序腋生，有时 3 花序生于短枝顶部，具 2 ~ 4（~ 5）花；花红色，被星状毛；花托坛状；副萼环状；花瓣 4，披针形，长 7 ~ 9 mm，中部两侧具长约 2 mm 且内折的膜质边缘，上部反折；花盘垫状；花柱长 6 ~ 7 mm，具 4 棱。果实卵球形，红或橙色，顶部骤窄，平滑。花期 4 ~ 6 月，果期 8 ~ 10 月。

| 生境分布 | 生于海拔 50 ~ 1 100 m 的山地常绿阔叶林中或林缘，常寄生于油茶

或山茶科、樟科、柿科、大戟科、天料木科植物上。分布于广东东部、西部。

| **资源情况** | 野生资源较丰富。药材来源于野生。

| **采收加工** | 秋、冬季采收，鲜用或晒干。

| **功能主治** | 祛痰，消炎。用于肺病，咳嗽。

| **用法用量** | 内服煎汤，6 ~ 15 g。

| **凭证标本号** | 441523200108016LY。

桑寄生科 Loranthaceae 鞘花属 *Macrosolen*

双花鞘花 *Macrosolen bibracteolatus* (Hance) Danser

| **药 材 名** | 八角寄生（药用部位：带叶茎枝。别名：二苞鞘花）。

| **形态特征** | 小灌木，全株无毛。小枝粗糙。叶对生，革质，卵状长圆形，长 8 ~ 12 cm，宽 2 ~ 5 cm，先端渐尖，基部楔形，中脉在两面均凸起；叶柄短，长 1 ~ 2 mm。伞形花序，1 ~ 4 花序腋生，具 2 花，总花梗长约 4 mm；花梗长 4 mm；苞片半圆形，长约 1 mm；小苞片 2，合生，近圆形，长 1 mm；花托圆柱状；副萼杯状；花冠红色，长 3.2 ~ 3.5 cm；裂片 6，披针形，长约 1.4 cm，反折，青色；花柱线状，柱头头状。果实长椭圆状，红色，果皮平滑；宿存花柱基喙状。花期 11 ~ 12 月，果期 12 月至翌年 4 月。

| **生境分布** | 生于海拔 300 ~ 1 000 m 的山地常绿阔叶林中，寄生于樟属、山茶

属、五月茶属、灰木属等植物上。分布于广东乳源、新丰、乐昌、连山、阳山、连州、英德、封开、怀集、信宜、高州、博罗。

| **资源情况** | 野生资源一般。药材来源于野生。

| **采收加工** | 全年均可采收，扎成束，晾干。

| **功能主治** | 辛，温。祛风湿。用于风湿痹痛。

| **用法用量** | 内服煎汤，5 ~ 15 g。

| **凭证标本号** | 440224180401013LY、440224180401046LY、440224181130002LY。

桑寄生科 Loranthaceae 鞘花属 Macrosolen

鞘花

Macrosolen cochinchinensis (Lour.) Tiegh.

| **药 材 名** | 杉寄生（药用部位：带叶茎枝。别名：枫鞘花寄生）。

| **形态特征** | 灌木，全株无毛。小枝灰色，具皮孔。叶对生，革质，叶形多样，阔椭圆形至披针形，长 5 ~ 10 cm，宽 2.5 ~ 6 cm，先端渐尖，基部楔形，网脉不明显；叶柄长 0.5 ~ 1 cm。总状花序，1 ~ 3 花序腋生，具 4 ~ 8 花；花梗长 4 ~ 6 mm；苞片阔卵形，长 1 ~ 2 mm，小苞片 2，基部彼此合生；花托椭圆状，长约 3 mm；副萼环状；花冠橙色，长 1 ~ 1.5 cm，冠管膨胀，具 6 棱，裂片 6，披针形，反折；柱头头状。果实近球形，长约 8 mm，橙色，果皮平滑。花期 2 ~ 6 月，果期 5 ~ 8 月。

| **生境分布** | 生于海拔 20 ~ 1 000 m 的平原或山地常绿阔叶林中，寄生于壳斗科、

山茶科、桑科植物或枫香、油桐、杉树等多种植物上。广东各地均有分布。

| **资源情况** | 野生资源丰富。药材来源于野生。

| **采收加工** | 全年均可采收，扎成束，或切碎，晒干。

| **药材性状** | 本品茎枝圆柱形，分枝多，节部膨大，长 20 ～ 30 cm，粗枝直径 1 ～ 1.5 cm，细枝或枝梢直径 2 ～ 3 mm；表面粗糙，无毛，淡褐色或灰褐色，有多数细小、点状、黄褐色或红褐色皮孔，以及凸起的纵条纹或下陷的裂纹，节部有凸起的枝痕和叶痕；质坚脆，易折断，断面不平坦，皮部薄，棕褐色，与木部紧密相接，木部宽阔，几占茎半径的 5/6，深黄色，髓射线明显，呈放射状，中央髓部淡黄色或棕褐色。叶常卷曲或破碎，完整叶片呈披针形至长椭圆形，长 4 ～ 10 cm，宽 2 ～ 6 cm，先端渐尖，基部楔形，黄绿色至茶褐色，全缘，两面无毛，略有光泽，主脉明显，侧脉羽状，呈亚革质而韧脆，叶柄短；气微，味淡、微涩。

| **功能主治** | 甘，苦，平。清热止咳，补肝肾，祛风湿。用于风湿痹痛，腰膝酸痛，头晕目眩，脱发，跌打损伤，痔疮肿痛，咳嗽，咯血，痢疾。

| **用法用量** | 内服煎汤，5 ～ 15 g。

| **凭证标本号** | 441523190402001LY、441422201213614LY、440224190315036LY。

桑寄生科 Loranthaceae 梨果寄生属 Scurrula

红花寄生 *Scurrula parasitica* L.

| 药 材 名 | 桑寄生（药用部位：带叶茎枝。别名：柠檬寄生）。

| 形态特征 | 灌木，高 0.5 ~ 1 m。嫩枝、叶密被锈色星状毛，后毛全部脱落。叶对生，厚纸质，卵形至长卵形，长 5 ~ 8 cm，宽 2 ~ 4 cm，先端钝，基部阔楔形，侧脉 5 ~ 6 对，在两面均明显；叶柄长 5 ~ 6 mm。总状花序腋生，各部分均被褐色毛，花序梗和花序轴共长 2 ~ 3 mm，具花 3 ~ 5（~ 6）；花红色，密集；花梗长 2 ~ 3 mm；苞片三角形，长约 1 mm；花托陀螺状，长 2 ~ 2.5 mm；副萼环状，全缘；花冠花蕾时呈管状，长 2 ~ 2.5 cm，稍弯，下半部膨胀，顶部椭圆形，开花时顶部 4 裂，裂片披针形，反折。果实梨形，长约 10 mm，直径约 3 mm，下半部骤狭成长柄状，红黄色，果皮平滑。花果期 10

月至翌年 1 月。

| **生境分布** | 生于海拔 20 ~ 1 000 m 的沿海平原或山地常绿阔叶林中，寄生于柚树、橘树、柠檬、黄皮、桃树、梨树或山茶科、大戟科、夹竹桃科、榆科、无患子科植物上，稀寄生于云南油杉、干香柏上。广东各地均有分布。

| **资源情况** | 野生资源丰富。药材来源于野生。

| **采收加工** | 全年均可采收，切片，晒干。

| **药材性状** | 本品茎枝圆柱形，多分枝，长 3 ~ 5 cm，直径约 1 cm，细枝和枝梢直径 2 ~ 3 mm；表面粗糙，老枝红褐色或深褐色，小枝及枝梢赭红色，部分幼枝有棕褐色星状毛，表面有众多点状、黄褐色或灰褐色横向皮孔，以及不规则、粗而密的纵纹；质坚脆，易折断，断面不平坦，皮部菲薄，赭褐色，易与木部分离，木部宽阔，淡黄色或土黄色，有放射状纹理，髓部深黄色。叶对生或近对生，易脱落，叶片多破碎、卷缩，完整者呈卵形至长卵形，长 5 ~ 8 cm，宽 2 ~ 4 cm，黄褐色或茶褐色，侧脉明显，两面无毛，全缘，厚纸质而脆，部分嫩叶有棕褐色星状毛；叶柄长约 5 mm。气清香，味微涩而苦。

| **功能主治** | 辛、苦，平。补肝肾，祛风湿，降血压，养血安胎，活血解毒。用于风湿痹痛，腰膝酸痛，胃痛，乳少，跌打损伤，疮疡肿毒。

| **用法用量** | 内服煎汤，30 ~ 60 g，鲜品加倍。外用适量，嫩枝叶捣敷。

| **附　注** | 本种的花冠长度有较大变化，同一株上的花在盛花期花冠长达 22 mm，在末花期花冠长仅 12 ~ 15 mm。

| **凭证标本号** | 441225181122012LY、441623180913004LY。

桑寄生科 Loranthaceae 钝果寄生属 Taxillus

广寄生 *Taxillus chinensis* (DC.) Danser

药材名

桑寄生（药用部位：带叶茎枝。别名：梧州寄生茶）。

形态特征

常绿灌木，高达 1 m。嫩枝、叶密被锈色星状毛，后毛全部脱落。小枝灰褐色，具皮孔。叶对生或近对生，厚纸质，卵形至长卵形，长 3 ~ 6 cm，宽 2.5 ~ 4 cm，先端圆钝，基部楔形或阔楔形；叶柄长 8 ~ 10 mm。伞形花序，1 ~ 2 花序腋生，具 1 ~ 4 花，被锈色星状毛，总花梗长 2 ~ 4 mm；花梗长 6 ~ 7 mm；苞片鳞片状；花褐色；花托倒卵形，长约 2 mm；副萼环状；花蕾管状，长 2.5 ~ 2.7 cm，稍弯，下半部膨胀，顶部卵形，裂片 4，匙形，长约 6 mm，反折；花盘环状；柱头头状。浆果椭圆形，密生小瘤体，具疏毛，成熟时呈浅黄色，长 8 ~ 10 mm，直径 5 ~ 6 mm，果皮平滑。花期几全年，盛花期 10 ~ 12 月。

生境分布

生于海拔 20 ~ 400 m 的平原或低山常绿阔叶林中，寄生于桑树、桃树、李树、龙眼、荔枝、阳桃、油茶、油桐、橡胶树、榕树、木棉、马尾松、水松等多种植物上。广东各地均有分布。

| **资源情况** | 野生资源丰富。药材来源于野生。

| **采收加工** | 冬季至翌年春季采割，除去粗茎，切段，干燥，或蒸后干燥。

| **药材性状** | 本品茎枝圆柱形，有分枝，长 30 ~ 40 cm，粗枝直径 0.5 ~ 1 cm，细枝或枝梢直径 2 ~ 3 mm；表面粗糙，嫩枝先端被锈色茸毛，红褐色或灰褐色，有多数圆点状、黄褐色或灰褐色皮孔和纵向细皱纹，粗枝表面红褐色或灰褐色，有凸起的枝痕和叶痕；质坚脆，易折断，断面不平坦，皮部薄，棕褐色，易与木部分离，木部宽阔，几占茎的大部分，淡红棕色，髓射线明显，放射状，髓部小，色稍深。叶易脱落，仅少数残留在茎上，叶片常卷缩、破碎，完整者卵形至长卵形，长 3 ~ 6 cm，宽 2.5 ~ 4 cm，先端圆钝，基部楔形或阔楔形，黄褐色或茶褐色，全缘，侧脉 3 ~ 4 对，略明显，嫩叶有锈色茸毛；叶柄长 0.5 ~ 1 cm。

| **功能主治** | 苦，平。补肝肾，祛风湿，降血压，养血安胎。用于腰膝酸痛，筋骨痿弱，肢体偏枯，风湿痹痛，头昏目眩，胎动不安，崩漏下血。气微、味淡、微涩。

| **用法用量** | 内服煎汤，10 ~ 15 g；或入丸、散剂；或浸酒；或捣汁服。外用适量，捣敷。

| **凭证标本号** | 440783191103046LY、440781190518024LY、441825191002046LY。

桑寄生科 Loranthaceae 钝果寄生属 *Taxillus*

锈毛钝果寄生
Taxillus levinei (Merr.) H. S. Kiu

| **药 材 名** | 板栗寄生（药用部位：带叶茎枝。别名：茶树寄生）。

| **形态特征** | 灌木，高约 2 m。嫩枝、叶、花序和花均密被锈色茸毛。小枝灰褐色，无毛，具散生皮孔。叶互生或近对生，革质，卵形，长 4 ~ 8 cm，宽 2 ~ 3.5 cm，先端钝，基部近圆形，上面无毛，具光泽，下面密被锈色茸毛；叶柄长约 1 cm，被绒毛。1 ~ 3 伞形花序，腋生，具花 1 ~ 3，总花梗长约 5 mm；花梗长 1 ~ 2 mm；苞片三角形，长 0.5 ~ 1 mm；花红色；花托卵球形，长约 2 mm；副萼环状，稍内卷；花蕾管状，长 2 ~ 2.2 cm，稍弯，冠管膨胀，顶部卵状，裂片 4，匙形，长 5 ~ 7 mm，反折；雄蕊长 5 mm；花柱具 4 棱，紫色，柱头头状。果实卵球形，长约 6 mm，直径 4 mm，黄色，果皮具颗粒状体，被

星状毛。花期 9 ~ 12 月，果期翌年 4 ~ 5 月。

| 生境分布 | 生于海拔 200 ~ 1 200 m 的山地常绿阔叶林中，常寄生于油茶、樟树或壳斗科植物上。分布于广东东部、中部、北部山区。

| 资源情况 | 野生资源较丰富。药材来源于野生。

| 采收加工 | 全年均可采收，扎成束，晾干或鲜用。

| 药材性状 | 本品茎枝圆柱形，灰褐色或暗褐色，皮孔多纵裂，嫩枝、幼叶和花被有锈色茸毛。叶片长椭圆形，长 3 ~ 8 cm，宽 1.2 ~ 3.2 cm，中脉于下表面凸起，侧脉不显著，叶背密被锈色茸毛。革质。气微，味微苦、涩。

| 功能主治 | 苦，凉。清肺止咳，祛风湿。用于肺热咳嗽，风湿腰腿痛，疮疖。

| 用法用量 | 内服煎汤，10 ~ 15 g；或浸酒。外用适量，捣敷。

| 凭证标本号 | 441523200105022LY、441882180411015LY。

桑寄生科 Loranthaceae　大苞寄生属 *Tolypanthus*

大苞寄生 *Tolypanthus maclurei* (Merr.) Danser

| 药 材 名 |

榔榆寄生（药用部位：带叶茎枝）。

| 形态特征 |

小灌木，高约60 cm。幼枝、叶密被黄褐色毛，稍后毛全部脱落。枝条淡黑色，平滑。叶薄革质，对生或近对生，长圆形或长卵形，长2.5 ~ 7 cm，宽1 ~ 3 cm，先端急尖或钝，基部楔形或圆钝，具短柄。1 ~ 3花序腋生，具花3 ~ 5，总花梗长约1 cm，具3 ~ 5枚轮生、直立的苞片；苞片长卵形，淡红色，长12 ~ 22 mm，宽7 ~ 11 mm，先端渐尖，基部圆钝或浅心形；花3 ~ 5，红色或橙色；花托卵球形，长约2 mm，被黄褐色或锈色绒毛；副萼长约1 mm，具5浅齿；花冠长2 ~ 2.8 cm，疏生星状毛，冠管上半部膨胀，具5纵棱，纵棱之间具横皱纹，裂片狭长圆形，长6 ~ 8 mm，反折。果实椭圆状，长8 ~ 10 mm，直径约6 mm，黄色。花期4 ~ 7月，果期8 ~ 10月。

| 生境分布 |

生于海拔150 ~ 900（ ~ 1200）m的山地或溪畔常绿阔叶林中，常寄生于油茶、檵木、柿树、紫薇或杜鹃属、杜英属、冬青属等植物上。分布于广东东部、中部和北部。

| **资源情况** | 野生资源较丰富。药材来源于野生。

| **采收加工** | 夏、秋季采收，扎成束，晾干。

| **功能主治** | 苦、甘，微温。补肝肾，强筋骨，祛风除湿。用于头晕目眩，腰膝酸痛，风湿麻木。

| **用法用量** | 内服煎汤，15 ~ 30 g。

| **凭证标本号** | 441825190504002LY、441823210715003LY、441623180627033LY。

桑寄生科 Loranthaceae 槲寄生属 *Viscum*

扁枝槲寄生 *Viscum articulatum* Burm. f.

| **药 材 名** | 无叶槲寄生（药用部位：茎枝。别名：枫木寄生、柿寄生、麻栎寄生）。

| **形态特征** | 亚灌木，高达 50 cm。茎基部近圆柱状。小枝扁平，二或三歧分枝，具明显的节，节间长 1.5 ~ 2.5 cm，宽 2 ~ 3.5 mm，干后边缘薄，具纵肋 3，中肋明显。叶退化成鳞片状。花单性，雌雄同株，1 ~ 3 聚伞花序腋生，总花梗几无，总苞舟形，中央 1 花为雌花，侧生的为雄花，通常仅具 1 雌花或 1 雄花；雄花小，近球形，长约 1 mm，萼片 4；雌花椭圆形，长约 1.5 mm，萼片 4，三角形，子房下位。果实球形，直径 3 ~ 4 mm，白色或青白色，平滑。花果期几全年。

| 生境分布 | 生于海拔 50 ～ 1 200 m 的沿海平原或山地南亚热带季雨林中，常寄生于桑寄生科的鞘花、五蕊寄生、广寄生、小叶梨果寄生等植物的茎上，也寄生于壳斗科、大戟科、樟科、檀香科植物上。分布于广东南部、中部。

| 资源情况 | 野生资源较丰富。药材来源于野生。

| 采收加工 | 夏、秋季采收，扎成束，晾干。

| 药材性状 | 本品茎圆柱形，直径约 1 cm。小枝扁平，长节片状，节间长 1.5 ～ 2.5 cm，宽 2 ～ 3 mm，纵肋 3，干后边缘薄。

| 功能主治 | 辛、苦，平。祛风除湿，舒筋活血，止咳化痰，止血。用于风湿痹痛，腰膝酸软，跌打肿痛，劳伤咳嗽，崩漏带下，产后气血虚。

| 用法用量 | 内服煎汤，10 ～ 15 g；或炖肉，30 ～ 60 g；或浸酒。外用适量，煎汤洗；或研末调敷。

| 凭证标本号 | 441225180730049LY。

桑寄生科 Loranthaceae 槲寄生属 *Viscum*

棱枝槲寄生 *Viscum diospyrosicola* Hayata

| 药 材 名 | 柿寄生（药用部位：带叶茎枝。别名：青冈砾寄生）。

| 形态特征 | 亚灌木，高 0.3 ～ 0.5 m。二或三歧分枝，节明显，位于茎基部或中部以下的节间圆柱状；小枝稍扁平，长 1.5 ～ 2.5 cm，宽 2 ～ 2.5 mm，具纵肋 2 ～ 3。幼株具叶 2 ～ 3 对，叶片长圆形，长 1 ～ 2 cm，先端钝，基部窄楔形，基出脉 3；成长植株叶鳞片状。聚伞花序 1 ～ 3 腋生，花序梗几无，总苞舟形，具 1 ～ 3 花；雄花圆形，长约 1 mm，萼片 4，三角形，花药圆形，贴生于萼片下半部；雌花长圆形，萼片 4，三角形。果实卵球形，长 4 ～ 5 mm，成熟时呈黄色或橙色，平滑。花果期 4 ～ 12 月。

| 生境分布 | 生于海拔 20 ～ 1 200 m 的平原或山地常绿阔叶林中，寄生于柿树、

樟树、梨树、油桐或壳斗科等多种植物上。广东各地均有分布。

| **资源情况** | 野生资源较丰富。药材来源于野生。

| **采收加工** | 夏、秋季采收，扎成束，晾干。

| **功能主治** | 苦，平。祛风湿，强筋骨，止咳，消肿，降血压。用于风湿痹痛，腰腿酸痛，咳嗽，咯血，胃痛，胎动不安，疮疖，高血压。

| **用法用量** | 内服煎汤，9 ~ 15 g，大剂量可用至 60 g；或浸酒；或炖肉。外用适量，研末调敷。

| **凭证标本号** | 441622200923041LY、441523190920058LY、441422190218268LY。

桑寄生科 Loranthaceae 槲寄生属 Viscum

瘤果槲寄生 *Viscum ovalifolium* DC.

| 药 材 名 | 柚树寄生（药用部位：带叶茎枝。别名：柄寄生）。

| 形态特征 | 灌木，高约 0.5 m。茎圆柱形。枝交叉对生或二歧分枝，节明显，节间长 1.5 ~ 3 cm，直径 3 ~ 4 mm，节稍膨大。叶对生，革质，倒卵形或长椭圆形，长 3 ~ 8.5 cm，宽 1.5 ~ 3.5 cm，先端圆钝，基部骤狭，基出脉 3 ~ 5；叶柄短。1 个或多个聚伞花序簇生于叶腋，总花梗长约 1 mm，总苞舟形，具 3 花，中央 1 花为雌花，侧生 2 花为雄花或不发育雄花；雄花卵球形，长约 1.5 mm，萼片 4；雌花长圆形，长 2.5 ~ 3 mm，花托卵球形，萼片 4，三角形，长约 1 mm，柱头乳头状。果实近球形，直径 4 ~ 6 mm，基部骤狭，呈柄状，长约 1 mm，果皮具小瘤体，成熟时呈淡黄色，果皮平滑。花果期几全年。

| 生境分布 | 生于海拔 1 100 m 以下的沿海红树林中或平原、盆地、山地亚热带季雨林中，寄生于柚树、黄皮、柿树、无患子、柞木、板栗或海桑、海莲等多种植物上。分布于广东除北部、东部以外的地区。

| 资源情况 | 野生资源丰富。药材来源于野生。

| 采收加工 | 全年均可采收，扎成束，晾干。

| 药材性状 | 本品茎枝圆柱形，具叉状分枝 2 ~ 3，长 20 ~ 30 cm，直径 3 ~ 4 mm，下部粗枝直径可达 1 cm，具细纵纹和肋线，节部稍膨大，节间长 1 ~ 3 cm；表面黑褐色或棕褐色，光滑无毛；质硬脆，折断面不平坦，皮部褐色，木部黄白色，髓部棕褐色。叶对生，多破碎或卷曲，完整叶呈倒卵形或长椭圆形，长 3 ~ 8 cm，宽 1.5 ~ 3.5 cm，先端钝，基部骤狭，基出脉 3 ~ 5，在上面稍明显，表面黑褐色或棕褐色，无毛，有细皱纹，革质；叶柄短。气微，味淡。

| 功能主治 | 苦、辛，凉。祛风除湿，活血止痛，化痰止咳，解毒。用于风湿痹痛，脚肿，跌打损伤，疝气痛，牙痛，疳积，痢疾，咳嗽，麻疹，风弦烂眼。

| 用法用量 | 内服煎汤，9 ~ 15 g。外用适量，煎汤洗或含漱。

| 凭证标本号 | 441226141222004LY、441900181119005LY、441283160901026LY。

寄生藤 *Dendrotrophe varians* (Blume) Miq.

药 材 名	上树酸藤（药用部位：全株。别名：大叶酸藤、黄藤、堂仙公）。
形态特征	木质藤本，常呈灌木状。枝长 2 ~ 8 m，幼时三棱形，扭曲。叶厚，互生，软革质，倒卵形，长 3 ~ 7 cm，先端圆钝，有短尖，基部收缢下延成柄，基出脉 3，侧脉大致沿边缘内侧分出，弧形，全缘，两面均无毛。花单性，雌雄异株，稀为两性花；雄花球形，5 ~ 6 雄花集成聚伞状花序，花被 5 裂，裂片三角形，雄蕊 5，与裂片对生；雌花和两性花通常单生于叶腋，花柱短小，柱头不分裂，两性花卵圆形。核果卵形，黄褐色，长约 1 cm。花期 12 月至翌年 2 月，果期 3 ~ 5 月。
生境分布	生于海拔 100 ~ 800 m 向阳山坡的灌丛中，常攀缘于树上。广东各

地均有分布。

| **资源情况** | 野生资源较丰富。药材来源于野生。

| **采收加工** | 全年均可采收，多鲜用。

| **功能主治** | 微甘、苦、涩，平。疏风解热，除湿。用于流行性感冒，跌打损伤。

| **用法用量** | 内服煎汤，15 ～ 30 g。外用适量，鲜品捣敷。

| **凭证标本号** | 441523190405013LY、440783190812004LY、440781190516030LY。

檀香科 Santalaceae 檀梨属 Pyrularia

檀梨
Pyrularia edulis (Wall.) A. DC.

| 药 材 名 | 檀梨（药用部位：茎皮、种子。别名：油葫芦、麂子果）。

| 形态特征 | 小乔木或灌木。芽被灰白色绢毛。叶纸质或带肉质，光滑，卵状长圆形，先端渐尖，侧脉被长柔毛。雄花集成总状花序，花被管长圆状倒卵形，花被裂片 5，外被长柔毛；雌花和两性花单生，子房棒状，被短柔毛。核果梨形，长 3 ～ 5 cm，先端近截形，有脐状突起，外果皮肉质并有黏胶质；种子胚乳油质。果柄粗壮，长 1.2 cm。果期 8 ～ 10 月。

| 生境分布 | 生于海拔 500 ～ 1 200 m 的常绿阔叶林中。分布于广东乳源、乐昌、和平、阳山、连山、饶平等。

| **资源情况** | 野生资源一般。药材来源于野生。

| **采收加工** | 春末夏初采收茎皮，夏末秋初种子近成熟时采收种子，晒干。

| **功能主治** | 茎皮，活血化瘀。用于跌打损伤。种子，用于烫火伤。

檀香 *Santalum album* L.

| 药材名 | 檀香（药用部位：心材。别名：檀香木、白檀）、檀香泥（药用部位：心材中的树脂）、檀香油（药材来源：心材蒸馏所得的挥发油）。

| 形态特征 | 常绿小乔木。老枝具条纹，有多数皮孔；小枝细长，淡绿色，节间稍肿大。叶椭圆状卵形，膜质，先端锐尖，边缘波状，背面有白粉，中脉在背面凸起。三歧聚伞式圆锥花序腋生或顶生；花被管钟状，淡绿色，花被4裂，内部初时呈绿黄色，后呈深棕红色。核果外果皮肉质，多汁，成熟时呈深紫红色至紫黑色，内果皮具纵棱3～4。花期5～6月，果期7～9月。

| 生境分布 | 半寄生性植物，多栽培于向阳处。栽培于广东惠州（市区）、清远（市

区）、肇庆（市区）、云浮（市区）、江门（市区）、茂名（市区）、湛江（市区）等。

| 资源情况 | 栽培资源一般。药材来源于栽培。

| 采收加工 | **檀香**：种植 30 ～ 40 年后采伐，锯成段，砍去色淡的边材，干燥。

檀香泥：将檀香心材中的树脂取出，即为檀香泥。

檀香油：将檀香心材切细，置大型蒸馏器内蒸馏。

| 药材性状 | **檀香**：本品为长短不一的圆柱形木段，外表面灰黄色或黄褐色，光滑细腻，可见疤节或纵裂，横截面棕黄色，显油迹；棕色年轮明显或不明显，纵向劈开纹理顺直。质坚实，不易折断。气清香，燃烧时香气更浓；味淡，嚼之微有辛辣感。

檀香油：无色至淡黄色，略有黏性，有檀香的固有香气。

| 功能主治 | **檀香**：辛，温。归脾、胃、肺经。行气，散寒，止痛。用于胸腹胀痛，霍乱吐泻，噎膈吐食，寒疝腹痛等。

檀香泥：苦，温。归胃、肝经。行气止痛。用于肝胃不和，脘胁胀痛等。

檀香油：苦，温。归胃、肾经。降逆和胃，行气止痛。用于呃逆，呕吐，胃脘痛，腰痛等。

| 用法用量 | **檀香**：内服煎汤，1.5 ～ 3 g；或入丸、散剂。外用适量，磨汁涂。

檀香泥：内服煎汤，1 ～ 3 g；或入丸、散剂。

檀香油：内服 0.02 ～ 0.2 ml，每日不超过 1 ml。外用适量，涂擦。

| 凭证标本号 | 440882180331103LY、441827180814025LY。

檀香科 Santalaceae 百蕊草属 Thesium

百蕊草 *Thesium chinense* Turcz.

药 材 名	百蕊草（药用部位：全草。别名：凤芽蒿、珊瑚草、打食草）。
形态特征	多年生柔弱草本，全株被白粉。茎细长，簇生，有纵沟。叶线形，先端急尖或渐尖，具单脉。花单一，5 数，腋生；苞片 1，线状披针形；花被绿白色，花被管呈管状，花被裂片先端锐尖，内弯。坚果椭圆形或近球形，淡绿色，表面有明显隆起的网脉，先端的宿存花被近球形。花期 4 ~ 5 月，果期 6 ~ 7 月。
生境分布	生于海拔 800 m 以下的小溪边、田野、草甸、干草原或石砾坡地。分布于广东乳源、乐昌、英德、信宜等。
资源情况	野生资源较少。药材来源于野生。

| **采收加工** | 春、夏季采收，洗净，晒干。

| **药材性状** | 本品多分枝，长 20 ～ 40 cm。根圆锥形，表面棕黄色，有纵皱纹，具细支根。茎丛生，纤细，暗黄绿色，具纵沟；质脆，易折断，断面中空。叶互生，皱缩或破碎，完整者展开后呈线状披针形，灰绿色。小花单生于叶腋，近无梗。坚果近球形，表面灰黄色，具网状雕纹，有宿存叶状小苞片 2。气微，味淡。

| **功能主治** | 辛、微苦，寒。归脾、肾经。清热，利湿，解毒。用于风热感冒，中暑，肺痈，乳蛾，乳痈，疖肿，黄疸，腰痛等。

| **用法用量** | 内服煎汤，9 ～ 30 g；或研末；或浸酒。外用适量，研末调敷。

蛇菰科 Balanophoraceae 蛇菰属 Balanophora

红冬蛇菰 *Balanophora harlandii* Hook. f.

| 药 材 名 | 红冬蛇菰（药用部位：全草。别名：葛蕈、筒鞘蛇菰、蛇菰）。

| 形态特征 | 草本。根茎苍褐色，干时呈脆壳质，表面粗糙，密被小斑点，具脑状皱褶，花茎淡红色，鳞苞片 5 ~ 10，红色或淡红色，聚生于花茎基部，呈总苞状。花雌雄异株，花序近球形或卵状椭圆形，雄花序轴有凹陷的蜂窠状洼穴；雌花子房黄色，着生于附属体基部或花序轴表面，花柱丝状，附属体暗褐色，先端截形或中部凸起。花期 9 ~ 11 月。

| 生境分布 | 生于海拔 150 ~ 1 000 m 的阴蔽林中较湿润的腐殖质土壤中。分布于广东乳源、新丰、潮安、龙门、惠东、博罗、从化、阳山、英德、封开、怀集及河源（市区）、深圳（市区）等。

| **资源情况** | 野生资源较丰富。药材来源于野生。 |

| **采收加工** | 秋、冬季采挖，洗净，阴干或鲜用。 |

| **药材性状** | 本品根茎呈不规则团块状，直径 1.5 ~ 5.5 cm；表面皱缩，粗糙，棕色或棕褐色，密被颗粒状小疣瘤，生有 1 ~ 10 花茎，深棕色。花茎长 2 ~ 10 cm，易折断，断面较平坦。花序近球形或卵状椭圆形。气微，味涩。 |

| **功能主治** | 苦、涩，寒。归肺、大肠经。凉血止血，清热解毒。用于阳痿，遗精，水肿，月经过多，带下，慢性肝炎，消化道出血，外伤出血等。 |

| **用法用量** | 内服煎汤，9 ~ 15 g。外用适量，捣敷；或研末敷。 |

| **凭证标本号** | 441421181114526LY、441900181016003LY、441424191027548LY。 |

蛇菰科 Balanophoraceae　蛇菰属 Balanophora

疏花蛇菰
Balanophora laxiflora Hemsl.

| 药 材 名 |

疏花蛇菰（药用部位：全草。别名：鹿仙草、石上莲、皱球蛇菰）。

| 形态特征 |

草本，全株鲜红色至暗红色，有时呈紫红色。根茎分枝，近球形，表面密被粗糙小斑点和淡黄白色、星芒状皮孔；花茎鳞苞片先端钝，互生，基部包着花茎。花雌雄异株；雄花序圆柱状，雄花近辐射对称；雌花序卵圆形，子房具细长花柱，聚生于附属体的基部附近，附属体棍棒状，先端多截平，中部以下骤狭，呈针尖状。花期 9 ~ 11 月。

| 生境分布 |

生于海拔 600 ~ 1 700 m 阴蔽林中较湿润的腐殖质土壤中。分布于广东乳源、仁化、乐昌、龙门、连南、连州、英德、封开、郁南、阳春、电白等。

| 资源情况 |

野生资源一般。药材来源于野生。

| 采收加工 |

秋、冬季采挖，洗净，晒干或鲜用。

| **药材性状** | 本品呈圆柱状，先端稍膨大，基部根茎膨大，呈疙瘩状，表面棕褐色至棕黑色，有皱棱和纵沟。花茎中部以下有鳞片状叶片，鳞片宽卵形，基部合生成鞘状；花茎先端肉穗花序疏生小花。质脆，易折断。气微，味甘、苦。 |

| **功能主治** | 苦，凉。归心、脾、胃、肾经。益肾养阴，清热止血。用于肾虚腰痛，虚劳出血，痔疮出血等。 |

| **用法用量** | 内服煎汤，9 ~ 15 g。外用适量，捣敷；或研末敷。 |

| **凭证标本号** | 440923161207021LY。 |

蛇菰科 Balanophoraceae 蛇菰属 Balanophora

穗花蛇菰
Balanophora spicata Hayata

| 药 材 名 | 穗花蛇菰（药用部位：全草。别名：地荔枝）。

| 形态特征 | 草本。根茎红色至棕红色，分枝时呈倒卵形，不分枝时呈不规则球形，表面密被颗粒状粗疣瘤，有淡红色或淡黄色、星芒状皮孔，鳞状苞片肉质，常对生，内凹。花雌雄异株；雄花序穗状，绿色带红色，后渐呈紫红色，雄花黄色；雌花序红色，长圆状圆柱形，子房近球形，着生于附属体基部，花柱丝状，附属体呈长棍棒状。花期 8 ～ 12 月。

| 生境分布 | 生于阴蔽林中较湿润的腐殖质土壤中。分布于广东乳源、仁化、乐昌、龙门、连山、阳山、连州、英德、封开、郁南、恩平、阳春、电白等。

| 资源情况 | 野生资源稀少。药材来源于野生。

| 采收加工 | 秋、冬季采挖，洗净，晒干或鲜用。

| 功能主治 | 苦、微涩，凉。清热解毒，凉血止血。用于肺热咳嗽，吐血，肠风下血，血崩，风热瘾疹，腰痛，痔疮，疔疮肿毒等。

| 用法用量 | 内服煎汤，9 ~ 15 g。外用适量，捣敷。

| 附　　注 | 《中国植物志》英文版将本种并入疏花蛇菰 *Balanophora laxiflora* Hemsl. 中。

鼠李科 Rhamnaceae 勾儿茶属 Berchemia

多花勾儿茶 *Berchemia floribunda* (Wall.) Brongn.

| 药 材 名 |

黄鳝藤（药用部位：茎、叶、根。别名：勾儿茶）。

| 形态特征 |

藤状或直立灌木。幼枝黄绿色。叶纸质，卵状椭圆形至矩圆形，先端钝，基部圆形，两面仅沿脉基部可见稀疏短柔毛，侧脉在两面稍凸起；托叶狭披针形。花多数，常数个簇生成顶生宽聚伞圆锥花序，长达 15 cm；花芽卵球形，先端急狭成锐尖；花萼三角形，先端尖；花瓣倒卵形。核果圆柱状椭圆形，有盘状宿存花盘。花期 7 ~ 10 月，果期翌年 4 ~ 7 月。

| 生境分布 |

生于海拔 50 ~ 1 400 m 的山坡、沟谷、林缘、林下或灌丛中。广东各地均有分布。

| 资源情况 |

野生资源丰富。药材来源于野生。

| 采收加工 |

茎、叶，夏、秋季采收，鲜用，或切段，晒干。根，秋后采挖，鲜用，或切片，晒干。

| 药材性状 | 本品茎圆柱形，多分枝，表面黄绿色，略光滑，无毛；质脆易折断。叶黄褐色，多皱缩，展平后呈卵状椭圆形至矩圆形，全缘。根呈不规则纺锤形或圆柱形，表面棕褐色至褐色，有网状裂隙、纵皱纹及支根痕，质坚硬，断面黄棕色。气微，味甘。

| 功能主治 | 甘、涩，微温。归肝、胆经。祛风利湿，活血止痛。用于风湿痹痛，痛经，产后瘀滞腹痛，跌打损伤等。

| 用法用量 | 内服煎汤，15～30g，大剂量可用60～120g。外用适量，鲜品捣敷。

| 凭证标本号 | 441523190403009LY、440781190712024LY、441825190413012LY。

| 附　　注 | 本品为常用瑶药黄骨风，味微涩，性平，属风打相兼药，可清热利湿、舒筋活络、活血调经、止痛。

鼠李科 Rhamnaceae 勾儿茶属 Berchemia

铁包金 *Berchemia lineata* (L.) DC.

药 材 名	铁包金（药用部位：根、茎。别名：老鼠耳、米拉藤、乌龙根）。
形态特征	藤状或矮灌木。小枝黄绿色，密被短柔毛。叶纸质，矩圆形或椭圆形，先端圆形或钝，具小尖头，基部圆形，两面无毛；叶柄被短柔毛；托叶披针形，稍长于叶柄。花白色，通常数朵至 10 余朵密集成顶生聚伞总状花序；花芽长大于宽，先端钝；萼片条形；花瓣匙形，先端钝。核果圆柱形，成熟时呈黑色或紫黑色。花期 7 ~ 10 月，果期 11 月。
生境分布	生于海拔 50 ~ 1 500 m 的山野、路旁或空旷地。广东各地均有分布。
资源情况	野生资源丰富。药材来源于野生。

| 采收加工 | 茎，夏末秋初孕蕾前割取茎，除去杂质，切碎，鲜用或晒干。根，秋后采挖，鲜用，或切片，晒干。

| 药材性状 | 本品根呈不规则纺锤形或圆柱形，弯曲，少分枝，表面暗黄棕色、黑褐色至深褐色，栓皮结实，有网状裂隙、纵皱皮及支根痕；质坚硬，断面木部纹理细密，呈暗黄棕色。茎呈圆柱形，多分枝，表面黄绿色至棕褐色，外被蜡质；韧性大，难折断，皮部薄，木质部浅黄色，断面纹理致密，髓明显。气微，味淡。

| 功能主治 | 苦、微涩，平。归心、肺经。消肿解毒，止血镇痛，祛风除湿。用于劳伤咯血，跌打瘀痛，风湿痹痛，偏正头痛，小儿疳积等。

| 用法用量 | 内服煎汤，15 ~ 30 g，鲜品 30 ~ 60 g。外用适量，捣敷。

| 凭证标本号 | 440882180501108LY、441324181104059LY、440783191130012LY。

鼠李科 Rhamnaceae 勾儿茶属 Berchemia

光枝勾儿茶 *Berchemia polyphylla* Wall. ex M. A. Lawson var. *leioclada* (Hand.-Mazz.) Hand.-Mazz.

药 材 名	光枝勾儿茶（药用部位：茎、叶、根。别名：乌饭藤、铁包金）。
形态特征	藤状灌木。小枝黄褐色，被短柔毛。叶纸质，卵状椭圆形，先端钝，常有小尖头，基部圆形，两面无毛，叶脉在上面明显凸起；叶柄被短柔毛；托叶小，披针状钻形。花浅绿色或白色，通常 2 ~ 10 花簇生成具短总梗的聚伞总状花序，花序轴被短柔毛；花瓣近圆形。核果圆柱形，成熟时先呈红色，后变为黑色。花期 5 ~ 9 月，果期 7 ~ 11 月。
生境分布	生于山地灌丛或林中。广东各地均有分布。
资源情况	野生资源较丰富。药材来源于野生。

| 采收加工 | 茎，夏末秋初孕蕾前割取，除去杂质，切碎，晒干。根，秋后采收，趁鲜切片，晒干。

| 药材性状 | 本品茎呈圆柱形，直径可达 1.5 cm；表面棕褐色至暗紫色，外被蜡质；质坚硬，断面不整齐，皮部薄，木部浅黄色，髓明显。叶互生，有短柄，完整者展开后呈卵圆形，先端渐尖或钝，先端有小凸尖，全缘；上表面灰绿色，下表面黄绿色；近革质。气微，味苦、涩。

| 功能主治 | 涩、苦，平。归肝、肺经。祛痰止咳，活络止痛。用于急、慢性支气管炎，小儿疳积，风湿关节痛等。

| 用法用量 | 内服煎汤，15 ~ 30 g。

| 凭证标本号 | 440281190701002LY、440281190817006LY。

鼠李科 Rhamnaceae 苞叶木属 Chaydaia

苞叶木
Chaydaia rubinervis (H. Lév.) C. Y. Wu ex Y. L. Chen et P. K. Chou

| **药 材 名** | 苞叶木（药用部位：全株。别名：十两叶、红脉麦果）。

| **形态特征** | 常绿灌木。幼枝被短柔毛，小枝红褐色，无毛。叶互生，革质，矩圆形，先端渐尖，基部圆形，近全缘，上面深绿色，下面浅绿色，侧脉在下面凸起，具明显网脉；托叶披针形。花数朵至 10 余朵排成腋生聚伞花序，花两性；萼片三角形，内面中肋凸起；花瓣倒卵圆形，具短爪。核果卵状圆柱形，成熟时呈紫红色或橘红色。花期 7 ~ 9 月，果期 8 ~ 11 月。

| **生境分布** | 生于海拔 1 500 m 以下的山地林中或灌丛中。分布于广东乐昌。广东广州有栽培。

| **资源情况** | 野生资源稀少。栽培资源较少。药材来源于野生和栽培。 |

| **采收加工** | 全年均可采收，鲜用，或切段，晒干。 |

| **功能主治** | 淡，平。利胆退黄，祛风止痛。用于黄疸性肝炎，肝硬化腹水，风湿痹痛等。 |

| **用法用量** | 内服煎汤，6 ~ 15 g。外用适量，捣敷。 |

| **附　　注** | 《中国植物志》已将本种拉丁学名修订为 *Rhamnella rubinervis* (H. Lév.) Rehder，本文仍沿用修订前的拉丁学名。 |

鼠李科 Rhamnaceae 咀签属 Gouania

毛咀签 *Gouania javanica* Miq.

| 药 材 名 | 烧伤藤（药用部位：茎叶。别名：节节藤、总状藤山柳）。

| 形态特征 | 攀缘灌木。小枝、叶柄、花序轴、花梗和花萼外面密被棕色短柔毛。叶互生，纸质，卵形，先端渐尖，基部心形或圆形，全缘或具钝细锯齿，上面被丝柔毛，下面被锈色绒毛或被灰色丝状柔毛。聚伞总状花序长可达 30 cm，花序下部有卷须；花瓣基部具短爪。蒴果具 3 翅，两端凹陷，成熟时呈黄色，具圆形翅的 3 分核沿中轴开裂，分核长期悬挂于上端；种子 3，倒卵形，红褐色，有光泽。花期 7 ~ 9 月，果期 11 月至翌年 3 月。

| 生境分布 | 生于疏林中或溪边，常攀缘于树上。分布于广东高要、罗定、郁南及云浮（市区）等。

| **资源情况** | 野生资源稀少。药材来源于野生。

| **采收加工** | 春、夏季采收，鲜用，或切段，晒干。

| **功能主治** | 苦、涩，凉。清热解毒，收敛止血。用于烫火伤，痈疮疖肿，外伤出血，湿疹等。

| **用法用量** | 外用适量，捣敷；或研末撒；或调茶油涂。

鼠李科 Rhamnaceae 枳椇属 Hovenia

枳椇 *Hovenia acerba* Lindl.

| 药 材 名 | 枳椇根（药用部位：根。别名：南枳椇、金果梨）、枳椇木皮（药用部位：茎皮。别名：鸡爪树）、枳椇叶（药用部位：叶）、枳椇子（药用部位：带肉质果柄的果实或成熟种子。别名：拐枣、万字果）。

| 形态特征 | 高大乔木。小枝褐色，有呈白色的明显皮孔。叶互生，厚纸质，椭圆状卵形或心形，先端长渐尖，基部截形或心形，边缘常具细锯齿，上面无毛，下面沿脉常被短柔毛。二歧聚伞圆锥花序被棕色短柔毛；萼片具网状脉；花瓣椭圆状匙形，具短爪。浆果状核果近球形，成熟时呈黄褐色，果序轴明显膨大；种子暗褐色。花期 5 ~ 7 月，果期 8 ~ 10 月。

| 生境分布 | 生于海拔 50 ~ 1 000 m 的空旷地、山坡林缘或疏林中，庭院宅旁常有栽培。广东各地均有分布。

| 资源情况 | 野生资源丰富。栽培资源一般。药材来源于野生和栽培。

| 采收加工 | 枳椇根：秋后采收，洗净，切片，晒干。

枳椇木皮：春季剥取茎皮，晒干。

枳椇叶：夏末采收，晒干。

枳椇子：果实成熟时连肉质果柄一并摘下，晒干，或取出种子。

| 药材性状 | 枳椇子：本品果柄膨大，肉质肥厚，多分枝，弯曲，形似鸡爪，分枝及弯曲处常更膨大，呈关节状，分枝多呈"丁"字形或相互成垂直状，表面棕褐色，具纵皱纹，偶见灰白色点状皮孔，分枝先端着生 1 钝三棱状圆球形果实，果柄质稍松脆，易折断，折断面角质样，淡红棕色至红棕色；果皮纸质，甚薄，3 室，每室含种子 1。干燥种子扁圆形，背面稍隆起，腹面较平坦，直径 3 ~ 4.5 mm，厚 1.5 ~ 2 mm，表面暗褐色或黑棕色，平滑，有光泽，基部有稍凹的椭圆形点状种脐，先端有微凸起的合点，腹面有 1 纵棱线；种皮坚硬，胚乳类白色，子叶淡黄色，具油性。气微，味淡、微涩。

| 功能主治 | 枳椇根：甘、涩，温。归肝、肾经。祛风活络，止血，解酒。用于风湿筋骨痛，劳伤咳嗽，咯血，小儿惊风，醉酒等。

枳椇木皮：甘，温。归肝、脾、肾经。活血，舒筋，消食，疗痔。用于筋脉拘挛，食积，痔疮等。

枳椇叶：甘，凉。归胃、肝经。清热解毒，除烦止渴。用于风热感冒，醉酒，烦渴，呕吐，大便秘结等。

枳椇子：甘、平。归心、脾、胃经。止渴除烦，解酒毒，止呕，利二便。用于醉酒，烦渴，呕吐，二便不利等。

| 用法用量 | 枳椇根：内服煎汤，9 ~ 15 g，鲜品 120 ~ 240 g。

枳椇木皮：内服煎汤，9 ~ 15 g。外用适量，煎汤洗。

枳椇叶：内服煎汤，9 ~ 15 g；或浸酒。

枳椇子：内服煎汤，6 ~ 15 g；或浸酒。

| 凭证标本号 | 441225180722043LY、441823190928030LY、441284200818573LY。

| **附　注** | 《中华本草》将本种与北枳椇 *Hovenia dulcis* Thunb.、毛果枳椇 *Hovenia trichocarpa* Chun et Tsiang 同作为枳椇根、枳椇木皮、枳椇叶、枳椇子药材的植物来源。

鼠李科 Rhamnaceae 枳椇属 Hovenia

北枳椇
Hovenia dulcis Thunb.

| 药 材 名 | 枳椇根（药用部位：根）、枳椇木皮（药用部位：茎皮）、枳椇叶（药用部位：叶）、枳椇子（药用部位：带肉质果柄的果实或成熟种子）。

| 形态特征 | 高大乔木。小枝褐色或黑紫色。叶纸质或厚膜质，卵圆形或椭圆状卵形，先端渐尖，基部截形，边缘有不整齐的锯齿。花黄绿色，排成不对称的顶生聚伞圆锥花序；萼片具纵条纹或网状脉；花瓣倒卵状匙形，向下渐狭成爪。浆果状核果近球形，成熟时呈黑色；花序轴结果时稍膨大；种子深栗色。花期 5 ~ 7 月，果期 8 ~ 10 月。

| 生境分布 | 生于海拔 200 ~ 1 400 m 的次生林中或栽培于庭园。分布于广东翁源、乳源、乐昌、南雄、蕉岭、连州、阳山、信宜、新兴等。

| 资源情况 | 野生资源稀少。栽培资源较少。药材源于野生和栽培。

| 采收加工 | **枳椇根**：秋后采收，洗净，切片，晒干。

枳椇木皮：春季剥取茎皮，晒干。

枳椇叶：夏末采收，晒干。

枳椇子：果实成熟时连肉质果柄一并摘下，晒干，或取出种子。

| 药材性状 | **枳椇子**：本品果柄膨大，肉质肥厚，多分枝，弯曲，形似鸡爪，分枝及弯曲处常更膨大，呈关节状，分枝多呈"丁"字形或相互成垂直状，表面棕褐色，有纵皱纹，偶见灰白色点状皮孔，分枝先端着生 1 钝三棱状圆球形果实，果柄质稍松脆，易折断，折断面角质样，淡红棕色至红棕色；果皮纸质，甚薄，3 室，每室含种子 1。种子扁平，呈圆形，背面稍隆起，腹面较平坦，直径 3 ~ 5 mm，厚 1 ~ 1.5 mm，表面红棕色、棕黑色或绿棕色，有光泽，于放大镜下观察可见散在凹点，基部凹陷处有颜色较浅的点状种脐，腹面有纵行隆起的种脊；种皮坚硬，胚乳白色，子叶淡黄色，肥厚，均富油质。气微，味淡、微涩。

| 功能主治 | **枳椇根**：甘、涩，温。归肝、肾经。祛风活络，止血，解酒。用于风湿筋骨痛，劳伤咳嗽，咯血，小儿惊风，醉酒等。

枳椇木皮：甘，温。归肝、脾、肾经。活血，舒筋，消食，疗痔。用于筋脉拘挛，食积，痔疮等。

枳椇叶：甘，凉。归胃、肝经。清热解毒，除烦止渴。用于风热感冒，醉酒，烦渴，呕吐，大便秘结等。

枳椇子：甘、平。归心、脾、胃经。止渴除烦，解酒毒，止呕，利二便。用于醉酒，烦渴，呕吐，二便不利等。

| 用法用量 | **枳椇根**：内服煎汤，9 ~ 15 g，鲜品 120 ~ 240 g。

枳椇木皮：内服煎汤，9 ~ 15 g。外用适量，煎汤洗。

枳椇叶：内服煎汤，9 ~ 15 g；或浸酒。

枳椇子：内服煎汤，6 ~ 15 g；或浸酒。

| 凭证标本号 | 441826140726041LY。

| 附　　注 | 《中华本草》将本种与拐枣 *Hovenia acerba* Lindl.、毛果枳椇 *Hovenia trichocarpa* Chun et Tsiang 同作为枳椇根、枳椇木皮、枳椇叶、枳椇子药材的植物来源。

鼠李科 Rhamnaceae 枳椇属 Hovenia

毛果枳椇

Hovenia trichocarpa Chun et Tsiang

| 药 材 名 | 枳椇根(药用部位:根)、枳椇木皮(药用部位:茎皮)、枳椇叶(药用部位:叶)、枳椇子(药用部位:带肉质果柄的果实或成熟种子)。

| 形态特征 | 高大落叶乔木。小枝褐色,有明显皮孔。叶纸质,矩圆状卵形,先端渐尖,基部截形或心形,边缘具圆齿状锯齿。二歧聚伞花序密被锈色短茸毛;花黄绿色;花萼密被锈色短柔毛,萼片具明显网脉;花瓣卵圆状匙形。浆果状核果球形,与膨大的果序轴均密被锈色绒毛和长柔毛;种子黑色,近圆形,腹面中部有棱。花期 5 ~ 6 月,果期 8 ~ 10 月。

| 生境分布 | 生于山地林中。分布于广东乳源、英德等。

| 资源情况 | 野生资源稀少。药材来源于野生。

| 采收加工 | 枳椇根：秋后采收，洗净，切片，晒干。

枳椇木皮：春季剥取茎皮，晒干。

枳椇叶：夏末采收，晒干。

枳椇子：果实成熟时连肉质果柄一并摘下，晒干，或取出种子。

| 药材性状 | 枳椇子：本品果柄膨大，肉质肥厚，多分枝，弯曲，形似鸡爪，分枝及弯曲处常更膨大，呈关节状，分枝多呈"丁"字形或相互成垂直状，表面棕褐色，有纵皱纹，偶见灰白色点状皮孔，分枝先端着生 1 钝三棱状圆球形果实，果柄质稍松脆，易折断，折断面略平坦，角质样，淡红棕色至红棕色；果皮纸质，甚薄，3 室，每室含种子 1。种子呈黑色、黑紫色或棕色，近圆形，直径 4 ~ 5.5 mm，腹面中部有棱，背面有时具乳头状突起。

| 功能主治 | 枳椇根：甘、涩，温。归肝、肾经。祛风活络，止血，解酒。用于风湿筋骨痛，劳伤咳嗽，咯血，小儿惊风，醉酒等。

枳椇木皮：甘，温。归肝、脾、肾经。活血，舒筋，消食，疗痔。用于筋脉拘挛，食积，痔疮等。

枳椇叶：甘，凉。归胃、肝经。清热解毒，除烦止渴。用于风热感冒，醉酒，烦渴，呕吐，大便秘结等。

枳椇子：甘，平。归心、脾、胃经。止渴除烦，解酒毒，止呕，利二便。用于醉酒，烦渴，呕吐，二便不利等。

| 用法用量 | 枳椇根：内服煎汤，9 ~ 15 g，鲜品 120 ~ 240 g。

枳椇木皮：内服煎汤，9 ~ 15 g。外用适量，煎汤洗。

枳椇叶：内服煎汤，9 ~ 15 g；或浸酒。

枳椇子：内服煎汤，6 ~ 15 g；或浸酒。

| 附 注 | 《中华本草》将本种与拐枣 *Hovenia acerba* Lindl.、北枳椇 *Hovenia dulcis* Thunb. 共同作为枳椇根、枳椇木皮、枳椇叶、枳椇子药材的植物来源。

鼠李科 Rhamnaceae 马甲子属 Paliurus

铜钱树

Paliurus hemsleyanus Rehd.

| 药 材 名 | 金钱木根（药用部位：根。别名：金钱木、钱串树、鸟不宿）。

| 形态特征 | 乔木。小枝黑褐色或紫褐色。叶互生，纸质，宽椭圆形，先端渐尖，基部偏斜或宽楔形，边缘具圆锯齿，具基生三出脉，幼树叶柄基部有斜向直立的针刺 2。聚伞花序或聚伞圆锥花序；萼片三角形或宽卵形；花瓣匙形；花盘五边形。核果草帽状，周围具革质宽翅，红褐色或紫红色。花期 4 ~ 6 月，果期 7 ~ 9 月。

| 生境分布 | 生于海拔 1 600 m 以下的山地林中，庭园中常有栽培。分布于广东乳源、乐昌、连州、英德、封开、怀集、阳春等。

| 资源情况 | 野生资源较丰富。栽培资源一般。药材来源于野生或栽培。

| **采收加工** | 秋后采挖，洗净，切片，晒干。

| **功能主治** | 甘，平。归肝、脾经。补气。用于劳伤乏力。

| **用法用量** | 内服煎汤，10 ~ 15 g。

| **凭证标本号** | 440281200711001LY、441225180611033LY。

鼠李科 Rhamnaceae 马甲子属 Paliurus

马甲子
Paliurus ramosissimus (Lour.) Poir.

| 药 材 名 |

马甲子根（药用部位：根。别名：企头簕、雄虎刺）、铁篱笆（药用部位：刺、花、叶）、铁篱笆果（药用部位：果实）。

| 形态特征 |

灌木。小枝褐色，被短柔毛。叶互生，纸质，宽卵状椭圆形，先端钝，基部稍偏斜，边缘具细锯齿，上面沿脉被棕褐色柔毛，幼叶下面密生棕褐色柔毛；叶柄基部有斜向直立的紫红色针刺 2。腋生聚伞花序被黄色绒毛；萼片宽卵形；花瓣匙形。核果杯状，被黄褐色绒毛，周围具木栓质窄翅；果柄被棕褐色绒毛；种子紫红色。花期 5 ~ 8 月，果期 9 ~ 10 月。

| 生境分布 |

生于海拔 1 000 m 以下的山地和平原。广东各地均有分布。

| 资源情况 |

野生资源丰富。药材来源于野生。

| 采收加工 |

马甲子根：全年均可采挖，洗净，晒干。

铁篱笆：全年均可采收，鲜用或晒干。

铁篱笆果：果实成熟后采收，晒干。

| **药材性状** | 马甲子根：本品上部较粗壮，下部分歧，外表面有细纵皱，并残留少数须根，质坚硬。

| **功能主治** | 马甲子根：苦，平。归心、肺经。祛风散瘀，解毒消肿。用于风湿痹痛，跌打损伤，咽喉肿痛，痈疽等。

铁篱笆：苦，平。清热解毒。用于疔疮，无名肿毒，下肢溃疡，目赤痛等。

铁篱笆果：苦、甘，温。化瘀止血，活血止痛。用于瘀血所致的衄血、便血，痛经，闭经，心腹疼痛，痔疮肿痛等。

| **用法用量** | 马甲子根：内服煎汤，15～30 g。外用适量，捣敷。

铁篱笆：外用适量，鲜品捣敷。

铁篱笆果：内服煎汤，6～15 g。

| **凭证标本号** | 440523190715005LY、440281190814020LY、441823200723020LY。

鼠李科 Rhamnaceae 鼠李属 Rhamnus

长叶冻绿

Rhamnus crenata Sieblod et Zucc.

| 药 材 名 | 黎辣根（药用部位：根或根皮。别名：黄药）。

| 形态特征 | 落叶灌木。幼枝红色，初被毛，后毛脱落。叶片纸质，倒卵状椭圆形，先端渐尖，基部楔形，边缘具圆齿状齿或细锯齿；叶柄密被柔毛。数花密集成腋生聚伞花序，总花梗被柔毛；萼片三角形；花瓣近圆形，先端 2 裂。核果球形，幼时呈绿色或红色，成熟时呈黑色或紫黑色，具 3 分核，分核每有种子 1；种子无沟。花期 5 ~ 8 月，果期 8 ~ 10 月。

| 生境分布 | 生于海拔 1 500 m 以下的山地林下或灌丛中。广东各地均有分布。

| 资源情况 | 野生资源较丰富。药材来源于野生。

| 采收加工 | 秋后采挖根，洗净，鲜用，或切片，晒干，或剥皮，晒干。

| 功能主治 | 苦、辛，平；有毒。归肝经。清热解毒，杀虫利湿。用于疥疮，顽癣，疮疖，湿疹，荨麻疹，跌打损伤等。

| 用法用量 | 内服煎汤，3～5 g；或浸酒。外用适量，煎汤熏洗；或捣敷；或研末调敷；或磨醋擦。

| 凭证标本号 | 440281190627052LY、445222180727008LY、441523190615006LY。

鼠李科 Rhamnaceae 鼠李属 Rhamnus

薄叶鼠李

Rhamnus leptophylla C. K. Schneid.

| 药 材 名 | 绛梨木根（药用部位：根。别名：黑龙须、鹿角刺根）、绛梨木叶（药用部位：叶）、绛梨木子（药用部位：果实）。

| 形态特征 | 灌木。小枝对生或近对生，褐色，平滑无毛，有光泽。叶纸质，对生或近对生，或在短枝上簇生，倒卵形，先端短突尖，基部楔形，边缘具圆齿；叶柄上面有小沟。花单性，雌雄异株，雄花簇生于短枝端，雌花簇生于短枝端或长枝下部叶腋。核果球形，有 2 ~ 3 分核，成熟时呈黑色；种子宽倒卵圆形，背面具纵沟。花期 3 ~ 5 月，果期 5 ~ 10 月。

| 生境分布 | 生于山坡、山谷、路旁灌丛中或林缘。分布于广东乳源、南雄、乐昌、饶平、南澳、阳山、连州、封开等。

曾佑派提供

| **资源情况** | 野生资源一般。药材来源于野生。

| **采收加工** | **绛梨木根**：秋、冬季节采收，洗净，切片，晒干。
绛梨木叶：春、夏季采收，鲜用或晒干。
绛梨木子：果实成熟时采收，鲜用或晒干。

| **功能主治** | **绛梨木根**：苦、涩，平。归脾、胃、肾经。清热止咳，行气化滞，利水，散瘀。用于肺热咳嗽，食积，便秘，脘腹胀痛，水肿，痛经，跌打损伤等。
绛梨木叶：涩、苦，平。归脾、胃经。消食通便，清热解毒。用于食积腹胀，小儿疳积，便秘，疮毒，跌打损伤等。
绛梨木子：苦、涩，平。归心、脾、肾经。消食化滞，行水通便。用于食积腹胀，水肿，腹水，便秘等。

| **用法用量** | **绛梨木根**：内服煎汤，9 ~ 15 g。
绛梨木叶：内服煎汤，3 ~ 9 g。外用适量，捣敷。
绛梨木子：内服煎汤，5 ~ 15 g；或研末；或浸酒。

| **凭证标本号** | 440281200709040LY。

曾佑派提供

尼泊尔鼠李 *Rhamnus napalensis* (Wall.) Laws.

| 药 材 名 | 大风药（药用部位：根、茎。别名：叶青、染布叶）、大风药叶（药用部位：叶）。

| 形态特征 | 灌木。枝无刺，小枝具明显皮孔。叶厚纸质，大小异形，交替互生，小叶近圆形，大叶宽椭圆形，先端圆形，基部圆形，边缘具钝锯齿，中脉在上面下陷，在其余面均凸起。腋生聚伞总状花序长达12 cm；花单性，雌雄异株；萼片长三角形；花瓣匙形，基部具爪。核果倒卵状球形，具3分核；种子3，背面具纵沟。花期5～9月，果期8～11月。

| 生境分布 | 生于疏林、密林或灌丛中。分布于广东乳源、乐昌、仁化、大埔、平远、连州、连南、英德、阳山、封开、阳春、徐闻及深圳（市区）、

韶关（市区）、梅州（市区）、清远（市区）、河源（市区）、肇庆（市区）等。

| **资源情况** | 野生资源较丰富。药材来源于野生。

| **采收加工** | **大风药**：根，秋、冬季采收，洗净，切片，晒干；茎，春、夏季采收，切段，晒干。

大风药叶：春、夏季采收，鲜用或晒干。

| **功能主治** | **大风药**：涩、微甘，平。祛风除湿，利水消肿。用于风湿关节痛，慢性肝炎，肝硬化腹水等。

大风药叶：苦，寒。清热解毒，祛风除湿。用于毒蛇咬伤，烫火伤，跌打损伤，风湿性、类风湿性关节炎等。

| **用法用量** | **大风药**：内服煎汤，10 ~ 30 g。

大风药叶：外用适量，捣敷；或捣汁搽。

| **凭证标本号** | 441882180814015LY。

鼠李科 Rhamnaceae 鼠李属 Rhamnus

皱叶鼠李

Rhamnus rugulosa Hemsl.

| 药 材 名 | 皱叶鼠李（药用部位：果实。别名：皱叶冻绿）。

| 形态特征 | 灌木。新枝灰绿色，老枝深红色，枝端有针刺。叶厚纸质，常互生，或 2 ～ 5 叶在短枝端簇生，倒卵状椭圆形，先端渐尖，基部圆形，边缘有钝细锯齿，下面密被短柔毛。花单性，雌雄异株，黄绿色，雄花数朵至 20、雌花 1 ～ 10 簇生。核果倒卵状球形，成熟时呈紫黑色，具 2 或 3 分核；种子褐色，背面有纵沟。花期 4 ～ 5 月，果期 6 ～ 9 月。

| 生境分布 | 生于海拔 50 ～ 1 700 m 的山坡、路旁或沟边灌丛中。分布于广东乳源、乐昌、阳山、连州、阳春及肇庆（市区）等。

| **资源情况** | 野生资源较少。药材来源于野生。 |

| **采收加工** | 果实成熟后采收，鲜用或晒干。 |

| **功能主治** | 苦，凉。清热解毒。用于肿毒，疮疡。 |

| **用法用量** | 外用适量，捣敷。 |

| **凭证标本号** | 441827180720001LY。 |

鼠李科 Rhamnaceae 鼠李属 Rhamnus

冻绿 *Rhamnus utilis* Decne.

| **药 材 名** | 鼠李（药用部位：果实）、鼠李皮（药用部位：茎皮、根皮）、冻绿叶（药用部位：叶）。

| **形态特征** | 灌木。小枝紫红色，具针刺。叶纸质，对生或近对生，或在短枝上簇生，椭圆形，先端锐尖，基部楔形，边缘具细锯齿，下面干后常变为黄色，沿脉有金黄色柔毛，叶脉在两面均凸起，具明显网脉。花单性，雌雄异株，雄花数朵、雌花 2 ~ 6 朵簇生于叶腋。核果圆球形，成熟时呈黑色，具 2 分核；种子背侧基部有短沟。花期 4 ~ 6 月，果期 5 ~ 8 月。

| **生境分布** | 生于海拔 1 500 m 以下的山地、丘陵、山坡草丛、灌丛或疏林下。分布于广东乳源、乐昌、梅县、南澳、和平、连州、阳山、龙川及

肇庆（市区）、梅州（市区）等。

| 资源情况 | 野生资源一般。药材来源于野生。

| 采收加工 | **鼠李**：夏、秋季果实成熟时采收，除去果柄，鲜用或微火烘干。

鼠李皮：春、夏季剥取茎皮，秋、冬季剥取根皮，鲜用，或切片，晒干。

冻绿叶：夏末采收，鲜用或晒干。

| 功能主治 | **鼠李**：苦、甘，凉。归肝、肾经。清热利湿，消积通便。用于水肿，腹胀，瘰疬，疮疡，便秘。

鼠李皮：苦，寒。归肺经。清热解毒，凉血，杀虫。用于风热瘙痒，疥疮，湿疹，腹痛，跌打损伤等。

冻绿叶：苦，凉。止痛，消食。用于跌打损伤，消化不良。

| 用法用量 | **鼠李**：内服煎汤，6 ～ 12 g；或研末；或熬膏。外用适量，研末油调敷。

鼠李皮：内服煎汤，10 ～ 30 g。外用适量，鲜品捣敷；或研末调敷。

冻绿叶：内服捣烂，冲酒，15 ～ 30 g；或泡茶。

| 凭证标本号 | 441823190612007LY、440224180403041LY、441882180412039LY。

| 附　　注 | 本种叶形及枝端的针刺等常变异，但可根据枝端不具顶芽、有针刺、叶干时常变为黄色、下面沿脉或脉腋被金黄色的疏柔毛或密柔毛等特征来识别。

鼠李科 Rhamnaceae 雀梅藤属 Sageretia

梗花雀梅藤 *Sageretia henryi* J. R. Drumm. et Sprague

| 药 材 名 | 梗花雀梅藤（药用部位：果实。别名：红雀梅藤、红藤、皱锦藤）。

| 形态特征 | 藤状灌木。小枝红褐色，老枝灰黑色。叶互生或近对生，纸质，矩圆形，先端尾状渐尖，基部圆形，边缘具细锯齿，上面干时呈栗色。花白色，单生或数个簇生成疏散的总状花序，花序轴长 3 ~ 17 cm；萼片卵状三角形；花瓣匙形。核果椭圆形，成熟时呈紫红色，具 2 ~ 3 分核；种子 2，扁平，两端凹入。花期 7 ~ 11 月，果期翌年 3 ~ 6 月。

| 生境分布 | 生于山地灌丛或密林中。分布于广东英德等。

| 资源情况 | 野生资源稀少。药材来源于野生。

| **采收加工** | 果实成熟后采收，晒干。 |

| **功能主治** | 苦，寒。归肝、胃经。清热，降火。用于胃热口苦，牙龈肿痛，口舌生疮等。 |

| **用法用量** | 内服煎汤，10 ~ 15 g。 |

鼠李科 Rhamnaceae 雀梅藤属 Sageretia

皱叶雀梅藤 Sageretia rugosa Hance

| 药 材 名 | 皱叶雀梅藤（药用部位：根。别名：锈毛雀梅藤、九把伞）。

| 形态特征 | 灌木。幼枝、小枝被锈色绒毛，侧枝有时缩短成钩状。叶纸质，卵状矩圆形，边缘具细锯齿，幼叶上面被白色绒毛，后毛脱落，下面被不脱落的绒毛；叶柄具沟，被柔毛。花无梗，芳香，披针形小苞片 2，常排成穗状花序，花序轴被绒毛；花萼外面被柔毛；花瓣匙形。核果圆球形，成熟时呈紫红色，具 2 分核；种子 2。花期 7 ~ 12 月，果期翌年 3 ~ 4 月。

| 生境分布 | 生于海拔 800 m 以下的山地灌丛或林中，或在山坡、平地散生。分布于广东乳源、乐昌、阳山、连州、英德、封开等。

资源情况	野生资源较丰富。药材来源于野生。
采收加工	秋、冬季采挖，洗净，切片，晒干。
功能主治	辛、苦，凉。降气，化痰，祛风利湿。用于咳嗽，哮喘，胃痛，水肿等。
用法用量	内服煎汤，9 ~ 15 g。
凭证标本号	441827180421016LY。

雀梅藤 *Sageretia thea* (Osbeck) M. C. Johnst.

| **药 材 名** | 雀梅藤（药用部位：根）、雀梅藤叶（药用部位：叶）。 |

| **形态特征** | 灌木。小枝具刺，褐色，被短柔毛。叶纸质，呈椭圆形，边缘具细锯齿，侧脉在上面不明显，在下面明显凸起；叶柄被短柔毛。花无梗，黄色，芳香，常数个簇生成疏散穗状花序，花序轴长 2 ~ 5 cm，被绒毛；花萼外面被疏柔毛；花瓣匙形，先端 2 浅裂，内卷。核果近圆球形，成熟时呈紫黑色，味酸；种子扁平。花期 7 ~ 11 月，果期翌年 3 ~ 5 月。 |

| **生境分布** | 生于丘陵、山地林下或灌丛中。广东各地均有分布。 |

| **资源情况** | 野生资源丰富。药材来源于野生。 |

| 采收加工 | **雀梅藤**：秋后采收，洗净，鲜用，或切片，晒干。
雀梅藤叶：春季采收，鲜用或晒干。

| 药材性状 | **雀梅藤**：本品呈圆柱形，常弯曲，有分枝，或为类圆形厚片；表面灰色、灰褐色或棕色。气微，味微苦。
雀梅藤叶：本品呈椭圆形，黄绿色，稍皱缩，边缘具细锯齿，纸质。

| 功能主治 | **雀梅藤**：甘、淡，平。归肺、肾经。降气化痰，祛风利湿，退黄。用于咳嗽，哮喘，胃痛，水肿，急性黄疸性肝炎等。
雀梅藤叶：酸，凉。归心、肺经。解毒消肿，止痛。用于疮痈肿毒，烫火伤，疥疮，漆疮等。

| 用法用量 | **雀梅藤**：内服煎汤，9 ~ 15 g；或浸酒。
雀梅藤叶：内服煎汤，9 ~ 15 g。外用适量，捣敷。

| 凭证标本号 | 441523190404024LY、440281190424035LY、440781190319021LY。

| 附　　注 | 雀梅藤为常用瑶药倒丁风，味淡、微苦，性平，属风打相兼药，可清热解毒。

鼠李科 Rhamnaceae 翼核果属 Ventilago

翼核果 *Ventilago leiocarpa* Benth.

| 药 材 名 |

血风藤（药用部位：根、茎。别名：红蛇根、铁牛入石、血宽根）。

| 形态特征 |

藤状灌木。幼枝被短柔毛，小枝褐色，有条纹。叶薄革质，卵状矩圆形，先端渐尖，基部近圆形，近全缘，下面沿脉有疏柔毛，侧脉在下面凸起，具明显网脉。花小，两性，单生或数个簇生于叶腋；萼片三角形；花瓣倒卵形。核果长 3 ~ 5 cm，翅宽 7 ~ 9 mm，先端有小尖头，基部的 1/4 ~ 1/3 为宿存的萼筒包围，1 室，具 1 种子。花期 3 ~ 5 月，果期 4 ~ 7 月。

| 生境分布 |

生于疏林下或灌丛中。广东各地均有分布。

| 资源情况 |

野生资源较丰富。药材来源于野生。

| 采收加工 |

根，冬季采挖，洗净，切段，晒干。茎，全年采收，洗净，切段或切片，晒干。

| 药材性状 | 本品根呈圆柱形，稍弯曲，极少分枝，切片呈椭圆形；外皮红棕色，呈不规则鳞片状，易剥落；断面淡黄色，略呈纤维性，形成层环明显，射线放射状，木部可见数个同心环，导管针孔状。茎圆柱形，稍弯曲，有纵条纹，切片呈椭圆形或长圆形，栓皮灰棕色，栓皮脱落处呈红棕色；断面木部黄褐色至灰棕色，导管单个或多个呈放射状排列，髓部明显。气微，味微苦。 |

| 功能主治 | 甘、苦，温。归肝、肾经。补气养血，祛风通络，强筋健骨。用于气血虚弱，风湿痹痛，腰膝酸软，筋骨痿弱，四肢麻木，跌打损伤，月经不调，血虚经闭等。 |

| 用法用量 | 内服煎汤，15 ~ 30 g；或浸酒。 |

| 凭证标本号 | 440783200103019LY、441825190501042LY、441523190515030LY。 |

| 附 注 | 本品为常用瑶药、壮药。瑶药名为紫九牛，该药味苦、涩、甘，性微温，属风药，可补血活血、强壮筋骨、消肿止痛；壮药名为勾勒容，该药味甘、淡，性微温，可祛风毒，除湿毒，通龙路、火路。 |

鼠李科 Rhamnaceae 枣属 Ziziphus

枣
Ziziphus jujuba Mill.

| 药 材 名 |

枣树根（药用部位：根。别名：枣子根）、枣树皮（药用部位：树皮）、枣叶（药用部位：叶）、大枣（药用部位：果实。别名：红枣、南枣）、枣核（药用部位：果核）。

| 形态特征 |

落叶小乔木。新枝紫红色，呈"之"字形弯曲，具2托叶刺，长刺长可达3 cm，粗且直，短刺下弯，当年生小枝下垂，单生或簇生于短枝上。叶纸质，卵形，先端具小尖头，边缘具锯齿。花黄绿色，单生或密集成聚伞花序；花瓣倒卵圆形。核果矩圆形，成熟时先呈红色，后变为红紫色，中果皮肉质，味甜，核先端锐尖，2室，具1或2种子。花期5～7月，果期8～9月。

| 生境分布 |

生于山区、丘陵或平原。分布于广东乳源、南雄、从化、增城、阳山、信宜等。

| 资源情况 |

野生资源较少。栽培资源较丰富。药材来源于栽培。

| 采收加工 | 枣树根：秋后采挖，洗净，鲜用，或切片，晒干。
枣树皮：全年均可采收，春季采收最佳，晒干。
枣叶：春、夏季采收，鲜用或晒干。
大枣：秋季果实成熟时采收，随采随晒。
枣核：加工枣肉时收集枣核。

| 药材性状 | 大枣：本品呈矩圆形，表面暗红色，略带光泽，有不规则皱纹，基部凹陷，有短果柄；外果皮薄，中果皮棕黄色或淡褐色。肉质，柔软，富糖性而油润。
枣核：本品呈纺锤形，两端锐尖，质坚硬。

| 功能主治 | 枣树根：甘，温。归肝、脾、肾经。调经止血，祛风止痛，补脾止泻。用于月经不调，不孕，崩漏，吐血，胃痛，风湿痹痛，脾虚泄泻，风疹等。
枣树皮：苦、涩，温。归肺、大肠经。涩肠止泻，镇咳止血。用于泄泻，痢疾，咳嗽，崩漏，外伤出血，烫火伤等。
枣叶：甘，温。清热解毒。用于小儿发热，疮疖，热痱，烂脚，烫火伤等。
大枣：甘，温。归心、脾、胃经。补脾益气，养心安神。用于脾虚食少，气血不足，乏力便溏，心悸失眠，妇人脏躁等。
枣核：苦，平。归肝、肾经。解毒，敛疮。用于臁疮，牙疳等。

| 用法用量 | 枣树根：内服煎汤，10～30 g。外用适量，煎汤洗。
枣树皮：内服煎汤，6～9 g；或研末，1.5～3 g。外用适量，煎汤洗；或研末撒。
枣叶：内服煎汤，3～10 g。外用适量，煎汤洗。
大枣：内服煎汤，9～15 g。
枣核：外用适量，烧后研末敷。

| 凭证标本号 | 441781140812067LY、441521160719016LY、441322140820309LY。

鼠李科 Rhamnaceae 枣属 Ziziphus

滇刺枣
Ziziphus mauritiana Lam.

| 药 材 名 | 滇刺枣（药用部位：茎皮、果实。别名：缅枣、台湾青枣、毛叶枣）。

| 形态特征 | 常绿乔木。幼枝被黄灰色密绒毛，小枝被短柔毛，有2托叶刺，1托叶刺斜上，另1托叶刺钩状下弯。叶纸质，卵形，边缘具细锯齿，下面被灰白色绒毛；叶柄被灰黄色密绒毛。花绿黄色，两性，数个密集成二歧聚伞花序；萼片外面被毛；花瓣矩圆状匙形，基部具爪。核果矩圆形，成熟时变为黑色；种子宽而扁，红褐色，有光泽。花期8～11月，果期9～12月。

| 生境分布 | 生于山坡、丘陵、河边湿润林中或灌丛中。分布于广东徐闻及广州（市区）、东莞（市区）等。

| **资源情况** | 野生资源稀少。栽培资源较丰富。药材来源于栽培。

| **采收加工** | 茎皮,秋季剥取,除去外皮,晒干。果实,成熟后采收,晒干。

| **功能主治** | 涩、微苦,凉。归脾经。清热止痛,收敛止泻。用于烫火伤,咽喉痛,腹泻,痢疾等。

| **用法用量** | 内服煎汤,6 ~ 9 g。外用适量,浸酒涂。

| **凭证标本号** | 441284190722601LY、441224180829018LY。

胡颓子科 Elaeagnaceae 胡颓子属 Elaeagnus

长叶胡颓子

Elaeagnus bockii Diels

药材名

马鹊树（药用部位：根、枝叶、果实。别名：牛奶子）。

形态特征

常绿直立灌木，具粗壮的刺。幼枝密被锈色或褐色鳞片。叶纸质或近革质，窄椭圆形，边缘略反卷，上面幼时被褐色鳞片，下面密被银白色或褐色鳞片。花白色，常 5 ~ 7 花簇生于叶腋而成伞形总状花序；萼筒圆筒形；雄蕊 4；花柱直立，先端弯曲，密被淡白色星状柔毛。果实短矩圆形，长 9 ~ 10 mm，密被银白色鳞片，成熟时呈红色。花期 10 ~ 11 月，果期翌年 4 月。

生境分布

生于向阳山坡、路旁灌丛中。分布于广东乐昌、怀集及广州（市区）、肇庆（市区）、清远（市区）、韶关（市区）、河源（市区）。

资源情况

野生资源一般。药材来源于野生。

采收加工

根，全年均可采挖，洗净，切片，晒干。枝

叶，随采随用，除去杂质，洗净，切丝，干燥。果实，成熟时采收，洗净，擦
干表面水分。

| **药材性状** | 本品叶常稍皱缩，展平后呈窄椭圆形，长 4 ~ 10 cm，宽 2 ~ 5 cm，先端钝，
基部通常呈圆形，边缘略反卷，上面黄绿色，有光泽，下面灰白色，被银白色
鳞片；叶柄长通常不超过 1 cm。厚革质，易破碎。气微，味微涩。以叶大、色
黄绿、上面具光泽者为佳。

| **功能主治** | 根，甘，平，清热利湿，消肿止痛。用于痢疾，吐血，咳嗽痰喘，水肿，牙痛，
风湿关节痛。枝叶，顺气化痰。用于咳嗽痰喘，痔疮。果实，调节血脂，改善
血流状态，抗氧化。用于预防心血管系统疾病和糖尿病。

| **用法用量** | 内服煎汤，根、枝叶 30 ~ 60 g，果实 15 ~ 30 g。

胡颓子科 Elaeagnaceae 胡颓子属 Elaeagnus

巴东胡颓子
Elaeagnus difficilis Servett.

| 药 材 名 | 铜色叶胡颓子（药用部位：根。别名：盐匏藤）。

| 形态特征 | 常绿直立或蔓状灌木，无刺或具短刺。幼枝密被褐锈色鳞片。叶纸质，椭圆形或椭圆状披针形，边缘微波状，上面幼时散生锈色鳞片，下面密被锈色和淡黄色鳞片，两面侧脉明显。伞形总状花序腋生；花深褐色；萼筒钟形或圆筒状钟形，长5 mm；花柱弯曲，无毛。果实长椭圆形，被锈色鳞片，成熟时呈橘红色。花期11月至翌年3月，果期翌年4～5月。

| 生境分布 | 生于向阳山坡灌丛或林中。分布于广东乳源、连平、阳山、英德及广州（市区）、汕头（市区）。

资源情况	野生资源一般。药材来源于野生。
采收加工	全年均可采挖，洗净，切片，晒干。
药材性状	本品呈圆柱形，弯曲，一般多为长 30 ~ 35 cm 的段，粗细不一，粗根直径 3 ~ 3.5 cm，细根直径达 1 cm。外表面土黄色，根皮剥落后露出黄白色的木质部。质坚硬，横断面纤维性强，中心颜色较深。
功能主治	酸、微甘，温。温下焦，祛寒湿，收敛止泻。用于小便失禁，外感风寒。
用法用量	内服煎汤，10 ~ 15 g。
凭证标本号	440224190313002LY。

蔓胡颓子
Elaeagnus glabra Thunb.

| 药 材 名 | 蔓胡颓子（药用部位：果实、叶、根。别名：耳环果、羊奶果、甜棒槌）。

| 形态特征 | 常绿蔓生或攀缘灌木，无刺。幼枝密被锈色鳞片。叶革质或薄革质，具光泽，卵形，全缘，上面幼时具褐色鳞片，下面被褐色鳞片，侧脉在上面明显或微凹，在下面凸起。伞形总状花序密生于叶腋；花淡白色，下垂，密被银白色和褐色鳞片；萼筒漏斗形；花柱细长且弯曲，无毛。果实矩圆形，呈红色，被锈色鳞片。花期 9 ~ 11 月，果期翌年 4 ~ 5 月。

| 生境分布 | 生于向阳林中或林缘。广东各地均有分布。

| **资源情况** | 野生资源一般。药材来源于野生。 |

| **采收加工** | 果实，春季果实成熟时采摘，鲜用或晒干。叶，全年均可采收，鲜用或晒干。根，全年均可采挖，洗净，切片，晒干。 |

| **药材性状** | 本品叶常稍皱缩，展平后呈卵形，长 4 ~ 10 cm，宽 2 ~ 5 cm，先端钝，基部通常呈圆形，边缘微波状或反卷，上面黄绿色，有光泽，下面灰白色，被褐色鳞片；叶柄长通常不超过 1 cm。厚革质，易破碎。气微，味微涩。以叶大、色黄绿、上面具光泽者为佳。 |

| **功能主治** | 果实，酸，平，收敛止泻。用于泄泻。叶，酸、平，止咳平喘。用于咳嗽痰喘，鱼骨鲠喉。根，酸，平，利水通淋，散瘀消肿。用于跌打肿痛，吐血，砂淋，石淋。 |

| **用法用量** | 果实，内服煎汤，15 ~ 30 g。叶，内服研末，每次 2.5 ~ 5 g，每日 2 次；或鲜品煎汤，15 ~ 20 g。根，内服煎汤，15 ~ 30 g。 |

| **凭证标本号** | 445224190316024LY、441882181102011LY、441324181215032LY。 |

胡颓子科 Elaeagnaceae　胡颓子属 Elaeagnus

角花胡颓子
Elaeagnus gonyanthes Benth.

| 药 材 名 | 角花胡颓子（药用部位：根、叶、果实。别名：羊母奶子、吊中子藤）。

| 形态特征 | 常绿攀缘灌木，通常无刺。幼枝密被褐色鳞片。叶革质，椭圆形或矩圆形，上面幼时被锈色鳞片，下面棕红色，具锈色或灰色鳞片，侧脉在两面均显著凸起。花白色，单生于叶腋，幼时簇生，每花下有 1 苞片；萼筒四角形或短钟形，宿存；雄蕊 4；花柱无毛，上端弯曲。果实阔椭圆形，成熟时呈黄红色。花期 10 ~ 11 月，果期翌年 2 ~ 3 月。

| 生境分布 | 生于山地林下。分布于广东从化、台山、徐闻、信宜、封开、高要、龙门、阳春、阳山、郁南、罗定及云浮（市区）、珠海（市区）、阳江（市区）。

| 资源情况 | 野生资源一般。药材来源于野生。

| 采收加工 | 根，全年均可采挖，洗净，切片，晒干。

| 功能主治 | 根，微苦、涩，温，祛风通络，行气止痛，消肿解毒。用于风湿关节痛，腰腿痛，中河豚毒，狂犬咬伤，跌打肿痛。叶，微苦、涩，温，平喘止咳。用于咳嗽，哮喘。果实，微苦、涩，温，收敛止泻。用于泄泻。

| 用法用量 | 内服煎汤，根 25 ~ 50 g，叶鲜品 10 ~ 15 g，干品 2.5 ~ 5 g，果实 15 ~ 25 g。

| 凭证标本号 | 441523191018009LY、440781191101002LY、440882180603034LY。

| 附　注 | 本种与蔓胡颓子的主要区别为：本种花单生；花被管具 4 棱，子房顶部收缩，上端 4 裂；果实具长柄。

胡颓子科 Elaeagnaceae 胡颓子属 Elaeagnus

宜昌胡颓子

Elaeagnus henryi Warb.

| **药 材 名** | 红鸡踢香（药用部位：根、茎叶、果实。别名：金背藤、红面将军、金耳环）。

| **形态特征** | 常绿直立灌木，刺生于叶腋。幼枝被淡褐色鳞片。叶片革质至厚革质，阔椭圆形或倒卵状阔椭圆形，上面幼时被褐色鳞片，下面银白色，密被白色鳞片，并散生少数褐色鳞片，侧脉在下面凸起。短总状花序具 1 ~ 5 花，生于叶腋；花淡白色；萼筒圆筒状漏斗形；花柱直立或稍弯曲，无毛。果实矩圆形，幼时被银白色鳞片，成熟时呈红色。花期 10 ~ 11 月，果期翌年 4 月。

| **生境分布** | 生于疏林或灌丛中。分布于广东增城、博罗、乳源、仁化。

| **资源情况** | 野生资源一般。药材来源于野生。

| **采收加工** | 全年均可采收，鲜用或晒干。

| **药材性状** | 本品叶常稍皱缩，展平后呈阔椭圆形或倒卵状阔椭圆形，下面密被白色鳞片，侧脉在下面凸起。气微，味淡。

| **功能主治** | 根，止咳，止血，祛风，利湿，消积滞，利咽喉。用于咳喘，吐血，咯血，便血。茎叶，苦，涩，凉，驳骨消积，清热利湿，消肿止痛，止咳止血。用于痢疾，痔血，血崩，吐血，咳喘，骨髓炎，消化不良。果实，清热利湿。用于痢疾。

| **用法用量** | 内服煎汤，9～15 g；或浸酒。外用适量，捣碎，酒炒敷。

| **凭证标本号** | 441882181101015LY。

披针叶胡颓子
Elaeagnus lanceolata Warb.

| 药 材 名 | 盐匏藤（药用部位：根、叶、果实）。

| 形态特征 | 常绿直立或蔓状灌木，无刺或具刺。幼枝密被银白色和淡黄褐色鳞片。叶片革质，椭圆状披针形至长椭圆形，边缘反卷，上面幼时被褐色鳞片，下面密被银白色鳞片，侧脉在下面不明显。伞形总状花序；花淡黄白色，下垂；萼筒圆筒形；花柱直立，几无毛。果实椭圆形，密被褐色或银白色鳞片，成熟时呈红黄色。花期 8 ~ 10 月，果期翌年 4 ~ 5 月。

| 生境分布 | 生于山地林中或林缘。分布于广东乳源。

| 资源情况 | 野生资源较少。药材来源于野生。

| **采收加工** | 根，全年可采挖，洗净，切片，晒干。叶，秋季采收，晒干或鲜用。果实，4～5月采收成熟的果实，晒干。

| **药材性状** | 本品叶常稍皱缩，展平后呈椭圆状披针形或长椭圆形，长4～10 cm，宽2～5 cm，先端钝，基部通常呈圆形，边缘反卷，上面黄绿色，有光泽，下面灰白色，被银白色鳞片；叶柄长通常不超过1 cm。厚革质，易破碎。气微，味微涩。以叶大、色黄绿、上面具光泽者为佳。

| **功能主治** | 根，酸、微甘，温下焦，祛寒湿。用于小便失禁，外感风寒。叶，止咳平喘，止血，解毒。用于肺虚咳嗽，气喘，咯血，吐血，外伤出血，痈疽，痔疮肿痛。果实，温下焦，祛寒湿。用于痢疾。

| **用法用量** | 根、叶，外用鲜品捣敷，9～15 g。果实，内服煎汤，9～15 g。

鸡柏紫藤 *Elaeagnus loureirio* Champ.

| 药 材 名 | 铺山燕（药用部位：根、茎叶。别名：灯吊子、吊中子藤）。

| 形态特征 | 常绿直立或攀缘灌木，无刺。幼枝密被锈色鳞片。叶纸质或薄革质，椭圆形至长椭圆形或披针形，边缘微波状，上面幼时具褐色鳞片，下面棕红色或褐黄色，密被鳞片，侧脉在两面均略明显。花褐色或锈色，簇生于叶腋；萼筒钟形；雄蕊 4；花柱细长，无毛，柱头偏向一边且膨大。果实椭圆形，被褐色鳞片。花期 10 ~ 12 月，果期翌年 4 ~ 5 月。

| 生境分布 | 生于丘陵或山区。分布于广东信宜、化州、惠阳、博罗及茂名（市区）、深圳（市区）。

| 资源情况 | 野生资源一般。药材来源于野生。

| 采收加工 | 全年均可采收，切片，晒干。

| 药材性状 | 本品叶常稍皱缩，展平后呈椭圆形或长椭圆形长 5 ~ 10 cm，宽 2 ~ 4.5 cm，先端渐尖，基部圆，边缘微波状，上面具褐色鳞片或脱落的凹痕，下面密被棕褐色鳞片。气微，味微涩。以叶大、色黄绿、上面具光泽者为佳。

| 功能主治 | 酸、涩，微温。止咳平喘，收敛止泻。用于哮喘，咳嗽，泄泻，咯血，慢性骨髓炎，子痈，胃痛；外用于疮癣，痔疮，肿毒，跌打肿痛。

| 用法用量 | 内服煎汤，根 9 ~ 18 g，茎叶 30 ~ 60 g。外用适量，研末撒；或煎汤熏洗。

| 凭证标本号 | 445224190728016LY、440783200312022LY。

胡颓子科 Elaeagnaceae 胡颓子属 Elaeagnus

银果牛奶子

Elaeagnus magna (Servett.) Rehder

| 药 材 名 | 银果胡颓子（药用部位：根、叶、果实）。

| 形态特征 | 落叶直立散生灌木，通常具刺。幼枝被银白色鳞片。叶纸质或膜质，倒卵状矩圆形或倒卵状披针形，密被银白色鳞片，侧脉不甚明显。花银白色，1～3花着生于新枝基部；萼筒圆筒形；花柱直立，无毛或具白色星状柔毛，柱头偏向一边且膨大。果实矩圆形或长椭圆形，密被银白色鳞片，粉红色。花期4～5月，果期6月。

| 生境分布 | 生于山地、路旁、林缘、河边向阳的砂壤土中。分布于广东乳源、乐昌、阳山。

| 资源情况 | 野生资源一般。药材来源于野生。

| 采收加工 | 夏季果实成熟后采收，晒干。

| 药材性状 | 本品果实表皮皱缩，淡红褐色，密被银白色鳞片。果柄粗壮，长 4 ~ 6 mm，银白色。

| 功能主治 | 根、叶，辛、甘，凉，清热解毒，解表透疹。用于麻疹不透，无名肿毒。

| 用法用量 | 内服煎汤。外用适量，煎汤熏洗。

| 凭证标本号 | 441882190417004LY。

福建胡颓子

Elaeagnus oldhamii Maxim.

| 药 材 名 | 宜悟（药用部位：根、叶。别名：宜悟根、宜梧、白叶刺根）。

| 形态特征 | 常绿直立灌木，具粗刺。幼枝密被褐色鳞片。叶片近革质，倒卵形或倒卵状披针形，先端圆，上面幼时密被银白色鳞片，下面密被银白色鳞片并散生少数深褐色鳞片，侧脉在两面略明显。花淡白色，短总状花序腋生；萼筒短，杯状，宿存；雄蕊的花丝极短；花柱直立，无毛。果实卵球形，幼时密被银白色鳞片，成熟时呈红色。花期 11 ~ 12 月，果期翌年 2 ~ 3 月。

| 生境分布 | 生于海拔 500 m 以下的空旷地。分布于广东惠阳、徐闻、饶平及深圳（市区）、汕头（市区）等。

| 资源情况 | 野生资源一般。药材来源于野生。 |

| 采收加工 | 根，全年均可采挖，洗净，切片，晒干。叶，全年均可采收，晒干。 |

| 药材性状 | 本品根呈圆柱形，直径 1 ~ 2 cm；表面暗棕色，具纵沟纹，栓皮易剥落；质坚硬，不易折断，断面皮部红棕色，木部浅黄色。气微，味微酸、涩。 |

| 功能主治 | 根，苦、酸，微温，祛风活血，健脾益肾。用于血淋，腰酸背痛，痛经，跌打损伤。叶，酸、涩，平，敛肺定喘。用于哮喘。 |

| 用法用量 | 内服煎汤，30 ~ 60 g。孕妇禁服。 |

| 凭证标本号 | 440523190522028LY。 |

胡颓子科 Elaeagnaceae 胡颓子属 Elaeagnus

胡颓子 *Elaeagnus pungens* Thunb.

| 药 材 名 | 胡颓子（药用部位：根、叶、果实。别名：牛奶子根、半春子、半含春）。

| 形态特征 | 常绿直立灌木，具刺。幼枝微扁，棱形，密被锈色鳞片。叶片革质，椭圆形或阔椭圆形，边缘微反卷或呈皱波状，具银白色和褐色鳞片，侧脉 7 ~ 9 对，在上面明显，在下面不清晰。花白色或淡白色，下垂，1 ~ 3 花生于叶腋；萼筒圆筒形或漏斗状圆筒形，长 5 ~ 7 mm。果实椭圆形，幼时被褐色鳞片，成熟时呈红色。花期 9 ~ 12 月，果期翌年 4 ~ 6 月。

| 生境分布 | 生于向阳山坡或路旁。分布于广东翁源、乳源、徐闻、怀集、封开、博罗、清新、阳山及深圳（市区）、潮州（市区）。

| 资源情况 | 野生资源一般。药材来源于野生。

| 采收加工 | 根，夏、秋季采挖，洗净，切片，晒干。叶，全年均可采收，鲜用或晒干。果实，4 ~ 6 月果实成熟时采收，晒干。

| 药材性状 | 本品叶呈椭圆形或长圆形，长 4 ~ 9 cm，宽 2 ~ 4 cm，先端钝尖，基部圆形，边缘微反卷或呈微波状，革质，上表面浅绿色或黄绿色，具光泽，散生少数鳞片，叶背面被银白色星状毛，并散生多数鳞片，侧脉在叶上面明显；叶柄短粗，长 0.5 ~ 1 cm，灰黑色。质稍硬脆。气微，味微涩。以叶大、色浅绿、上表面具光泽、无枝梗、无碎叶者为佳。

| 功能主治 | 根，苦，平，祛风利湿，祛瘀止血。用于血淋，腰酸背痛，痛经，跌打损伤。叶，微苦，平，止咳平喘。果实，甘、酸，平，消食止痢。用于咳嗽，咯血，痈疽，气喘，外伤出血等。

| 用法用量 | 内服煎汤，9 ~ 15 g；或捣敷；或研末，每次 2 ~ 3 g。外用适量，捣敷；或研末调敷；或煎汤熏洗。

| 凭证标本号 | 441825210314010LY、441823191114011LY、445222180627011LY。

葡萄科 Vitaceae 蛇葡萄属 Ampelopsis

广东蛇葡萄

Ampelopsis cantoniensis (Hook. et Arn.) Planch.

| 药 材 名 | 无莿根（药用部位：全株。别名：山甜藤、藤茶、田浦茶）。

| 形态特征 | 木质藤本。嫩枝或多或少被短柔毛。叶为二回羽状复叶或一回羽状复叶，侧生小叶大小和叶形变化较大，通常呈卵形或长椭圆形，脉基部常先疏生短柔毛，后毛脱落。伞房状多歧聚伞花序；萼碟形；花瓣 5；雄蕊 5；花盘发达；子房下部与花盘合生。果实近球形；种子倒卵圆形，两侧洼穴外观不明显。花期 4 ~ 7 月，果期 8 ~ 11 月。

| 生境分布 | 生于山谷林中或山坡灌丛。分布于广东连山、阳山、仁化、英德、翁源、龙门、紫金、大埔、丰顺、蕉岭、饶平、陆丰、惠东、惠阳、博罗、新兴、台山、阳春、怀集、罗定、封开、信宜、乐昌、南澳、

高州、海丰、新会及广州（市区）、深圳（市区）、珠海（市区）、梅州（市区）、云浮（市区）、肇庆（市区）、茂名（市区）。

| 资源情况 | 野生资源丰富。药材来源于野生。

| 采收加工 | 夏、秋季采收，洗净，除去杂质，切碎，晒干。

| 功能主治 | 甘、微苦，凉。清热解毒，解暑。用于暑热感冒，湿疹。

| 用法用量 | 内服煎汤，15 ~ 30 g。外用适量，煎汤洗；或捣敷；或研末调敷。

| 凭证标本号 | 441523190918075LY、440783190718014LY、440781190709013LY。

葡萄科 Vitaceae 蛇葡萄属 Ampelopsis

三裂蛇葡萄 *Ampelopsis delavayana* Planch. ex Franch.

| 药 材 名 | 金刚散（药用部位：根、藤茎。别名：绿葡萄、红十字创粉、大接骨丹）。

| 形态特征 | 木质藤本。小枝疏生短柔毛。叶为 3 小叶，中央小叶椭圆状披针形，侧生小叶卵状椭圆形或卵状披针形，基部不对称，边缘有粗锯齿，侧生小叶无柄，被稀疏柔毛。多歧聚伞花序被短柔毛；花梗伏生短柔毛；萼碟形；花瓣 5；花盘明显，5 浅裂；子房下部与花盘合生。果实近球形；种子倒卵圆形，两侧洼穴呈沟状楔形。花期 6 ~ 8 月，果期 9 ~ 11 月。

| 生境分布 | 生于山谷林中或山坡灌丛、林中。分布于广东乳源、连州、仁化、从化、龙川、封开、平远、乐昌。

| **资源情况** | 野生资源一般。药材来源于野生。 |

| **采收加工** | 夏、秋季采收藤茎，秋季采挖根，洗净，切片，晒干或烘干。 |

| **药材性状** | 本品根圆柱形，数条至数十条着生于短小的根茎上，长 12 ~ 30 cm，直径 0.5 ~ 1.5 cm，栓皮菲薄，易脱落，外面暗褐色，内面红褐色，多纵皱，皮部与本部常分离、脱裂，皮部半径约为木部的 1 倍，易折断，断者有粉尘，断面皮部颗粒性，木部纤维性；气微，味腥而涩，久嚼有锈味。藤茎圆柱形，表面红褐色，具纵皱纹，可见互生的三出复叶，两侧小叶基部不对称，有的残存与叶对生的茎卷须；气微，味涩。 |

| **功能主治** | 辛，平。消肿止痛，舒筋活血，止血。用于外伤出血，骨折，跌打损伤，风湿关节痛。 |

| **用法用量** | 内服煎汤，15 ~ 25 g；或作酒剂。外用适量，鲜品捣敷；或研末调敷。 |

| **凭证标本号** | 440281200709007LY、441882180411007LY。 |

葡萄科 Vitaceae 蛇葡萄属 Ampelopsis

显齿蛇葡萄 *Ampelopsis grossedentata* (Hand.-Mazz.) W. T. Wang

| 药 材 名 | 甜茶藤（药用部位：全株。别名：乌蔹、苦练蛇、金丝苦练）。

| 形态特征 | 木质藤本。卷须 2 叉分枝。叶为一至二回羽状复叶，二回羽状复叶者基部 1 对叶为 3 小叶；小叶卵圆形、卵状椭圆形或长椭圆形，长 2 ~ 5 cm，宽 1 ~ 2.5 cm，边缘具 2 ~ 5 锯齿；叶柄无毛。伞房状多歧聚伞花序；花序梗与花梗无毛；萼碟形；花瓣 5，雄蕊 5；子房下部与花盘合生。果实近球形；种子倒卵状圆形，两侧洼穴呈倒卵形。花期 5 ~ 8 月，果期 8 ~ 12 月。

| 生境分布 | 生于沟谷林中或山坡灌丛。分布于广东从化、仁化、翁源、乳源、南雄、新丰、乐昌、信宜、德庆、高要、梅县、大埔、蕉岭、和平、阳山、连山、英德。

| **资源情况** | 野生资源丰富。药材来源于野生。

| **采收加工** | 夏、秋季采收，洗净，鲜用，或切片，晒干。

| **功能主治** | 甘、淡，凉。清热解毒。用于黄疸，风热感冒，咽喉肿痛，痈疖。

| **用法用量** | 内服煎汤，25 ～ 100 g。外用煎汤洗，50 ～ 100 g。

| **凭证标本号** | 441825190711023LY、441422190716019LY、440281190625005LY。

葡萄科 Vitaceae 蛇葡萄属 Ampelopsis

异叶蛇葡萄 Ampelopsis heterophylla (Thunb.) Siebold et Zucc.

| 药 材 名 | 紫葛（药用部位：根皮。别名：见肿消、梦中消、见毒消）。

| 形态特征 | 木质藤本。小枝被稀疏柔毛。叶为单叶，心形或卵形，3～5中裂，常混生有不分裂者，边缘有急尖锯齿，基出脉5；叶柄被稀疏柔毛。花序梗被稀疏柔毛；花梗长1～3 mm，疏生短柔毛；萼外面疏生短柔毛；花瓣5；雄蕊5；子房下部与花盘合生。果实近球形；种子长椭圆形，两侧洼穴呈狭椭圆形。花期4～6月，果期7～10月。

| 生境分布 | 生于山谷林中或山坡灌丛阴处。分布于广东从化、乳源、乐昌、连州、连南、连山、阳山、龙门、平远、蕉岭及韶关（市区）、深圳（市区）、肇庆（市区）。

| 资源情况 | 野生资源较丰富。药材来源于野生。

| 采收加工 | 秋季采挖根，洗净泥土，剥取根皮，晒干。

| 功能主治 | 甘、微苦，寒。清热，散瘀，通络，解毒。用于跌打损伤，中风后半身不遂，产后心烦口渴，痈肿，恶疮。

| 用法用量 | 内服煎汤，15 ~ 30 g。外用适量，捣敷。

| 凭证标本号 | 441827180714032LY。

葡萄科 Vitaceae 蛇葡萄属 Ampelopsis

光叶蛇葡萄

Ampelopsis heterophylla (Thunb.) Siebold et Zucc. var. *hancei* Planch.

| 药 材 名 | 山葡萄（药用部位：根或根皮）。

| 形态特征 | 本变种与原变种的区别在于：本变种小枝、叶柄和叶片无毛或被极稀疏的短柔毛。花期 4 ~ 6 月，果期 8 ~ 10 月。

| 生境分布 | 生于低海拔的疏林中。分布于广东翁源、乳源、始兴、乐昌、连州、连平、南澳、番禺、高明、徐闻、阳春、英德、台山、高州及深圳（市区）、珠海（市区）。

| 资源情况 | 野生资源较丰富。药材来源于野生。

| 采收加工 | 秋季采挖根，洗净泥土，切片，或剥取根皮，切片,·晒干。

| **功能主治** | 苦，寒。清热利湿，解毒消肿，用于湿热黄疸，肠炎，痢疾，肿毒，跌打损伤。

| **用法用量** | 内服煎汤，15 ～ 30 g。外用适量，煎汤洗。

| **凭证标本号** | 441823210410042LY、441225180730064LY。

葡萄科 Vitaceae 蛇葡萄属 Ampelopsis

锈毛蛇葡萄
Ampelopsis heterophylla (Thunb.) Siebold et Zucc. var. *vestita* Rehder

| 药 材 名 | 蛇葡萄（药用部位：茎、叶）、蛇葡萄根（药用部位：根。别名：山葡萄根、野葡萄根、见肿消）。

| 形态特征 | 本变种与原变种的区别在于：本变种小枝、叶柄、叶下面和花轴被锈色长柔毛，花梗、花萼和花瓣被锈色短柔毛；浆果球形，幼时绿色，成熟时呈蓝紫色。花期 6～8 月，果期 9 月至翌年 1 月。

| 生境分布 | 生于山谷林中或山坡灌丛阴处。分布于广东增城、翁源、乳源、乐昌、徐闻、信宜、怀集、封开、德庆、高要、博罗、龙门、梅县、大埔、和平、阳山、连山、英德、连州、郁南及深圳（市区）、河源（市区）。

| **资源情况** | 野生资源较丰富。药材来源于野生。

| **采收加工** | **蛇葡萄**：夏、秋季采收，洗净，鲜用或晒干。
蛇葡萄根：秋季采挖，洗净泥土，切片，晒干。

| **药材性状** | **蛇葡萄**：本品茎呈圆柱形，黄绿色，有纵条纹和小皮孔，被锈褐色短柔毛，体轻，质脆易折断，髓部大，白色；叶多皱缩、破碎，完整叶展平后呈心形或宽倒卵形，基部呈心形，边缘有不明显 3 浅裂及钝圆齿，表面有短柔毛，背面密被锈褐色绒毛，掌状叶脉 3 ～ 5。气微，味甘。以身干、色黄绿、无杂质者为佳。

| **功能主治** | **蛇葡萄**：苦，凉。清热利湿，解毒，散瘀止血。用于肾炎性水肿，小便不利，风湿痹痛，跌打瘀肿，内伤出血，疮毒。
蛇葡萄根：清热解毒，祛风除湿，活血散结。用于肺痈吐脓，肺痨咯血，风湿痹痛，跌打损伤，痈肿疮毒，瘰疬，恶性肿瘤。

| **用法用量** | **蛇葡萄**：内服煎汤，15 ～ 30 g，鲜品加倍；或泡酒。外用适量，捣敷；或煎汤洗；或研末撒。
蛇葡萄根：内服煎汤，15 ～ 30 g，鲜品加倍。外用适量，捣敷；或研末调敷。

| **凭证标本号** | 441284190709361LY、441823190721013LY、441882180813030LY。

葡萄科 Vitaceae 蛇葡萄属 Ampelopsis

葎叶蛇葡萄 *Ampelopsis humulifolia* Bge.

| 药 材 名 | 七角白蔹（药用部位：根皮。别名：小接骨丹、活血丹、葎叶白蔹）。

| 形态特征 | 木质藤本。小枝无毛。叶为单叶，3～5浅裂或中裂，稀不裂，心状五角形或肾状五角形，上部裂缺凹成钝角或锐角，边缘有粗锯齿，上面无毛，下面无毛或被稀疏柔毛。多歧聚伞花序，花序梗无毛或被稀疏无毛；花梗长2～3 mm，伏生短柔毛；萼外面无毛；花瓣5；雄蕊5。果实近球形；种子倒卵圆形，两侧洼穴呈椭圆形。花期5～7月，果期5～9月。

| 生境分布 | 生于山沟边、灌丛、林缘或林中。分布于广东阳山、乳源。

| 资源情况 | 野生资源较少。药材来源于野生。

| **采收加工** | 秋季采挖根，洗净泥土，剥取根皮，鲜用或晒干。

| **药材性状** | 本品呈土褐色。

| **功能主治** | 辛，热。活血散瘀，解毒，生肌长骨，祛风除湿。用于跌打损伤，骨折，疮疖肿痛，风湿关节痛。

| **用法用量** | 内服煎汤，9 ~ 15 g；或研末。外用适量，捣敷。

| **凭证标本号** | 441623180810005LY。

葡萄科 Vitaceae 蛇葡萄属 Ampelopsis

白蔹
Ampelopsis japonica (Thunb.) Makino

| 药 材 名 | 白蔹（药用部位：块根。别名：黄狗蛋、山地瓜、五爪藤）、白蔹子（药用部位：果实）。

| 形态特征 | 木质藤本。卷须不分枝或先端有短叉。掌状 3 ~ 5 小叶，小叶片羽状深裂或不分裂，掌状 5 小叶者中央小叶深裂至基部并有 1 ~ 3 关节，关节间有翅，3 小叶者中央小叶有 1 关节或无关节，基部翅状。聚伞花序；花萼碟形，边缘具波状浅裂；花瓣 5；雄蕊 5。果实球形，成熟后呈白色或蓝色；种子倒卵形，两侧洼穴呈沟状。花期 5 ~ 6 月，果期 7 ~ 9 月。

| 生境分布 | 生于山坡、灌丛或草地。分布于广东乐昌、乳源、连州、南雄。

| 资源情况 | 野生资源较少。药材来源于野生。

| 采收加工 | **白蔹**：春、秋季采挖，除去茎及细须根，洗净，多纵切成 2 瓣、4 瓣或斜片，晒干。

白蔹子：秋季果实成熟时采收，鲜用或晒干。

| 药材性状 | **白蔹**：本品纵瓣呈长圆形或近纺锤形，长 4 ~ 10 cm，直径 1 ~ 2 cm，切面周边常向内卷曲，中部有 1 凸起的棱线，外皮红棕色或红褐色，有纵皱纹、细横纹及横长皮孔，易层层脱落，脱落处呈淡红棕色；斜片呈卵圆形，长 2.5 ~ 5 cm，宽 2 ~ 3 cm，切面类白色或浅红棕色，可见放射状纹理，周边较厚，微翘起或略弯曲。体轻，质硬脆，易折断，折断时有粉尘飞出。气微，味甘。

| 功能主治 | **白蔹**：苦，平。清热解毒，消肿止痛。用于咳嗽痰喘，带下，痔漏；外用于疮疖肿毒，瘰疬，跌打损伤，烫火伤。

白蔹子：清热，消痈。用于温疟，热毒痈肿。

| 用法用量 | **白蔹**：内服煎汤，3 ~ 10 g。外用适量，研末撒；或调涂。

白蔹子：内服煎汤，6 ~ 10 g。外用适量，研末敷。不宜与乌头类药材同用。

葡萄科 Vitaceae 乌蔹莓属 Cayratia

角花乌蔹莓 *Cayratia corniculata* (Benth.) Gagnep.

| 药 材 名 | 九牛薯（药用部位：块根。别名：菱茎野葡萄、野葡萄、九牛子）。

| 形态特征 | 草质藤本。卷须 2 叉分枝。叶为鸟足状 5 小叶，中央小叶长椭圆状披针形，先端渐尖，侧生小叶卵状椭圆形，先端急尖或钝，边缘外侧有锯齿或细牙齿，两面无毛。复二歧聚伞花序腋生，花序梗无毛；花梗无毛；花瓣 4，三角状卵圆形，先端有小角，疏被乳突状毛；雄蕊 4；花盘 4 浅裂。果实近球形；种子倒卵状椭圆形。花期 4 ~ 5月，果期 7 ~ 9 月。

| 生境分布 | 生于低海拔的山谷密林中。分布于广东乐昌、始兴、乳源、仁化、连州、连山、连南、阳山、新丰、翁源、和平、龙门、紫金、新兴、南雄、

丰顺、五华、平远、英德及云浮（市区）、广州（市区）、深圳（市区）、肇庆（市区）、梅州（市区）、清远（市区）。

| **资源情况** | 野生资源较丰富。药材来源于野生。

| **采收加工** | 全年均可采挖，切片，晒干。

| **药材性状** | 本品斜片呈卵圆形，长 2.5 ~ 5 cm，宽 2 ~ 3 cm，切面类白色或浅红棕色，可见放射状纹理，周边较厚，微翘起或略弯曲。体轻，质硬脆，易折断，折断时有粉尘飞出。气微，味甘。

| **功能主治** | 甘，平。润肺，止咳，化痰，止血。用于肺痨，咳嗽，血崩。

| **用法用量** | 内服煎汤，10 ~ 25 g。

| **凭证标本号** | 441825190502033LY、440783190718026LY、440281190423008LY。

葡萄科 Vitaceae 乌蔹莓属 Cayratia

乌蔹莓 *Cayratia japonica* (Thunb.) Gagnep.

| 药 材 名 | 乌蔹莓（药用部位：全株。别名：母猪藤、红母猪藤、五爪龙）。

| 形态特征 | 草质藤本。小枝无毛或微被疏柔毛；卷须 2 ~ 3 叉分枝。叶为鸟足状 5 小叶，中央小叶长椭圆形或椭圆状披针形，先端急尖或渐尖，侧生小叶椭圆形，先端急尖或圆形，边缘有锯齿，上面无毛，下面无毛或微被毛。复二歧聚伞花序腋生；花序梗无毛或微被毛；花瓣 4；雄蕊 4；花盘 4 浅裂。果实近球形；种子三角状倒卵形。花期 3 ~ 8 月，果期 8 ~ 11 月。

| 生境分布 | 生于山谷林中或山坡灌丛。分布于广东乳源、乐昌、鹤山、恩平、信宜、鼎湖、怀集、博罗、兴宁、连平、和平、连山、英德及深圳（市区）。

| **资源情况** | 野生资源较丰富。药材来源于野生。

| **采收加工** | 夏、秋季采收，除去杂质，洗净，切段，晒干或鲜用。

| **药材性状** | 本品呈草黄色，全株光滑无毛；根粗壮，浅褐色，切断面皮部约占 1/2，射线明显；茎具纵棱，节间膨大，有与叶对生的卷须。掌状复叶，小叶片 5，呈鸟足状排列，多皱缩或破碎，完整者展平后可见中间 1 叶片最大，侧生者各有 2 小叶片着生于同一小叶柄上，小叶片椭圆状卵形至长卵形，边缘具疏钝齿；伞房状聚伞花序腋生；花细小，直径 4 ～ 5 mm。气微，味苦、酸。以叶多、身干、色绿黄者为佳。

| **功能主治** | 苦、酸，寒。清热解毒，利湿，消肿，活血化瘀。用于咽喉肿痛，目翳，咯血，尿血，痢疾；外用于痈肿，丹毒，疟腮，跌打损伤，毒蛇咬伤。

| **用法用量** | 内服煎汤，15 ～ 30 g；或浸酒；或捣汁饮。外用适量，捣敷。

| **凭证标本号** | 441523190517032LY、441825190804002LY、441882180506031LY。

毛乌蔹莓 *Cayratia japonica* (Thunb.) Gagnep. var. *mollis* (Wall.) Momiy.

| 药 材 名 | 红母猪藤（药用部位：全株。别名：毛叶乌蔹莓、五爪龙、母猪菜）。

| 形态特征 | 本种与乌蔹莓形态相近，惟本种叶下面满被或仅脉上密被柔毛。

| 生境分布 | 生于山谷林中或山坡灌丛。分布于广东翁源、乐昌、徐闻、德庆及阳江（市区）。

| 资源情况 | 野生资源较丰富。药材来源于野生。

| 采收加工 | 夏、秋季采收，除去杂质，洗净，切段，晒干或鲜用。

| 功能主治 | 淡，寒。清热利湿，解毒消肿。用于风湿痹痛，烫火伤。

| **用法用量** | 内服煎汤，15 ～ 30 g，鲜品加倍。外用适量，捣敷；或研末调敷。孕妇及体虚者慎服。

| **凭证标本号** | 440281200707025LY、441225181122016LY、441224180718019LY。

葡萄科 Vitaceae 乌蔹莓属 Cayratia

尖叶乌蔹莓 Cayratia japonica (Thunb.) Gagnep. var. pseudotrifolia (W. T. Wang) C. L. Li

| 药 材 名 | 母猪藤（药用部位：根、茎叶。别名：三叶乌蔹莓）。

| 形态特征 | 本种与乌蔹莓的区别在于本种叶多为 3 小叶。花期 5 ~ 8 月，果期 9 ~ 10 月。

| 生境分布 | 生于山地、沟谷林下。分布于广东新丰、连山及肇庆（市区）、茂名（市区）。

| 资源情况 | 野生资源一般。药材来源于野生。

| 采收加工 | 根，夏、秋季采挖，洗净，切片，鲜用或晒干。茎叶，夏、秋季采收，除去杂质，晒干或鲜用。

| **药材性状** | 本品根粗壮，浅褐色。茎具纵棱，节间膨大，有与叶对生的卷须。掌状复叶，小叶片多为3，呈掌状排列，多皱缩或破碎。 |

| **功能主治** | 根，辛，凉，有毒，消肿散结。用于疮疖。茎叶，辛，平，舒筋活血。用于肺痈，疮疖。 |

| **用法用量** | 内服煎汤，5～8 g。外用适量，捣敷。 |

| **凭证标本号** | 441882180504002LY。 |

葡萄科 Vitaceae 白粉藤属 Cissus

苦郎藤
Cissus assamica (M. A.Lawson) Craib

| 药 材 名 | 毛叶白粉藤（药用部位：根。别名：风叶藤、左爬藤）。

| 形态特征 | 木质藤本。小枝有纵棱纹。叶阔心形或心状卵圆形，长 5 ～ 7 cm；基出脉 5，中脉有侧脉 4 ～ 6 对；叶柄长 2 ～ 9 cm。花序与叶对生，二级分枝集生成伞形；萼碟形；花瓣 4，三角状卵形，无毛；雄蕊 4；子房下部与花盘合生。果实倒卵状圆形，成熟时呈紫黑色，长 0.7 ～ 1 cm。花期 5 ～ 6 月，果期 7 ～ 10 月。

| 生境分布 | 生于海拔 200 ～ 1 600 m 的山谷溪边林中、林缘或山坡。分布于广东乳源、翁源、乐昌、始兴、仁化、连南、阳山、新丰、和平、龙门、紫金、新兴、五华、连山、连州、信宜及肇庆（市区）、梅州（市区）。

| **资源情况** | 野生资源丰富。药材来源于野生。 |

| **采收加工** | 秋季采挖，洗净，切片，鲜用或晒干。 |

| **功能主治** | 拔脓消肿，散瘀止痛。用于跌打损伤，骨折，风湿关节痛，痈疮肿毒，骨髓炎等。 |

| **用法用量** | 内服煎汤，5 ~ 10 g。外用适量，捣敷。 |

| **凭证标本号** | 440224180530020LY、441623180812037LY、441623180627021LY。 |

葡萄科 Vitaceae 白粉藤属 Cissus

翅茎白粉藤 *Cissus hexangularis* Thorel ex Planch.

| 药 材 名 | 六方藤（药用部位：藤茎。别名：六棱粉藤、翅茎白粉藤、方茎宽筋藤）。

| 形态特征 | 木质藤本。小枝具 6 翅棱。卷须不分枝。叶片卵状三角形，长 6 ~ 10 cm，边缘有细齿，无毛，基出脉通常 3；叶柄长 1.5 ~ 5 cm，无毛。复二歧聚伞花序，顶生或与叶对生；萼碟形，全缘；花瓣 4，三角状长圆形；雄蕊 4；花盘具 4 浅裂；子房下部与花盘合生。果实近球形，直径 0.8 ~ 1 cm。花期 9 ~ 11 月，果期 12 月至翌年 2 月。

| 生境分布 | 生于海拔 50 ~ 400 m 的溪边林中。分布于广东徐闻、廉江及肇庆（市区）。

资源情况	野生资源较少。药材来源于野生。
采收加工	秋季采收，在离地面 20 cm 处割取，去除叶片，切段，鲜用或晒干。
药材性状	本品近圆柱形，具 6 翅棱，翅棱间有纵棱纹，常皱褶，节部干时收缩，易折断，无毛。
功能主治	祛风活络，散瘀活血。用于风湿关节痛，腰肌劳损，跌打损伤。
用法用量	内服煎汤，15 ~ 30 g；或浸酒。外用适量，捣敷；或煎汤洗。
凭证标本号	440982150122005LY、440881180301427LY、440883180723007LY。

葡萄科 Vitaceae 白粉藤属 Cissus

鸡心藤

Cissus kerrii Craib

| 药 材 名 | 鸡心藤（药用部位：藤茎。别名：四方藤、方藤、翼枝白粉藤）。

| 形态特征 | 草质藤本。小枝钝四棱形，被白粉。叶片心形，长 5 ~ 11 cm，两面无毛，基出脉 5，网脉不明显；叶柄无毛。花序顶生或与叶对生，二级分枝通常 3，集生成伞形；萼碟形，全缘，无毛；花瓣 4，无毛；雄蕊 4。果实近球形，直径约 1 cm。花期 6 ~ 8 月，果期 9 ~ 10 月。

| 生境分布 | 生于低海拔的田边、草坡、灌丛和林中。分布于广东阳春、恩平及惠州（市区）、广州（市区）、深圳（市区）、湛江（市区）。

| 资源情况 | 野生资源一般。药材来源于野生。

| 采收加工 | 秋季采收，去除叶片，切段，鲜用或晒干。 |

| 药材性状 | 本品钝四棱形，有纵棱纹，被白粉，无毛。 |

| 功能主治 | 清热利湿，解毒消肿。用于水肿，痈疽疮疡，瘰疬，跌打损伤。 |

| 用法用量 | 内服煎汤；或浸酒。外用适量，捣敷。 |

| 凭证标本号 | 441422190715361LY。 |

葡萄科 Vitaceae 白粉藤属 Cissus

翼茎白粉藤 Cissus pteroclada Hayata

| **药 材 名** | 翼茎白粉藤（药用部位：藤茎。别名：白粉藤）。

| **形态特征** | 草质藤本。小枝四棱形，有窄翅。卷须 2 叉分枝。叶片卵圆形或长卵圆形，长 5 ~ 12 cm，两面无毛，基出脉 5；叶柄长 2 ~ 7 cm，无毛。花序顶生或与叶对生，集生成伞形花序；萼杯形，全缘，无毛；花瓣 4。果实倒卵状椭圆形，长 1 ~ 1.5 cm。花期 6 ~ 8 月，果期 8 ~ 12 月。

| **生境分布** | 生于海拔 300 ~ 2 100 m 的山谷疏林或灌丛。分布于广东紫金、翁源、英德、高要、鼎湖、博罗、潮安、新兴及深圳（市区）、阳江（市区）等。

| **资源情况** | 野生资源丰富。药材来源于野生。

采收加工	秋季采收，切段，晒干。
药材性状	本品四棱形，棱有翅，棱间有纵棱纹，无毛。表面灰棕色至黑色，具皮孔、皱纹。断面不整齐，木质部稍带红黄色，髓部带紫色。
功能主治	祛风湿，舒筋络。用于风湿痹痛，腰肌劳损，筋络拘急。
用法用量	内服煎汤，10 ~ 30 g；或浸酒。外用适量，捣敷；或浸酒搽。
凭证标本号	441322150207620LY。

葡萄科 Vitaceae 白粉藤属 Cissus

白粉藤 *Cissus repens* Lam.

| **药 材 名** | 独脚乌桕（药用部位：块根、藤茎。别名：白薯藤、白鸡屎藤）。

| **形态特征** | 草质藤本。小枝常被白粉。叶片心状卵圆形，长 5 ~ 13 cm，两面无毛，基出脉 3 ~ 5；叶柄无毛。花序顶生或与叶对生，二级分枝 4 ~ 5 集生成伞形；萼杯形；花瓣 4，无毛；雄蕊 4；花盘微 4 裂；柱头扩大不明显。果实倒卵状圆形，长 0.8 ~ 1.2 cm。花期 7 ~ 10 月，果期 11 月至翌年 5 月。

| **生境分布** | 生于海拔 100 ~ 1 800 m 的山谷疏林或灌丛。分布于广东始兴、新兴、恩平、英德、惠东、博罗、高要、信宜、陆丰、吴川、阳春及梅州（市区）、湛江（市区）、中山（市区）、广州（市区）、深圳（市区）、阳江（市区）等。

| **资源情况** | 野生资源丰富。药材来源于野生。

| **采收加工** | 块根，秋、冬季采挖，洗净，切片，晒干或鲜用。藤茎，秋季割取，切段，晒干。

| **药材性状** | 本品块根褐色至黑色，粗糙。藤茎圆柱形，有纵棱纹，常被白粉，无毛。

| **功能主治** | 块根，清热解毒，消肿止痛，强壮身体，补血。用于咽喉痛，疔疮，皮肤病，伤口长期不愈，蛇咬伤。藤茎，清热利湿，解毒消肿。用于风湿痹痛，瘰疬，肾炎性水肿，痢疾，痈疮肿毒。

| **用法用量** | 块根，内服煎汤，10～15 g，或入丸、散剂；外用适量，捣敷。藤茎，内服煎汤，10～15 g，鲜品加倍，或绞汁饮；外用适量，煎汤洗，或捣敷。

| **凭证标本号** | 440783190714010LY。

■葡萄科■ Vitaceae ■火筒树属■ Leea

火筒树
Leea indica (Burm. f.) Merr.

| 药 材 名 | 红吹风（药用部位：根、叶、茎髓、果实。别名：祖公柴、五指枫）。

| 形态特征 | 直立灌木。二至三回羽状复叶；小叶椭圆形至长椭圆状披针形，长 6 ~ 32 cm，边缘有锯齿，两面无毛，侧脉 6 ~ 11 对；叶柄无毛。花序与叶对生，复二歧聚伞花序或二级分枝集生成伞形；萼筒坛状，无毛；花冠无毛；花冠雄蕊管长 0.5 ~ 1 mm；雄蕊 5；子房近球形，柱头微扩大。果实扁球形，高 0.8 ~ 1 mm。花期 4 ~ 7 月，果期 8 ~ 12 月。

| 生境分布 | 生于海拔 1 200 m 以下的山坡、溪边、灌丛。分布于广东阳江。

| **资源情况** | 野生资源稀少。药材来源于野生。

| **采收加工** | 根，秋、冬季采挖，洗净，切片，晒干。叶，全年均可采收，鲜用或晒干。茎髓，10 ~ 11 月采收，洗净，切片，晒干。果实，果实成熟时采收，晒干。

| **功能主治** | 根、叶，清热解毒。用于疮疡肿毒。茎髓、果实，消肿拔毒。用于枪弹头入肉。

| **用法用量** | 内服煎汤，9 ~ 15 g。外用适量，捣敷。

葡萄科 Vitaceae 地锦属 Parthenocissus

异叶地锦 *Parthenocissus dalzielii* Gagnep.

| 药 材 名 |

异叶地锦（药用部位：全株。别名：异叶爬山虎、爬山虎、三叶爬山虎）。

| 形态特征 |

木质藤本。卷须总状 5 ~ 8 分枝，嫩时先端膨大成圆球形，附着时呈吸盘状。叶二型，着生在短枝上者为 3 小叶，单叶常着生在长枝上；单叶有基出脉 3 ~ 5，3 小叶者小叶有侧脉 5 ~ 6 对。花序假顶生于短枝先端，多歧聚伞花序；萼碟形，边缘呈波状或近全缘，外面无毛；花瓣 4，无毛；雄蕊 5；花盘不明显；子房近球形。果实近球形，直径 0.8 ~ 1 cm，成熟时呈紫黑色。花期 5 ~ 7 月，果期 7 ~ 11 月。

| 生境分布 |

生于海拔 3 800 m 以下的山坡、崖壁、灌丛、岩石缝中。分布于广东除东部以外的地区。

| 资源情况 |

野生资源丰富。药材来源于野生。

| 采收加工 |

秋、冬季采收，洗净，切段，鲜用或晒干。

| **药材性状** | 本品小枝圆柱形，无毛；卷须相隔 2 节间断，与叶对生，卷须嫩时先端膨大，呈圆珠形，后遇附着物扩大，呈吸盘状。叶二型，单叶着生于长枝上，掌状复叶着生于短枝上。多歧聚伞花序着生于短枝先端。果实近球形。 |

| **功能主治** | 祛风活络，活血止痛。用于风湿痹痛，胃脘痛，偏头痛，跌打损伤，产后瘀滞腹痛，痈疽肿痛等。 |

| **用法用量** | 内服煎汤，15 ～ 30 g。外用适量，煎汤洗；或捣敷；或研末撒。 |

| **凭证标本号** | 440523190720026LY、441224180717010LY。 |

葡萄科 Vitaceae 地锦属 Parthenocissus

绿叶爬山虎

Parthenocissus laetevirens Rehder

| 药 材 名 |

五叶壁藤（药用部位：藤茎、叶。别名：绿爬山虎、绿叶地锦）。

| 形态特征 |

木质藤本。卷须总状 5 ~ 10 分枝。叶为掌状 5 小叶，小叶边缘上半部有锯齿，上面深绿色，无毛，呈泡状隆起，下面脉上被短柔毛。多歧聚伞花序圆锥状，长 6 ~ 15 cm，假顶生，花序中常有退化小叶；萼碟形，全缘，无毛；花瓣 5，无毛；雄蕊 5；花盘不明显。果实球形，直径 0.6 ~ 0.8 cm。花期 7 ~ 8 月，果期 9 ~ 11 月。

| 生境分布 |

生于海拔 1 100 m 以下的山谷林中或山坡灌丛，攀缘于树上或崖石壁上。分布于广东乳源、英德、阳山等。

| 资源情况 |

野生资源一般。药材来源于野生。

| 采收加工 |

藤茎，秋、冬季采收洗净，切段或切片，鲜用或晒干。叶，夏、秋季采收，鲜用或晒干。

| **药材性状** | 本品藤茎圆柱形或有显著纵棱，嫩时被短柔毛，后毛脱落。 |

| **功能主治** | 舒筋活络，消肿散瘀，续筋接骨。用于骨折，跌打损伤，肢体麻木。 |

| **用法用量** | 内服煎汤，10 ~ 15 g，鲜品加倍；或浸酒。外用适量，煎汤洗；或捣烂、研末调敷。 |

葡萄科 Vitaceae 地锦属 Parthenocissus

三叶地锦 *Parthenocissus semicordata* (Wall.) Planch.

| 药 材 名 | 三叶地锦（药用部位：藤茎。别名：毛脉地锦）。

| 形态特征 | 木质藤本。卷须总状4～6分枝，嫩时先端尖细，附着时呈吸盘状。3小叶着生在短枝上，小叶边缘有锯齿。多歧聚伞花序着生在短枝上，花序基部分枝，主轴不明显；萼碟形，全缘，无毛；花瓣5，卵状椭圆形，无毛；雄蕊5；花盘不明显；子房扁球形。果实近球形，直径0.6～0.8 cm。花期5～7月，果期9～10月。

| 生境分布 | 生于海拔500～3 800 m的山坡林中或灌丛。分布于广东阳春及肇庆（市区）、潮州（市区）。

| **资源情况** | 野生资源较少。药材来源于野生。 |

| **采收加工** | 秋、冬季采收，洗净，切段或切片，鲜用或晒干。 |

| **功能主治** | 接骨祛瘀，活络，祛风除湿。用于跌打损伤，骨折，风湿病。 |

| **用法用量** | 内服煎汤，10 ~ 15 g；或浸酒。外用适量，煎汤洗；或捣敷。 |

葡萄科 Vitaceae 崖爬藤属 Tetrastigma

尾叶崖爬藤
Tetrastigma caudatum Merr. et Chun

| 药 材 名 | 尾叶崖爬藤（药用部位：藤茎）。

| 形态特征 | 木质藤本。具 3 小叶，稀下部有鸟足状小叶 5，小叶无毛，侧脉 4 ~ 6 对；叶柄长 2.5 ~ 7 cm，无毛。花序腋生，比叶柄短，分枝集生成 伞形；花萼碟形，有三角状小齿 4，无毛；花瓣 4，先端有小角，无毛； 雄蕊 4；花盘明显，具 4 浅裂；子房下部与花盘合生。果实椭圆形， 长 1 ~ 1.2 cm；种子 1。花期 5 ~ 7 月，果期 9 月至翌年 4 月。

| 生境分布 | 生于海拔 200 ~ 700 m 的山谷林中或山坡灌丛阴处。分布于广东 乐昌、翁源、英德、封开、郁南、信宜、阳春及广州（市区）、肇 庆（市区）、云浮（市区）等。

| **资源情况** | 野生资源一般。药材来源于野生。 |

| **采收加工** | 秋、冬季采收，洗净，切段或切片，鲜用或晒干。 |

| **药材性状** | 本品圆柱形，有纵棱纹，无毛，老时亦无疣状凸起的皮孔。 |

| **功能主治** | 祛风湿，散瘀止痛，消肿拔毒。用于头痛，风湿关节痛，跌打损伤，疮毒等。 |

| **用法用量** | 内服煎汤；或浸酒。外用适量，煎汤洗；或捣敷。 |

| **凭证标本号** | 440224181129006LY、441225180722108LY、441225180728001LY。 |

葡萄科 Vitaceae 崖爬藤属 Tetrastigma

三叶崖爬藤 Tetrastigma hemsleyanum Diels et Gilg

| 药 材 名 | 三叶青（药用部位：块根。别名：三叶扁藤、骨碎藤）。

| 形态特征 | 草质藤本。复叶具 3 小叶，侧生小叶基部不对称，边缘有锯齿，两面无毛。花序腋生，长 1 ~ 5 cm，二级分枝集生成伞形，花二歧状着生在分枝末端；萼碟形；花瓣 4，无毛；雄蕊 4；花盘明显，4 浅裂。果实近球形或倒卵球形，直径约 0.6 cm；种子 1。花期 4 ~ 6 月，果期 8 ~ 11 月。

| 生境分布 | 生于海拔 300 ~ 1 300 m 的山坡灌丛、山谷、溪边林下岩石缝中。广东各地均有分布。

| **资源情况** | 野生资源丰富。药材来源于野生。 |

| **采收加工** | 冬季采挖，洗净，切片，鲜用或晒干。 |

| **药材性状** | 本品呈纺锤形、葫芦形或椭圆形，表面棕褐色，光滑，质硬而脆，断面平坦而粗糙，类白色。气无，味甘。 |

| **功能主治** | 清热解毒，祛风化痰，活血止痛。用于高热惊厥，肺炎，哮喘，肝炎，风湿病，月经不调，咽痛，瘰疬，痈疔疮疖，跌打损伤。 |

| **用法用量** | 内服煎汤，5 ~ 12 g；或捣汁。外用适量，磨汁涂；或捣敷；或研末撒。 |

| **凭证标本号** | 441825190710016LY、441823210715004LY、441422190812340LY。 |

葡萄科 Vitaceae 崖爬藤属 Tetrastigma

崖爬藤
Tetrastigma obtectum (Wall. ex M. A. Lawson) Planch. ex Franch.

| 药材名 | 走游草（药用部位：全株。别名：爬山虎、毛叶崖爬藤）。

| 形态特征 | 草质藤本。掌状复叶具小叶 5，小叶边缘有锯齿或细牙齿，两面无毛。花序长 1.5 ~ 4 cm，顶生或假顶生于具有 1 ~ 2 叶的短枝上，多数花集生成单伞形；萼浅碟形，边缘具波状浅裂；花瓣 4，外面无毛；雄蕊 4；花盘明显，具 4 浅裂。果实球形，直径 0.5 ~ 1 cm；种子 1。花期 4 ~ 6 月，果期 8 ~ 11 月。

| 生境分布 | 生于海拔 200 ~ 2 400 m 的山坡岩石或林下石壁上。分布于广东信宜、平远。

| 资源情况 | 野生资源较少。药材来源于野生。

| 采收加工 | 秋季采挖，洗净，切碎，晒干。

| 功能主治 | 祛风活络，活血止痛。用于跌打损伤，肢体麻木，关节疼痛。

| 用法用量 | 内服煎汤，10 ~ 15 g；或浸酒。外用适量，煎汤洗；或捣敷；或研末，麻油调涂。

| 凭证标本号 | 440983180407089LY。

| 附　注 | 本种常与毛叶崖爬藤 *Tetrastigma obtectum* (Wall.) Planch. var. *pilosum* Gagnep. 混用，二者功能相同。

葡萄科 Vitaceae 崖爬藤属 Tetrastigma

无毛崖爬藤

Tetrastigma obtectum (Wall.) Planch. ex Franch. var. *glabrum* (Levl.& Vant.) Gagnep.

| 药 材 名 | 小九节铃（药用部位：全株。别名：光叶崖爬藤）。

| 形态特征 | 多年生攀缘藤本，全株无毛。掌状复叶互生；小叶5，椭圆状披针形，边缘具浅波状锯齿。花杂性，异株；伞房花序排列成聚伞状；花小，黄绿色。浆果球形，肉质。花期3～5月，果期7～11月。

| 生境分布 | 生于海拔150～2 400 m的山坡、沟谷林下或崖石上。分布于广东鼎湖。

| 资源情况 | 野生资源较少。药材来源于野生。

| 采收加工 | 秋、冬季采收，洗净，切片，晒干或鲜用。

| **功能主治** | 接骨生肌，止血消炎。用于骨折，瘰疬，外伤出血。

| **用法用量** | 内服煎汤，10 ~ 15 g；或浸酒。外用适量，捣敷；或研末撒。

葡萄科 Vitaceae 崖爬藤属 Tetrastigma

厚叶崖爬藤 *Tetrastigma pachyphyllum* (Hemsl.) Chun

| 药 材 名 | 厚叶崖爬藤（药用部位：茎叶。别名：孖带藤）。

| 形态特征 | 木质藤本。茎扁平，具较多瘤状突起。复叶具鸟足状小叶 5，或具 3 小叶，小叶倒卵状椭圆形，侧生小叶基部不对称，边缘有疏锯齿，两面无毛。花序为复二歧聚伞花序，腋生，长 9.5 ~ 10 cm；萼碟形，萼齿不明显；花瓣 4；雄蕊 4；花盘在雌花中不明显；柱头 4 裂。果实球形，直径 1 ~ 1.8 cm；种子 1 ~ 2。花期 4 ~ 7 月，果期 5 ~ 10 月。

| 生境分布 | 生于低海拔林中或山坡灌丛。分布于广东郁南、徐闻及阳江（市区）。

| 资源情况 | 野生资源较少。药材来源于野生。

| 采收加工 | 秋季采收，洗净，切片，晒干。

| 药材性状 | 本品藤茎扁平，具多数瘤状突起。小枝圆柱形，有纵棱纹，常疏生瘤状突起，无毛。具鸟足状 5 小叶，或具 3 小叶。小叶质厚，倒卵状椭圆形，边缘有疏锯齿，两面无毛。

| 功能主治 | 消肿，祛风，活血。用于风湿痹痛，跌打损伤；外用于跌打损伤。

| 用法用量 | 内服适量煎汤；或浸酒。外用适量，煎汤洗；或捣敷。

| 凭证标本号 | 44088218043 0357LY。

葡萄科 Vitaceae 崖爬藤属 Tetrastigma

扁担藤 *Tetrastigma planicaule* (Hook.) Gagnep.

| 药 材 名 | 扁藤（药用部位：藤茎、根、叶。别名：扁藤、铁带藤、扁茎崖爬藤）。

| 形态特征 | 木质大藤本。茎扁平。掌状复叶具小叶 5，小叶长圆状披针形，边缘有锯齿，两面无毛。花序腋生，长 15 ~ 17 cm，集生成伞形；萼浅碟形，齿不明显，外面被乳突状毛；花瓣 4，先端呈风帽状，外面顶部疏被乳突状毛；雄蕊 4；花盘明显，具 4 浅裂。果实近球形，直径 2 ~ 3 cm，呈肉质；种子 1 ~ 2(~ 3)。花期 4 ~ 6 月，果期 8 ~ 12月。

| 生境分布 | 生于海拔 100 ~ 2 100 m 的山谷林中或山坡岩石缝中。分布于广东西部、中部和北部。

资源情况	野生资源丰富。药材来源于野生。
采收加工	藤茎、根，秋、冬季采收，洗净，切片，鲜用或晒干。叶，夏、秋季采摘，多鲜用。
药材性状	本品藤茎扁压，深褐色。小枝圆柱形或微扁，有纵棱纹，无毛。
功能主治	藤茎、根，祛风除湿，舒筋活络。用于风湿腰腿痛，半身不遂。叶，生肌敛疮。用于下肢溃疡，外伤。
用法用量	内服煎汤，15 ~ 30 g；或浸酒。外用适量，煎汤洗；或捣敷。
凭证标本号	441825190926009LY、441284191201167LY、441422190127014LY。

葡萄科 Vitaceae 崖爬藤属 Tetrastigma

毛脉崖爬藤 Tetrastigma pubinerve Merr. & Chun

| 药 材 名 | 毛脉崖爬藤（药用部位：藤茎、根、叶）。

| 形态特征 | 木质藤本。具鸟足状复叶，小叶 5，边缘有锯齿，下面脉上被短柔毛。花序腋生，二级分枝 4，集生成伞形，三级分枝呈二歧状，花数朵在分枝末端集生成伞形；萼浅碟形，萼齿不明显，外被乳突状毛；花瓣 4，先端有小角，外面被乳突状毛；雄蕊 4；子房锥形，下部与花盘合生，柱头 4 裂。果实近球形，直径 1 ~ 1.2 cm；种子 2（~ 3）。花期 6 月，果期 8 ~ 10 月。

| 生境分布 | 生于海拔 300 ~ 600 m 的山谷林中或山坡灌丛。分布于广东云浮（市区）、茂名（市区）。

孟德昌提供

| **资源情况** | 野生资源较少。药材来源于野生。 |

| **采收加工** | 藤茎、根，秋、冬季采收，洗净，切片，鲜用或晒干。叶，夏、秋季采摘，多鲜用。 |

| **药材性状** | 本品藤茎圆柱形，有纵棱纹，干时有横皱纹，枝被短柔毛，后毛脱落。具鸟足状小叶5。 |

| **功能主治** | 祛风除湿，舒筋骨。用于跌打损伤，刀伤。 |

| **用法用量** | 内服适量，煎汤；或浸酒。外用适量，煎汤洗；或捣敷。 |

葡萄科 Vitaceae 葡萄属 Vitis

小果葡萄 *Vitis balansana* Planch.

| 药 材 名 | 小果野葡萄（药用部位：根皮。别名：小果葡萄、野葡萄、大血藤）。

| 形态特征 | 木质藤本。叶心状卵圆形或阔卵形，长 4 ～ 14 cm，基出脉 5。圆锥花序与叶对生，长 4 ～ 13 cm，疏被蛛丝状绒毛或无毛；萼碟形，全缘，无毛；花瓣 5，呈帽状黏合脱落；雄蕊 5；花盘发达，5 裂；雌蕊 1。果实球形，成熟时呈紫黑色，直径 0.5 ～ 0.8 cm。花期 2 ～ 8 月，果期 6 ～ 11 月。

| 生境分布 | 生于低海拔的沟谷向阳处。分布于广东乳源、连山、台山、罗定、雷州及肇庆（市区）、阳江（市区）、湛江（市区）、广州（市区）、深圳（市区）、珠海（市区）等。

| 资源情况 | 野生资源较丰富。药材来源于野生。

| 采收加工 | 冬季采挖根，洗净，剥取根皮，鲜用或晒干。

| 功能主治 | 舒筋活血，清热解毒，生肌利湿。用于骨折，劳伤，疮疡肿毒，赤痢。

| 用法用量 | 内服煎汤，9～15 g。外用适量，捣敷。

| 凭证标本号 | 440783190522007LY、441882180814085LY、441324180804017LY。

葡萄科 Vitaceae 葡萄属 *Vitis*

蘡薁
Vitis bryoniifolia Bunge.

| **药 材 名** | 蘡薁（药用部位：藤茎、果实。别名：山葡萄、野葡萄）。 |

| **形态特征** | 木质藤本。叶片长圆状卵形，长 2.5 ～ 8 cm，具 3 ～ 5（～ 7）深裂或浅裂，稀有不裂者，下面密被蛛丝状绒毛和柔毛。花杂性异株；圆锥花序与叶对生，基部分枝发达或退化成 1 卷须，稀狭窄而基部分枝不发达；萼碟形，近全缘，无毛；花瓣 5，呈帽状黏合脱落；雄蕊 5；花盘发达，5 裂；雌蕊 1。果实球形，成熟时呈紫红色，直径 0.5 ～ 0.8 cm。花期 4 ～ 8 月，果期 6 ～ 10 月。 |

| **生境分布** | 生于海拔 150 ～ 2 500 m 的山谷林中、灌丛、沟边或田埂。分布于广东乳源、乐昌、始兴、连山、平远、蕉岭及韶关（市区）等。 |

| **资源情况** | 野生资源一般。药材来源于野生。

| **采收加工** | 藤茎，夏、秋季采收，洗净，切片或段，鲜用或晒干。果实，夏、秋季果实成熟时采收，鲜用或晒干。

| **药材性状** | 本品藤茎圆柱形，有棱纹，嫩枝密被蛛丝状绒毛或柔毛，后毛脱落。果实呈球形，紫红色，直径 0.5 ~ 0.8 cm。

| **功能主治** | 清热利湿，解毒消肿，生津止渴。用于肝炎，阑尾炎，乳腺炎，肺脓肿，多发性脓肿，风湿性关节炎；外用于疮疡肿毒，中耳炎，蛇虫咬伤。

| **用法用量** | 藤茎，内服煎汤，15 ~ 30 g，或捣汁；外用适量，捣敷，或取汁点眼、滴耳。果实，内服适量，嚼食。

| **凭证标本号** | 441882180509016LY。

葡萄科 Vitaceae 葡萄属 Vitis

闽赣葡萄 *Vitis chungii* F. P Metcalf

| 药 材 名 | 红扁藤（药用部位：根茎、叶）。

| 形态特征 | 木质藤本。叶长椭圆状卵形或卵状披针形，长 4 ~ 15 cm，边缘有锯齿，无毛，下面常被白色粉霜，基出脉 3。花杂性异株；圆锥花序基部分枝不发达，圆柱形，长 3.5 ~ 10 cm，与叶对生；萼碟形，全缘；花瓣 5，呈帽状黏合脱落；雄蕊 5；花盘发达，5 裂；雌蕊 1。果实球形，成熟时呈紫红色，直径 0.8 ~ 1 cm。花期 4 ~ 6 月，果期 6 ~ 8 月。

| 生境分布 | 生于海拔 200 ~ 1 000 m 的山坡、沟谷林中或灌丛。分布于广东乳源、东昌、连平、龙川、平远、大埔、连南、连山、连州、英德、

阳山、龙门、饶平、博罗、信宜、封开、高要。

| **资源情况** | 野生资源丰富。药材来源于野生。

| **采收加工** | 夏、秋季采收，洗净，根茎切片或段，叶切碎，鲜用或晒干。

| **功能主治** | 消肿拔毒。用于疮痈疖肿。

| **用法用量** | 内服煎汤，9 ~ 15 g。外用适量，捣敷。

| **凭证标本号** | 441825190504008LY、440224180403014LY。

葡萄科 Vitaceae 葡萄属 Vitis

刺葡萄

Vitis davidii (Rom. Caill.) Foëx

| 药 材 名 | 刺葡萄（药用部位：根。别名：山葡萄）。

| 形态特征 | 木质藤本。小枝被长 2 ~ 4 mm 的皮刺。叶卵圆形或卵状椭圆形，长 5 ~ 12 cm，基部心形，边缘有锯齿，无毛。花杂性异株；圆锥花序基部分枝发达，长 7 ~ 24 cm；萼碟形，边缘萼片不明显；花瓣 5，呈帽状黏合脱落；雄蕊 5；花盘发达，5 裂；雌蕊 1。果实球形，成熟时呈紫红色，直径 1.2 ~ 2.5 cm。花期 4 ~ 6 月，果期 7 ~ 10 月。

| 生境分布 | 生于海拔 600 ~ 1 200 m 的山坡、沟谷林中或灌丛。分布于广东乳源、阳山。

| 资源情况 | 野生资源稀少。药材来源于野生。

| **采收加工** | 秋、冬季采挖，洗净，切片，鲜用或晒干。

| **功能主治** | 散瘀消积，舒筋止痛。用于筋骨伤痛，关节肿痛，腹胀癥积等。

| **用法用量** | 内服煎汤，30 ～ 60 g，鲜品加倍；或浸酒。

葡萄科 Vitaceae 葡萄属 Vitis

葛藟葡萄 *Vitis flexuosa* Thunb.

| **药 材 名** | 葛藟（药用部位：根、叶、果实、藤茎。别名：蔓山葡萄、割谷镰藤、野葡萄）。

| **形态特征** | 木质藤本。小枝圆柱形，有纵棱纹，嫩枝疏被蛛丝状绒毛，后毛脱落。叶卵形至卵状椭圆形，长 2.5 ~ 12 cm，上面无毛，下面初时疏被蛛丝状绒毛，后毛脱落，基生脉 5。圆锥花序疏散，与叶对生；萼浅碟形，边缘具波状浅裂，无毛；花瓣 5，呈帽状黏合脱落；雄蕊 5；花盘发达，5 裂；雌蕊 1。果实球形，直径 0.8 ~ 1 cm。花期 3 ~ 5 月，果期 7 ~ 11 月。

| **生境分布** | 生于海拔 100 ~ 600 m 的山坡、沟谷、田边、草地、灌丛或林中。分布于广东乐昌、乳源、连南、连山、英德、阳山、从化、大埔、龙门、

饶平、博罗、信宜、南雄及梅州（市区）等。

| 资源情况 | 野生资源丰富。药材来源于野生。

| 采收加工 | 根，秋、冬季采挖，洗净，切片，鲜用或晒干。叶，夏、秋季采摘，鲜用或晒干。果实，夏、秋季果实成熟时采收，鲜用或晒干。藤茎，夏、秋季砍取，取汁，鲜用。

| 功能主治 | 根，利湿退黄，活血通络，解毒消肿。用于黄疸性肝炎，风湿痹痛，跌打损伤，痈肿。叶，消积，解毒，敛疮。用于食积，痢疾，湿疹，烫火伤。果实，润肺止咳，清热凉血，消食。用于咳嗽，吐血，食积。藤茎，补五脏，续筋骨，益气，止渴。用于五脏俱虚，骨折，津伤口渴等。

| 用法用量 | 根，内服煎汤，15 ~ 30 g。外用适量，捣敷。叶，内服煎汤，10 ~ 15 g。外用适量，煎汤洗；或捣汁涂。果实，内服煎汤，10 ~ 15 g。藤茎，取汁内服，5 ~ 10 g。外用适量，取汁涂敷或点眼。

| 凭证标本号 | 441882190615022LY。

葡萄科 Vitaceae 葡萄属 Vitis

毛葡萄
Vitis heyneana Roem. et Schult.

| **药 材 名** | 毛葡萄（药用部位：根皮、叶。别名：五角叶葡萄、飞天白鹤、野葡萄）。 |

| **形态特征** | 木质藤本。小枝卷须密被灰褐色蛛丝状绒毛。叶片卵形至卵状五角形，长 4 ~ 12 cm，边缘有尖锐锯齿，上面初时疏被蛛丝状绒毛，后无毛，下面密被灰色或褐色绒毛，基生脉 3 ~ 5。花杂性异株；圆锥花序疏散，与叶对生，长 4 ~ 14 cm；萼碟形，近全缘；花瓣 5，呈帽状黏合脱落；雄蕊 5；雌蕊 1。果实圆球形，成熟时呈紫黑色，直径 1 ~ 1.3 cm。花期 4 ~ 6 月，果期 6 ~ 10 月。 |

| **生境分布** | 生于海拔 100 ~ 800 m 的山坡或沟谷灌丛。分布于广东大埔、乳源、惠东、连南、连山、连州、德庆、怀集、高要、新兴及梅州（市区）。 |

| **资源情况** | 野生资源较丰富。药材来源于野生。

| **采收加工** | 根，秋、冬季采挖，洗净，剥取根皮，切片，鲜用或晒干。叶，夏、秋季采收，晒干。

| **功能主治** | 根皮，调经活血，舒筋活络。用于月经不调，带下，跌打损伤，筋骨疼痛。叶，止血。用于外伤出血。

| **用法用量** | 根皮，内服煎汤，6～10 g；外用适量，捣敷。叶，外用适量，研末敷。

| **凭证标本号** | 441224180717018LY。

葡萄科 Vitaceae 葡萄属 Vitis

绵毛葡萄
Vitis retordii Rom. Caill. ex Planch.

| 药 材 名 | 绵毛葡萄（药用部位：根。别名：河口葡萄）。

| 形态特征 | 木质藤本。小枝密被褐色长绒毛。叶片卵圆形或卵状椭圆形，长 6 ~ 15 cm，基部心形，上面密生短柔毛，下面为褐色绵毛状长绒毛所覆盖。花杂性异株；圆锥花序疏散，长 6 ~ 10 cm；萼碟形，几全缘，无毛；花瓣 5，呈帽状黏合脱落；雄蕊 5；雌蕊 1。果实球形，直径约 0.8 cm。花期 5 月，果期 6 ~ 7 月。

| 生境分布 | 生于海拔 200 ~ 1 000 m 的山坡、沟谷疏林或灌丛中。分布于广东惠东、博罗、高要、怀集、封开、德庆、新兴、信宜及珠海（市区）、东莞（市区）、河源（市区）、深圳（市区）、清远（市区）等。

| **资源情况** | 野生资源较丰富。药材来源于野生。 |

| **采收加工** | 秋、冬季采挖，洗净，切片，鲜用或晒干。 |

| **功能主治** | 祛风除湿，活血散瘀。用于风湿关节痛，跌打损伤。 |

| **用法用量** | 内服适量，煎汤；外用适量，捣敷。 |

| **凭证标本号** | 441882180510004LY。 |

葡萄科 Vitaceae 葡萄属 Vitis

葡萄 *Vitis vinifera* L.

| 药 材 名 | 葡萄（药用部位：根、藤茎、果实。别名：索索葡萄、草龙珠、葡萄秧）。

| 形态特征 | 木质藤本。叶片卵圆形，3 ~ 5 浅裂或中裂，长 7 ~ 18 cm，无毛或被疏柔毛。圆锥花序密集或疏散，多花，与叶对生；萼浅碟形，边缘呈波状；花瓣 5，呈帽状黏合脱落；雄蕊 5；花盘发达，5 浅裂；雌蕊 1。果实球形或椭圆形，直径 1.5 ~ 2 cm。花期 4 ~ 5 月，果期 8 ~ 9 月。

| 生境分布 | 广东各地均有栽培。

| 资源情况 | 栽培资源丰富。药材来源于栽培。

| **采收加工** | 根，秋、冬季采挖，洗净，切片，鲜用或晒干。藤茎，夏、秋季采收，切片，晒干。果实，夏、秋季果实成熟时采收，风干或鲜用。

| **功能主治** | 根、藤茎，祛风通络，祛湿消肿，解毒。用于风湿痹痛，小便不利。果实，补气血，强筋骨，利小便。用于气血虚弱，肺虚咳嗽，心悸盗汗，淋证，水肿。

| **用法用量** | 根，内服煎汤，15 ～ 30 g，或炖肉；外用适量，捣敷，或煎汤洗。藤茎，内服煎汤，10 ～ 15 g，或捣汁；外用适量，捣敷。果实，内服煎汤，15 ～ 30 g，或捣汁，或熬膏，或浸酒；外用适量，浸酒涂擦，或捣汁含咽，或研末敷。

芸香科 Rutaceae 山油柑属 Acronychia

山油柑 *Acronychia pedunculata* (L.) Miq.

药材名	沙糖木（药用部位：根、心材、叶、果实。别名：降真香、沙塘木、山橘）。
形态特征	乔木，高达 15 m。树皮灰白色至灰黄色，平滑，当年生枝常中空。单小叶，叶片椭圆形、倒卵形或倒卵状椭圆形，长 7 ~ 18 cm，全缘；叶柄基部略增大，呈叶枕状。花黄白色；花瓣两侧边缘内卷。果序下垂；果实淡黄色，半透明，近球形而稍具棱角，先端短喙尖，具浅沟纹 4，富含水分，味甜；种子倒卵形。花期 4 ~ 8 月，果期 8 ~ 12 月。
生境分布	生于海拔约 600 m 的山坡或平地杂木林中。分布于广东中部以南

地区。

| **资源情况** | 野生资源丰富。药材来源于野生。

| **采收加工** | 根、心材，全年均可采收，洗净，切片，半晒干或阴干。叶，全年均可采收，鲜用或晾干。果实，秋、冬季采收，用开水烫透，晒干。

| **药材性状** | 本品根、心材呈长条形或不规则形，长短不一。表面暗紫红色，较光滑，具刀削痕及纵直细槽纹。质坚硬而重，不易折断，锯断面红紫色。

| **功能主治** | 根、心材、叶，辛、苦，平，祛风止咳，理气止痛，活血消肿。用于支气管炎，感冒咳嗽，风湿腰腿痛，胃痛，疝气痛，跌打损伤，疔疮痈肿。果实，甘，平，健脾消食。用于跌打肿痛，心胃气痛，外感风寒或风热致咳逆喘息，风湿腰腿痛。

| **用法用量** | 内服煎汤，根、心材 15 ~ 30 g，果实 9 ~ 15 g；或研末服。

| **凭证标本号** | 441284191201180LY、440523190720007LY、441523190921049LY。

芸香科 Rutaceae 酒饼簕属 Atalantia

酒饼簕 *Atalantia buxifolia* (Poir.) Oliv.

| **药 材 名** | 东风橘（药用部位：根、叶。别名：针仔簕、牛屎橘、狗橘刺）。 |

| **形态特征** | 灌木。茎多刺，稀无刺，刺长达 4 cm。单叶，叶片硬革质，揉之具柑橘香气，卵形、倒卵形、椭圆形或近圆形，长 2 ~ 6 cm，稀长达 10 cm；叶柄粗壮。多花簇生于叶腋，花稀单生；萼裂片及花瓣均为 5，花瓣白色；雄蕊 10，分离，有时少数在基部合生。果实球形，扁圆形或近椭圆形；果萼宿存；种子 2 或 1。花期 5 ~ 12 月，果期 9 ~ 12 月。 |

| **生境分布** | 生于丘陵、平地、较干燥的空旷地灌丛中。分布于广东位于北回归线以南的地区。 |

| **资源情况** | 野生资源丰富。药材来源于野生。

| **采收加工** | 全年均可采收，根洗净，切片，晒干，叶阴干。

| **功能主治** | 苦、辛，温。祛风解表，化痰止咳，理气止痛。用于支气管炎，风寒咳嗽，感冒发热，风湿性关节炎，慢性胃炎，胃溃疡，跌打肿痛等。

| **用法用量** | 内服煎汤，根 10 ~ 30 g，叶 9 ~ 15 g；或浸酒。外用适量，鲜叶捣敷；或研末，酒炒敷。

| **凭证标本号** | 440781191102002LY、440882180512512LY、440785180326161LY。

芸香科 Rutaceae 酒饼簕属 Atalantia

广东酒饼簕 *Atalantia kwangtungensis* Merr.

| 药 材 名 | 广东酒饼簕（药用部位：根。别名：无刺东风橘、无刺酒饼簕）。

| 形态特征 | 灌木。茎枝无刺，或疏生短刺。单叶，叶片椭圆状披针形或长圆形，稀倒卵状椭圆形，长 10 ~ 21 cm，密布透明油腺点。3 花或更多花生于短的总花梗上，腋生；萼裂片及花瓣均为 4，花瓣白色；雄蕊 8，两两合生成 4 束，有时中部以下合生成筒状。果实宽卵形或橄榄状，鲜红色；种子 1 ~ 3，长卵形。花期 6 ~ 7 月，果期 11 月至翌年 1 月。

| 生境分布 | 生于山地常绿阔叶林中。分布于广东西南部。

| 资源情况 | 野生资源丰富。药材来源于野生。

| **采收加工** | 夏、秋季采收，切片，晒干，备用。

| **功能主治** | 微苦、辛，温。祛风解表，化痰止咳，行气止痛。用于疟疾，感冒头痛，咳嗽，风湿痹痛，胃脘寒痛，牙痛等。

| **用法用量** | 内服煎汤，9 ~ 15 g；或浸酒。外用适量，研末，酒炒敷。

芸香科 Rutaceae 石椒草属 Boenninghausenia

臭节草
Boenninghausenia albiflora (Hook.) Reichb.

| 药 材 名 |

岩椒草（药用部位：全草。别名：松风草、白虎草、臭草）。

| 形态特征 |

多年生草本，全株无毛，具浓烈气味，基部近木质，高达 80 cm。枝、叶灰绿色，稀紫红色。叶薄纸质，小叶片倒卵形、菱形或椭圆形，长 1 ~ 2.5 cm，老叶常呈褐红色。花序多花，花枝纤细，基部具小叶；花瓣白色，有时顶部呈桃红色；雄蕊 8，长短相间，花丝白色，花药红褐色；子房具柄。种子肾形，褐黑色。花果期 7 ~ 11 月。

| 生境分布 |

生于海拔 700 ~ 1 000 cm 的石灰岩山地。分布于广东北部地区及信宜。

| 资源情况 |

野生资源一般。药材来源于野生。

| 采收加工 |

春、夏季采收，切段，晒干。

| 功能主治 | 辛、苦，温。解表截疟，活血散瘀，解毒。用于感冒发热，支气管炎，疟疾，胃肠炎，跌打损伤，痈疽疮肿，烫伤。 |

| 用法用量 | 内服煎汤，9～15 g；或研末；或浸酒。外用适量，捣敷。 |

| 凭证标本号 | 441823200708005LY、441882180814033LY。 |

芸香科 Rutaceae 柑橘属 Citrus

酸橙 *Citrus × aurantium* L.

| 药 材 名 | 枳壳（药用部位：未成熟果实）、枳实（药用部位：幼果）。

| 形态特征 | 小乔木，高达 6 m。徒长枝刺长达 8 cm。叶卵状长圆形或椭圆形，长 5 ~ 10 cm，全缘或具浅齿；叶柄翅倒卵形，稀叶柄无翅。总状花序少花，兼有腋生单花。果实球形或扁球形，果皮厚，难剥离，橙黄色或朱红色，油室大，凹凸不平，果肉味酸，有时带苦味。

| 生境分布 | 栽培于丘陵、低山和江河湖泊的沿岸。广东各地零星栽培。

| 资源情况 | 野生资源稀少。栽培资源较少。药材来源于栽培。

| 采收加工 | **枳壳：**7 月果皮尚绿时采收果实，自中部横切为两半，晒干。

枳实：小暑前采收脱落的幼果，横切成两半，晒干。

| **药材性状** | 枳壳：本品呈半球形，直径 3 ~ 5 cm。外果皮棕褐色或褐色，有颗粒状突起，突起的先端有凹点状油室，有明显的花柱残迹或果柄痕。切面中果皮黄白色，光滑而稍隆起，厚 0.4 ~ 1.3 cm，边缘散有 1 ~ 2 列油室，瓤囊多为 7 ~ 12 瓣，稀为 15 瓣，汁囊干缩，呈棕色至棕褐色，内藏种子。质坚硬，不易折断。气清香，味苦、微酸。

枳实：本品多呈半球形，稀呈球形，直径 0.5 ~ 2.5 cm。外果皮黑绿色或暗棕绿色，具颗粒状突起和皱纹，有明显的花柱残迹或果柄痕。切面中果皮略隆起，黄白色或黄褐色，厚 0.3 ~ 1.2 cm，边缘有 1 ~ 2 列油室，瓤囊棕褐色。质坚硬。气清香，味苦、微酸。

| **功能主治** | 枳壳：破气，化痰，散积，消痞。用于食积痰滞，胸腹胀满，腹痛，胃下垂，脱肛，子宫脱垂。

枳实：功能与枳壳相同而力稍猛。

| **用法用量** | 内服煎汤，3 ~ 9 g；或入丸、散剂。外用适量，煎汤洗；或炒热熨。

芸香科 Rutaceae 柑橘属 Citrus

柠檬
Citrus × limon (L.) Osbeck

| **药 材 名** | 柠檬（药用部位：果实、根。别名：黎檬）。

| **形态特征** | 常绿小乔木。枝少刺或近无刺。嫩叶及花芽暗紫红色。叶卵形或椭圆形，长 8 ~ 14 cm，边缘有明显钝裂齿；翼叶宽或狭，或仅具痕迹。单花腋生或少数花簇生；花萼杯状；花瓣外面淡紫红色，内面白色；常有单性花，即雄蕊发育，雌蕊退化。果实椭圆形或卵形，两端狭，柠檬黄色，味酸至甚酸。一年四季均可开花，春、夏、秋季结果，以春季结果为主。

| **生境分布** | 广东各地均有栽培。

| **资源情况** | 栽培资源丰富。药材来源于栽培。

| **采收加工** | 果实，待果实呈黄绿色时分批采摘，再用乙烯进行催熟处理，使果皮变黄，鲜用，或切片，晒干。根，秋、冬季采收，洗净，切片，晒干。 |

| **药材性状** | 本品果实长椭圆形，顶部常有乳头状凸尖，果皮厚，柠檬黄色，密布含柠檬香气的油腺点，味酸至甚酸。 |

| **功能主治** | 果实，酸、甘，平，化痰止咳，生津健胃。用于胃热伤津，中暑烦渴，食欲不振，脘腹痞胀，咳嗽，妊娠呕吐。根，辛、苦，温。用于胃痛，疝气痛，跌打损伤，咳嗽。 |

| **用法用量** | 内服煎汤，果实 15 ～ 30 g，根 30 ～ 60 g。 |

| **凭证标本号** | 440783200312024LY、445224210307021LY。 |

芸香科 Rutaceae 柑橘属 Citrus

柚 *Citrus maxima* (Burm.) Merr.

| 药 材 名 | 化橘红（药用部位：果皮。别名：柚皮）、柚根（药用部位：根）、柚叶（药用部位：叶）。

| 形态特征 | 乔木。嫩枝、叶背、花梗、花萼及子房密被柔毛。嫩叶暗紫红色，嫩枝扁且有棱。叶厚，色深绿，阔卵形或椭圆形，连翼叶长 9 ~ 16 cm。总状花序，兼有腋生单花；花蕾淡紫红色，稀呈乳白色；雄蕊 25 ~ 35。果实圆球形、扁圆形、梨形或阔圆锥形，淡黄色或黄绿色，果皮海绵质；种子多达 200 余粒或无，形状不规则。花期 4 ~ 5月，果期 9 ~ 12 月。

| 生境分布 | 栽培于丘陵或低山。广东各地均有栽培。

| **资源情况** | 栽培资源丰富。药材来源于栽培。

| **药材性状** | **化橘红**：本品多为 5 ~ 7 瓣，稀有单瓣者。完整者展平后皮片直径为 25 ~ 32 cm，每单瓣长 10 ~ 13 cm，宽 5 ~ 7 cm，厚 0.5 ~ 1 cm，皮片边缘略向内卷曲。外表面黄绿色至黄棕色，有时呈金黄色，极粗糙，有多数凹下的圆点及凸起的油点；内表面白色，稍软而有弹性，呈棉絮状。质柔软。有浓烈的柚子香气。

柚根：本品呈圆柱形。表面灰黄色或淡棕黄色，具纵向浅沟纹和细根痕，刮去粗皮显绿黄色。质硬，难折断，断面不平坦，纤维性。气微香，味苦、微辛辣而刺舌。

柚叶：本品多皱缩卷曲，展平后呈卵形至椭圆状卵形，长 6 ~ 15 cm，先端渐尖或微凹，边缘具稀锯齿。正面黄绿色，背面浅绿色，对光透视可见无数透明小点（油室）。叶柄有倒心形宽翅，长 2 ~ 5 cm。质脆，易撕裂。气香，味微苦、微辛。

| **功能主治** | **化橘红**：果实，辛、甘，平。宽中理气，化痰止咳。用于气滞腹胀，胃痛，咳嗽气喘，疝气痛。

柚根：辛、苦，温。理气止痛，散风寒。用于胃痛气胀，疝气痛，风寒咳嗽。

柚叶：解毒消肿。用于乳腺炎，扁桃体炎。

| **用法用量** | **化橘红**：内服煎汤，9 ~ 15 g。外用适量，煎汤洗。

柚根：内服煎汤，15 ~ 30 g。外用适量，煎汤洗；或捣敷。

柚叶：内服煎汤，9 ~ 15 g。外用适量，煎汤洗；或捣敷。

| **凭证标本号** | 440783200312008LY、441823191203015LY、441422190317300LY。

芸香科 Rutaceae 柑橘属 *Citrus*

化橘红

Citrus maxima 'Tomentosa'

| **药 材 名** | 化橘红(药用部位:果皮、未成熟果实、花。别名:化州橘红、毛橘红)。

| **形态特征** | 常绿小乔木。枝条粗壮,斜生,幼枝密被柔毛,有微小针刺。叶长椭圆形,长 8 ~ 13 cm,两面主脉上均具柔毛;翼叶倒心形。花单生或为腋生花序,极香;萼具 4 浅裂;花瓣白色,矩圆形;雄蕊 20 ~ 25。果实圆形或略扁,柠檬黄色,油室大而明显,幼果密被白色绒毛,果皮不易剥离,厚约 2 cm,果肉淡乳黄色,味酸、微苦。花期 3 月,果期 10 ~ 11 月。

| **生境分布** | 栽培于丘陵或低山。分布于广东化州、吴川。

| **资源情况** | 栽培资源丰富。药材来源于栽培。

| **采收加工** | 未成熟果实，夏季果实未成熟时采摘，置沸水中略烫，将果皮割成 5 或 7 瓣，压制成形，干燥。花，春季采收，晒干。 |

| **药材性状** | 本品果皮呈对折的七角星状或展平的五角星状，单片呈柳叶形。完整者展平后直径为 15 ~ 28 cm，厚 0.2 ~ 0.5 cm。外表面黄绿色，密布茸毛，有皱纹及小油室；内表面黄白色或淡黄棕色，有脉络纹。质脆，易折断，断面不整齐，外缘有 1 列不整齐且下凹的油室，内侧稍柔而有弹性。气芳香，味苦、微辛。 |

| **功能主治** | 苦、辛，温。理气化痰，燥湿，消食。用于风寒咳嗽，痰多气逆，食积嗳气。 |

| **用法用量** | 内服煎汤，3 ~ 6 g；或入丸、散剂。 |

芸香科 Rutaceae 柑橘属 Citrus

香橼 *Citrus medica* L.

药材名

香橼（药用部位：果实。别名：枸橼、香圆、陈香圆）。

形态特征

小乔木或呈灌木状，高达5 m。幼枝、芽及花蕾均呈暗紫红色，茎枝多刺，刺长达4 cm。单叶，稀单身复叶，无叶柄翅；叶椭圆形或卵状椭圆形，长6 ~ 12 cm；叶柄短。总状花序具花达12，兼有腋生单花。果实椭圆形、近球形或纺锤形，果皮淡黄色，粗糙，难剥离，内果皮棉质，果肉近透明或呈淡乳黄色，有香气。花期4 ~ 5月，果期10 ~ 11月。

生境分布

广东各地零星栽培。

资源情况

栽培资源较少。药材来源于栽培。

采收加工

秋季采收成熟果实，切成1 cm厚的片，摊开曝晒，遇雨天可烘干。

| **药材性状** | 本品为圆形或长圆形片，厚 2 ~ 5 mm。横切面边缘略呈波状，外果皮黄绿色或浅橙黄色，散有凹入的油点；中果皮黄白色，较粗糙，有不规则的网状突起。质柔韧。气清香，味甘而苦、辛。

| **功能主治** | 苦、辛、酸，温。理气，止痛，化痰。用于胸闷，气逆呕吐，脘腹胀痛，痰饮咳嗽。

| **用法用量** | 内服煎汤，4.5 ~ 9 g；或入丸、散剂。

芸香科 Rutaceae 柑橘属 Citrus

佛手

Citrus medica L. var. *sarcodactylis* (Hoola van Nooten) Swingle

| 药 材 名 |

佛手（药用部位：果实、叶、根。别名：佛手柑、手柑）。

| 形态特征 |

本种形态与香橼极相似。本种叶片先端常明显凹缺；子房在花柱脱落后即分裂，在果实的发育过程中成为手指状肉条；果皮甚厚，略呈绵质而爽脆，有时几乎无肉瓤；通常无种子；大者重达 2 kg；香气比香橼浓，久置更香。花期 4 ~ 5 月，果期 10 ~ 11 月。

| 生境分布 |

生于热带、亚热带地区。广东各地均有栽培。

| 资源情况 |

栽培资源丰富。药材来源于栽培。

| 采收加工 |

果实，秋、冬季果实成熟时采收，晒干。叶、根，夏、秋季采收，晒干。

| 药材性状 |

本品果实卵形或长圆形，先端裂瓣如拳或呈指状，常皱缩或卷曲。外皮橙黄色或黄绿色，有皱纹和油点。果肉浅黄白色或浅黄色，散有凹凸不平的线状或点状维管束。质脆而硬，受潮后柔软。气香，味先微甘而后苦。

| **功能主治** | 辛、微苦、酸，平。理气止痛，消食化痰。用于胸腹胀满，食欲不振，胃痛，呕吐，咳嗽气喘。

| **用法用量** | 内服煎汤，3～10 g；或泡茶饮。

| **凭证标本号** | 440783191208010LY、441284210530733LY、445222190903012LY。

芸香科 Rutaceae 柑橘属 Citrus

柑橘
Citrus reticulata Blanco

| **药 材 名** | 陈皮（药用部位：成熟果实的果皮）、青皮（药用部位：幼果或未成熟果实的果皮）、橘核（药用部位：种子）、橘叶（药用部位：叶）、橘络（药用部位：成熟果实的中果皮与内果皮之间的维管束群）。

| **形态特征** | 小乔木，无刺或少刺，枝多叶茂。单身复叶，翼叶甚窄或仅具痕迹，叶片比橙类植物的薄且小，先端常有明显凹缺。花单生或 2 ～ 3 花簇生于叶腋，花瓣长约 1 cm，盛花时稍反卷。果实圆形或扁圆形，果皮薄，易剥离，油室明显，果心空，瓢囊 7 ～ 14，果肉甜或甚酸，有时有苦味；种子基部圆，先端狭尖。花期 3 ～ 5 月或 7 ～ 8 月，果期 10 月至翌年 2 月。

| 生境分布 | 广东各地广泛栽培。

| 资源情况 | 野生资源稀少。栽培资源丰富。药材来源于栽培。

| 采收加工 | **陈皮：** 冬季采收成熟果实，剥取果皮，晒干。
青皮： 收集脱落的幼果，用开水烫一下，用刀纵剖成 4 瓣，除去内瓤，晒干。
橘核： 秋、冬季采收，晒干。

| 药材性状 | **陈皮：** 本品常剥成数瓣，基部相连，有的呈不规则的片状，厚 1 ~ 4 mm。外表面橙红色或红棕色，有细皱纹及凹下的油点；内表面浅黄白色，粗糙，附黄白色或黄棕色经络状维管束。质稍硬而脆。气香，味辛、苦。

| 功能主治 | **陈皮：** 苦、辛，温。理气健胃，燥湿化痰。用于胃腹胀满，呕吐呃逆，咳嗽痰多。
青皮： 苦、辛，温。破气散结，疏肝止痛，消食化滞。用于胸腹胀闷，胁肋疼痛，乳腺炎，疝痛。
橘核： 苦，平。理气止痛。用于乳腺炎，疝痛，睾丸肿痛。
橘叶： 苦，平。行气，解郁，散结。用于乳腺炎，胁痛。
橘络： 苦，平。通络，化痰。用于咳嗽痰多，胸胁作痛。

| 用法用量 | **陈皮：** 内服煎汤，3 ~ 9 g。
青皮： 内服煎汤，6 ~ 9 g。
橘核： 内服煎汤，3 ~ 9 g。
橘叶： 内服煎汤，3 ~ 9 g。
橘络： 内服煎汤，3 ~ 6 g。

芸香科 Rutaceae 柑橘属 Citrus

茶枝柑
Citrus reticulata 'Chachiensis'

| 药 材 名 | 广陈皮（药用部位：果皮。别名：新会柑）。

| 形态特征 | 小乔木。叶片披针形、椭圆形或阔卵形，先端常凹缺。花单生或2～3花簇生；花柱粗而短，柱头比子房大。果实扁圆形，横径5.5～6.5 cm，果顶略凹，柱痕明显，有时有小脐，蒂部稍隆起且具浅放射沟，橙红色，光润，油室大，果皮颇脆而易折断，皮厚2.7～3.3 mm，瓢囊10～12瓣，果肉汁多，甜酸适度；种子15～25，先端尖或钝。果期11～12月。

| 生境分布 | 栽培于丘陵、低山、江河湖泊沿岸或平原。广东新会有栽培。

| 资源情况 | 栽培资源丰富。药材来源于栽培。

采收加工	10 ~ 12 月将成熟果实的果皮剥下，晒干。
药材性状	本品常 3 瓣相连，形状整齐，厚度均匀，厚约 1 mm。油点较大，对光照视，透明清晰。质较柔软。气香，味辛、苦。
功能主治	辛、甘，寒。下气，调中，化痰，醒酒。用于饮食失调，上气烦满，伤酒口渴。
用法用量	内服煎汤，3 ~ 9 g；或入丸、散剂。

芸香科 Rutaceae 柑橘属 Citrus

甜橙 *Citrus × sinensis* (L.) Osbeck

| 药 材 名 |

甜橙（药用部位：叶、果皮。别名：广柑、脐橙、香橙）。

| 形态特征 |

小乔木，高达 5 m，少刺或无刺。翼叶明显或稍狭窄，叶片卵形或卵状椭圆形，稀披针形，长 6 ~ 10 cm。总状花序少花，兼有腋生单花；花瓣白色，稀背面带淡紫红色；雄蕊 20 ~ 25。果实球形、扁球形或椭圆形，橙黄色至橙红色，果皮难剥离或稍易剥离，果肉味甜或酸甜；种子少或无。花期 3 ~ 5 月，果期 10 ~ 12 月。

| 生境分布 |

栽培于丘陵、低山和江河湖泊的沿岸。广东各地均有栽培。

| 资源情况 |

栽培资源丰富。药材来源于栽培。

| 采收加工 |

叶，夏、秋季采收，晒干。果皮，11 ~ 12 月果实成熟时采摘果实，剥取果皮，鲜用或晒干。

| **功能主治** | 叶，辛、苦，平。散瘀止痛。用于肝气郁滞所致胁肋疼痛，脘腹胀满，产妇乳汁不通，乳房结块肿痛，醉酒。果皮，辛、苦，温。行气健脾，降逆化痰。用于痰多咳嗽，脘腹胀满。 |

| **用法用量** | 内服研末，干品6 g；或鲜品适量，捣汁。 |

| **凭证标本号** | 441426140721005LY。 |

芸香科 Rutaceae 柑橘属 Citrus

枳

Poncirus trifoliata L. Raf.

| 药 材 名 |

铁篱寨（药用部位：果实、叶。别名：臭橘、枸橘李、臭杞）。

| 形态特征 |

小乔木，高 1 ~ 5 m。枝绿色，嫩枝扁，有纵棱；茎刺长达 4 cm，刺尖干枯状，红褐色，基部扁平。叶柄有狭长的翼叶，翼叶通常为指状三出叶；小叶等长或中间的 1 小叶较大。花单生或成对腋生，先叶开放；花瓣白色，匙形。果实近圆球形或梨形，果顶微凹，有环圈，果皮暗黄色，粗糙，微有香橼气味，甚酸且苦，带涩味。花期 5 ~ 6 月，果期 10 ~ 11 月。

| 生境分布 |

生于光照充足处。广东东北部、北部有栽培。

| 资源情况 |

栽培资源较丰富。药材来源于栽培。

| 采收加工 |

果实，秋季未成熟时采收，切丝，阴干。叶，全年均可采收，鲜用。

| **功能主治** | 果实，苦、辛、酸，微寒。健胃消食，理气止痛。用于胃痛，消化不良，胸腹胀痛，便秘，子宫脱垂，脱肛，睾丸肿痛，疝气痛。叶，苦，凉。用于风热感冒，醉酒烦渴，呕吐，大便秘结。

| **用法用量** | 内服煎汤，果实 9 ~ 15 g，大剂量可用至 30 g，叶 6 ~ 15 g。外用适量，煎汤洗；或熬膏涂。

| **凭证标本号** | 440281200709003LY、441823200723022LY。

芸香科 Rutaceae 黄皮属 Clausena

齿叶黄皮
Clausena dunniana H. Lévl

| 药材名 | 野黄皮（药用部位：根、叶）。

| 形态特征 | 小乔木，高达5m。奇数羽状复叶；小叶5～15，卵形至披针形，长4～10cm，两面无毛，幼叶脉上疏被短毛；小叶柄长4～8mm。花序顶生兼近枝顶腋生；花梗无毛；萼片及花瓣均4，稀5，花瓣白色，长圆形；雄蕊8，稀10，花丝中部屈膝状。果实近圆球形，成熟时呈蓝黑色。花期6～7月，果期10～11月。

| 生境分布 | 生于石灰岩山上的灌丛中。分布于广东高要以北的西江和北江沿线各地。

| 资源情况 | 野生资源一般。药材来源于野生。

| **采收加工** | 全年均可采收，根洗净，切片，晒干，叶鲜用。

| **功能主治** | 微辛、苦，温。疏风解表，行气散瘀，除湿消肿。用于感冒，麻疹，哮喘，水肿，胃痛，风湿痹痛，湿疹，扭挫伤，骨折。

| **用法用量** | 内服煎汤，6 ~ 12 g。外用适量，鲜品捣敷。

芸香科 Rutaceae 黄皮属 Clausena

假黄皮
Clausena excavata Burm. f.

药材名

假黄皮（药用部位：根、叶。别名：臭黄皮、臭麻木、野黄皮）。

形态特征

灌木，高 1 ~ 2 m。小枝及叶轴密被向上弯曲的短柔毛。奇数羽状复叶；小叶 21 ~ 27，斜卵形、斜披针形或斜四边形，长 2 ~ 9 cm；小叶柄长 2 ~ 5 mm。花序顶生；雄蕊 8，长短相间，花蕾时贴附于花瓣内侧，盛花时伸出花瓣外，花丝中部屈膝状。果实椭圆形，初被毛，成熟时由暗黄色转为淡红色至朱红色，毛脱落。花期 4 ~ 5 月或 7 ~ 8 月，果期 8 ~ 10 月。

生境分布

生于低海拔丘陵坡地灌丛或疏林中。分布于广东西江以南（肇庆以西）地区。

资源情况

野生资源较丰富。药材来源于野生。

采收加工

全年均可采收，晒干。

| 功能主治 | 苦、辛，温。疏风解表，行气利湿，截疟。用于上呼吸道感染，流行性感冒，疟疾，急性胃肠炎，痢疾；外用于湿疹。

| 用法用量 | 内服煎汤，9～15 g；或研末开水送服，3～6 g。外用叶适量，煎汤洗。

| 凭证标本号 | 440882180602013LY。

芸香科 Rutaceae 黄皮属 Clausena

黄皮
Clausena lansium (Lour.) Skeels

药材名

黄皮根（药用部位：根）、黄皮叶（药用部位：叶）、黄皮（药用部位：果实）。别名：油皮、油梅。

形态特征

小乔木，高达 12 m。小枝、叶轴、花序轴、未张开的小叶背脉密被短直毛。小叶 5 ~ 11，卵形或卵状椭圆形，长 6 ~ 14 cm；小叶柄长 4 ~ 8 mm。圆锥花序顶生；花瓣 5，被毛；雄蕊 10，花丝非屈膝状；子房密被长毛，子房柄短。果实球形、椭圆形或宽卵形，淡黄色至暗黄色，被毛，果肉乳白色，半透明。花期 4 ~ 5 月，果期 7 ~ 8 月。

生境分布

广东各地均有栽培。

资源情况

栽培资源丰富。药材来源于栽培。

采收加工

黄皮根：全年均可采收，切片，晒干。

黄皮叶：全年均可采收，晒干。

黄皮：7 ~ 8 月果实成熟时采摘，直接晒干或用食盐腌后晒干。

| **功能主治** | 黄皮根: 苦、辛, 微温。行气止痛, 健胃消肿。用于胃痛, 腹痛, 疝痛, 风湿关节痛, 痛经。

黄皮叶: 辛、苦, 平。解表散热, 顺气化痰。用于流行性感冒, 流行性脑脊髓膜炎, 疟疾, 感冒发热。

黄皮: 甘、酸, 微温。化痰消食。用于积食胀满, 痰饮咳喘。

| **用法用量** | 黄皮根: 内服煎汤, 9 ~ 15 g。

黄皮叶: 内服煎汤, 9 ~ 15 g。

黄皮: 内服煎汤, 15 ~ 30 g。

| **凭证标本号** | 440783191006001LY、440781190319022LY、441284191005391LY。

芸香科 Rutaceae 吴茱萸属 Euodia

华南吴萸 *Euodia austrosinensis* Hand.-Mazz.

药 材 名	树腰子（药用部位：果实。别名：枪椿、大树椒）。
形态特征	乔木，高达15 m。树皮灰褐色，内皮干时呈红褐色。小枝髓部大，嫩枝及芽密被灰色或红褐色短绒毛。小叶5～13，卵状椭圆形或长椭圆形，长7～15 cm。花序顶生，多花；花瓣淡黄白色；雄花的退化雌蕊短棒状，5浅裂；雌花的退化雄蕊甚短。果瓣淡紫红色至深红色，油点微凸起，内果皮薄壳质，蜡黄色，有成熟种子1。花期6～7月，果期9～11月。
生境分布	生于海拔约500 m的山地杂木林中。分布于广东连州、连山、连南、英德、始兴、乐昌、翁源、从化、大埔、阳春、信宜。

| **资源情况** | 野生资源较丰富。药材来源于野生。

| **采收加工** | 秋季果实成熟时采收，晒干。

| **功能主治** | 辛，温。温中散寒，行气止痛。用于胃痛，头痛。

| **用法用量** | 内服煎汤，1 ～ 2.5 g。

| **凭证标本号** | 441623181022002LY。

臭辣吴萸

Euodia fargesii Dode

| **药 材 名** | 臭辣树（药用部位：果实）。 |

| **形态特征** | 乔木，高达 17 m。树皮暗灰色。嫩枝紫褐色，散生小皮孔。小叶 5 ~ 9，斜卵形至斜披针形，长 8 ~ 16 cm。花序顶生，多花；雄花的退化雌蕊顶部 5 深裂，裂瓣被毛；雌花的退化雄蕊甚短，难以察见。果瓣紫红色，干后色较暗淡，每分果瓣有 1 种子；种子褐黑色，有光泽。花期 6 ~ 8 月，果期 8 ~ 10 月。 |

| **生境分布** | 生于海拔 1 000 ~ 1 500 m 的山地杂木林中。分布于广东乳源、乐昌。 |

| **资源情况** | 野生资源一般。药材来源于野生。 |

| **采收加工** | 秋季果实成熟时采收，晒干。 |

药材性状	本品呈星状扁球形，多由中部以下离生的 4 或 5 蓇葖果组成。表面棕黄色至绿褐色，略粗糙，具皱纹，油点稀疏，先端具梅花状深裂，基部残留果柄，略被柔毛或无毛。
功能主治	苦、辛，温。止咳，散寒。用于咳嗽，腹泻，腹痛。
用法用量	内服煎汤，6 ~ 9 g，鲜品 15 ~ 18 g。
凭证标本号	440923140831014LY、441426160716001LY。

芸香科 Rutaceae 吴茱萸属 Euodia

三桠苦
Euodia lepta (Spreng.) Merr.

| 药 材 名 | 三叉虎（药用部位：根、叶。别名：三叉苦、鸡骨树、三丫苦）。

| 形态特征 | 小乔木，当年生枝的节间呈压扁状。三出掌状复叶；小叶椭圆形或长圆形，长 6 ~ 12 cm，散生肉眼难见的小油点，揉之有香气，味苦。花序腋生，常兼有顶生者；花 4 基数，细小；花瓣白色或淡黄色；雄花的退化雌蕊细小；雌花的退化雄蕊通常具花药而无花粉。果实淡茶褐色至红褐色，开裂时内、外果皮分离且略向内弯卷。花期 4 ~ 5 月，果期 8 ~ 9 月。

| 生境分布 | 生于海拔 1 400 m 以下的丘陵、平原、溪边的疏林或灌丛中。广东各地均有分布。

| 资源情况 | 野生资源丰富。栽培资源较丰富。药材来源于野生栽培。

| 采收加工 | 夏、秋季采收，根洗净，切片，晒干，叶阴干。

| 药材性状 | 本品根表面黄白色至灰褐色，有的可见点状或条状凸起的灰白色皮孔，略呈纵向排列，横切面皮部厚 0.5 ~ 2 mm，黄白色，质坚硬。小叶片多皱缩、破碎，完整者展开后呈椭圆形或长圆状披针形，两面光滑无毛，有透明小腺点。

| 功能主治 | 苦，寒。清热解毒，散瘀止痛。用于风湿关节痛，疟疾，黄疸，湿疹，皮炎，跌打损伤，蛇虫咬伤等。

| 用法用量 | 内服煎汤，根 9 ~ 30 g，叶 9 ~ 15 g。外用适量，鲜叶捣敷；或煎汤洗；或研末，调制软膏搽。

| 凭证标本号 | 441523190404004LY、441825190411023LY、440783190416005LY。

芸香科 Rutaceae 吴茱萸属 Euodia

楝叶吴萸
Euodia meliiefolia (Hance ex Walp.) Benth.

| 药 材 名 | 鹤子树（药用部位：根、叶、果实。别名：野吴芋、野荞子、山辣子）。

| 形态特征 | 乔木，高达 20 m。树皮灰白色。小叶 7 ~ 11，斜卵状披针形，长 6 ~ 10 cm，两侧明显不对称。花序顶生，多花；花瓣白色；雄花的退化雌蕊短棒状，顶部 4 ~ 5 浅裂；雌花的退化雄蕊鳞片状或仅残留痕迹。果瓣淡紫红色，干后暗灰色带紫色，油点稀少但较明显，每分果瓣有 1 种子。花期 7 ~ 9 月，果期 10 ~ 12 月。

| 生境分布 | 生于溪涧两岸树林中或村边、路旁湿润处。分布于广东乳源、乐昌、五华、兴宁、平远、陆丰、惠东、惠阳、博罗、广宁、高要、德庆、新兴、台山、阳春、信宜、高州、化州、徐闻及云浮（市区）、广州（市区）、深圳（市区）、珠海（市区）、清远（市区）等。

| **资源情况** | 野生资源较丰富。栽培资源丰富。药材来源于野生和栽培。

| **采收加工** | 夏、秋季采收根、叶，秋季果实成熟时采收果实，晒干。

| **功能主治** | 根、叶，辛、微甘、涩，凉；有小毒。清热化痰，止咳。用于咳嗽，关节肿痛，疮痈疖毒，烫火伤。果实，辛、苦，温。温中散寒，行气止痛。用于胃痛。

| **用法用量** | 根、叶：内服煎汤，9～15 g。外用适量，捣敷。果实，内服煎汤，3 g。外用捣烂，炒热，加醋少许糊脚心，30 g。

| **凭证标本号** | 441523190919001LY、440783191207002LY、445222180804006LY。

芸香科 Rutaceae 吴茱萸属 Euodia

吴茱萸

Euodia ruticarpa (A. Juss.) Benth.

| 药 材 名 | 吴茱萸（药用部位：果实。别名：吴萸、臭辣子、吴椒）。

| 形态特征 | 小乔木。分枝多，芽和新梢均被泥黄色或紫红色柔毛。小叶 5 ~ 11，生于叶轴上部至中部的小叶椭圆形至长圆形，长 6 ~ 12 cm，生于叶轴下部的小叶常呈卵形。花序顶生，花序轴基部常有细小的正常叶 1 对；花 5 基数；花瓣淡黄白色；雌花的花瓣比雄花的大；雄花的退化雌蕊短棒状，5 裂。果实暗紫红色，油点多。花期 6 ~ 8 月，果期 9 ~ 11 月。

| 生境分布 | 生于平地至海拔 1 500 m 的山地、村旁、林缘或疏林中。广东各地均有栽培。

| 资源情况 | 野生资源较丰富。栽培资源较丰富。药材来源于野生和栽培。

| 采收加工 | 秋季果实成熟但尚未开裂时采收，晒干。

| 药材性状 | 本品类球形或略呈五角状扁球形，直径 2 ～ 5 mm，表面暗绿黄色至褐色，粗糙，有多数点状突起或凹下油点。先端有五角星状的裂隙，基部有花萼及果柄，被黄色茸毛。质硬而脆。横切面可见子房 5 室，每室有淡黄色种子 1。气芳香浓郁，味辛辣而苦。

| 功能主治 | 辛、苦，热；有小毒。温中散寒，燥湿，疏肝，止呕，止痛。用于胃腹冷痛，恶心呕吐，泛酸嗳气，腹泻，蛲虫病；外用于高血压，湿疹。

| 用法用量 | 内服煎汤，1.5 ～ 4.5 g。外用适量，研末调敷；或煎汤洗。

| 凭证标本号 | 440281190625020LY、440281190627006LY、441823200708001LY。

芸香科 Rutaceae 吴茱萸属 Euodia

牛纠吴萸
Euodia trichotoma (Lour.) Peirre

| 药 材 名 | 五除叶（药用部位：果实、叶。别名：牛纠树、茶辣、树幽子）。

| 形 态 特 征 | 小乔木。当年生枝暗紫红色。小叶 5 ~ 9，狭长圆形，生于叶轴基部的小叶常呈卵形或椭圆形，长 7 ~ 15 cm，油点多且大，嫩叶在中脉上有甚短的鳞片状毛。花序顶生；花 4 基数；花瓣白色；雄花的退化雌蕊圆锥形，顶部 4 裂；雌花的退化雄蕊短线状。果实暗紫色，有油点，果瓣干后呈黄棕色，具横纹，油点变为褐黑色。花期 7 ~ 8 月，果期 11 ~ 12 月。

| 生 境 分 布 | 生于海拔 600 ~ 1 400 m 的山地杂木林中。分布于广东高要、信宜、乐昌、龙门等。

| **资源情况** | 野生资源稀少。药材来源于野生。

| **采收加工** | 秋季果实成熟时采收果实，夏、秋季采收叶，晒干。

| **功能主治** | 果实，苦、辛，温。理气止痛。用于胃痛，腹痛，腹泻，感冒，咳嗽。叶，苦、辛，温。祛风除湿。用于风湿性关节炎，荨麻疹，湿疹，疮疡。

| **用法用量** | 内服煎汤，9 ~ 15 g。外用适量，捣敷；或煎汤洗。

芸香科 Rutaceae 金橘属 Fortunella

山橘

Fortunella hindsii (Champ. ex Benth.) Swingle

| **药 材 名** | 山橘（药用部位：果实、根。别名：金豆、猴子柑、山金橘）。

| **形态特征** | 灌木。分枝多，刺多。叶椭圆形或卵状椭圆形，长 4 ~ 6 cm。花单生或少数簇生于叶腋；花梗甚短；花萼甚小；花瓣 5，长不及 5 mm；雄蕊约 20，花丝合生成 4 或 5 束，比花瓣短；花柱与子房等长或较子房稍长。果实直径约 1 cm 或较小，通常有瓤囊 3，橙黄色至朱红色，平滑，果皮略有麻舌感且微苦，果肉味酸。花期 4 ~ 5 月，果期 10 ~ 12 月。

| **生境分布** | 生于海拔 1 100 m 以下的山地疏林中。广东各地均有分布。

| **资源情况** | 野生资源较丰富。药材来源于野生。

| 采收加工 | 秋季果实成熟时采收果实，夏、秋季采收根，晒干。

| 功能主治 | 果实，辛、酸、甘，温，宽中，化痰，下气。用于胃气痛，食积胀满，疝气，风寒咳嗽，冷哮。根，辛、苦，温，醒脾行气。用于风寒咳嗽，胃气痛，食积胀满，疝气。

| 用法用量 | 内服煎汤，果实 9 ～ 15 g，根 15 ～ 30 g。

| 凭证标本号 | 441523200109006LY、440781190827010LY、440523190718025LY。

芸香科 Rutaceae 金橘属 Fortunella

金柑
Fortunella japonica (Thunb.) Swingle

药 材 名

金橘（药用部位：叶、果实、种子。别名：罗纹、圆金柑、圆金橘）。

形态特征

灌木，分枝多。单小叶；小叶片长圆状披针形或卵状椭圆形，长 4 ~ 8 cm，翼叶甚窄或稍明显。花单生或少数簇生于叶腋；雄蕊 15 ~ 20，花丝不同程度地合生成数束，间有离生者。果实圆形或近圆球形，直径 2 ~ 2.5 cm，橙黄色至橙红色，果皮油室稍凸起，味甜，果肉味酸。花期 4 月或 8 月，果期 11 月至翌年 2 月。盆栽 1 年可开花 3 次，初花在 3 ~ 4 月，末花在 8 ~ 9 月。

生境分布

生于山坡疏林或灌丛中。分布于广东南澳。广东各地均有栽培。

资源情况

野生资源稀少。栽培资源一般。药材来源于栽培。

采收加工

叶，全年均可采收，洗净，晒干。果实，秋

季成熟时采收，晒干。种子，9～10 月采摘成熟果实，除去果皮、果瓤，留取种子，晒干。

| 功能主治 | 叶，辛、苦，寒，疏肝解郁，理气散结。用于噎膈，瘰疬，乳房结块，乳腺炎。果实，辛、甘，温，理气解郁，消食化痰，醒酒。用于胸闷郁结，脘腹痞胀，食滞纳呆，咳嗽痰多，伤酒口渴。种子，酸、辛，平，化痰散结，理气止痛。用于喉痹，瘰疬结核，疝气，睾丸肿痛，乳房结块，乳腺炎。

| 用法用量 | 果实，内服煎汤，3～9 g，鲜品 15～30 g；或捣汁饮；或泡茶；或嚼服。

| 凭证标本号 | 441421181208565LY。

芸香科 Rutaceae 金橘属 Fortunella

金橘 *Fortunella margarita* (Lour.) Swingle

药材名

金橘（药用部位：根、果实。别名：橘子、金枣、牛奶橘）。

形态特征

灌木。实生苗及萌生枝常具少数短刺，栽培者无刺。单小叶；小叶片长圆形或披针形，长 5 ~ 11 cm，翼叶甚窄。单花或数花簇生于叶腋；雄蕊 20 ~ 25，常合生成 5 束。果实椭圆形或卵状椭圆形，长 2 ~ 3.5 cm，橙黄色至橙红色，果皮味甜，油室通常稍凸起，果肉味酸。花期 3 ~ 5 月，果期 10 ~ 12 月。盆栽者多次开花，通常保留其 7 ~ 8 月开的花，至春节前夕果实成熟。

生境分布

生于海拔 600 ~ 1 000 m 的疏林中。广东各地均有栽培。

资源情况

栽培资源丰富。药材来源于栽培。

采收加工

夏、秋季采收根，秋季果实成熟时采收果实，晒干。

| **药材性状** | 本品果实卵圆形或长圆球形，果顶凹入，表面金黄色或橙红色，平滑，油腺密生，皮薄，瓣囊 4 ~ 5；种子多数，卵状球形。味酸、甜。

| **功能主治** | 根，辛、苦，温，醒脾行气。用于胃脘胀痛，疝气，产后腹痛，子宫下垂，瘰疬初起。果实，辛、酸、甘，温，宽中，化痰，下气。用于胸闷郁结，脘腹痞胀，食滞纳呆，咳嗽痰多，伤酒口渴。

| **用法用量** | 果实，内服煎汤，3 ~ 9 g，鲜品 15 ~ 30 g；或捣汁饮；或泡茶；或嚼服。

| **凭证标本号** | 441827180322039LY。

芸香科 Rutaceae 山小橘属 Glycosmis

小花山小橘
Glycosmis parviflora (Sims) Little

| 药 材 名 | 山小橘（药用部位：根、叶、果实。别名：山柑橘、野沙柑、酒饼木）。

| 形态特征 | 灌木或小乔木。小叶 2 ~ 4，稀 5；小叶片椭圆形、长圆形、披针形或倒卵状椭圆形，长 5 ~ 19 cm，中脉在叶面平坦或微凸起，或下半段微凹陷，侧脉颇明显。圆锥花序腋生及顶生，通常长 3 ~ 5 cm，顶生时长可达 14 cm。果实圆球形或椭圆形，果皮多油点，淡红色或暗朱红色。花期 3 ~ 5 月，果期 7 ~ 9 月。

| 生境分布 | 生于丘陵、坡地、疏林或灌丛中。分布于广东乐昌、翁源、连州、英德、花都、增城、陆丰、博罗、顺德、新兴、罗定、台山、高要、怀集、德庆、阳春、化州、高州及湛江（市区）、深圳（市区）、珠海

（市区）、茂名（市区）、广州（市区）。

| **资源情况** | 野生资源丰富。药材来源于野生。

| **采收加工** | 根、叶，全年均可采收，根洗净，切片，晒干，叶鲜用。果实，秋季果实成熟时采收，晒干。

| **功能主治** | 辛、甘，平。祛痰止咳，理气消积，散瘀消肿。用于感冒咳嗽，消化不良，食欲不振，食积腹痛，疝气痛；外用于跌打肿痛。

| **用法用量** | 内服煎汤，9 ~ 15 g。外用适量，煎汤洗；或鲜叶捣敷。

| **凭证标本号** | 440783191103023LY、441823200709007LY、440882180512315LY。

芸香科 Rutaceae 小芸木属 Micromelum

大管

Micromelum falcatum (Lour.) Tanaka

| 药 材 名 | 野黄皮（药用部位：根、叶。别名：鸡卵黄）。

| 形态特征 | 高1～3m。小枝、叶柄及花序轴均被长直毛，小叶背面被毛较密。一回羽状复叶，小叶5～11；小叶片镰状披针形，顶部弯斜长渐尖，基部两侧极不对称，叶缘锯齿状或波浪状。花序顶生，多花，白色。浆果由绿色转为橙黄色、朱红色，果皮散生透明油点。花期1～4月，果期6～8月。

| 生境分布 | 生于阳光充足的低海拔灌丛、阴生林中或树边、路旁。分布于广东徐闻。

| 资源情况 | 野生资源一般。药材来源于野生。

| 采收加工 | 夏、秋季采收，晒干。

| 功能主治 | 苦、辛，温。散瘀行气，止痛，活血。用于毒蛇咬伤，胸痹，跌打扭伤。

| 用法用量 | 内服煎汤，根 9 ~ 15 g，叶 6 ~ 12 g。

| 凭证标本号 | 441823200710021LY、440882180430432LY。

芸香科 Rutaceae 小芸木属 Micromelum

小芸木

Micromelum integerrimum (Roxb. ex Dc.) Wight et Arn. ex M. Roem.

| 药 材 名 | 野黄皮（药用部位：根、叶。别名：半边枫、鸡屎木、山黄皮）。

| 形态特征 | 小乔木。当年生枝、叶轴、花序轴均呈绿色，密被短伏毛。羽状复叶具小叶 7 ~ 15；小叶片斜卵状椭圆形至斜卵形，叶轴基部小叶长约 4 cm，叶轴上部小叶长达 20 cm，叶缘波浪状，两侧不对称；叶柄基部增粗。花蕾淡绿色，开放时花瓣呈淡黄白色，盛开时反折。果实椭圆形或倒卵形，成熟时由橙黄色转为朱红色。花期 2 ~ 4 月，果期 7 ~ 9 月。

| 生境分布 | 生于海拔 50 ~ 700 m 的山地杂木林中较湿润处。分布于广东连州、连南、阳山、封开、高州及肇庆（市区）、云浮（市区）、湛江（市

区）、茂名（市区）等。

| 资源情况 | 野生资源丰富。药材来源于野生。

| 采收加工 | 夏、秋季采收，晒干。

| 功能主治 | 根，苦、辛，温，疏风解表，温中行气，散瘀消肿。用于感冒咳嗽，胃痛，风湿关节痛；外用于跌打肿痛，骨折。叶，苦、辛，温，疏风解表，温中行气，散瘀消肿。用于感冒，跌打损伤。

| 用法用量 | 内服煎汤，9 ~ 15 g。外用适量，鲜叶捣敷；或根研末，酒调敷。孕妇慎用。

| 凭证标本号 | 441827180822033LY。

芸香科 Rutaceae 九里香属 Murraya

九里香 *Murraya exotica* L.

| **药 材 名** | 九里香（药用部位：根、叶、花）。

| **形态特征** | 小乔木。老枝白灰色或淡黄灰色，当年生枝绿色。羽状复叶具小叶 3 ~ 7；小叶互生，小叶片倒卵形至倒卵状椭圆形，两侧常不对称，基部短尖，一侧略偏斜。花序常顶生，或顶生兼腋生，为短缩的圆锥状聚伞花序；花白色，芳香；花瓣盛花时反折。果实成熟时呈橙黄色至朱红色。花期 4 ~ 8 月，果期 9 ~ 12 月。

| **生境分布** | 生于海拔 1 400 m 以下且离海岸不远的平地、缓坡、小山丘的灌丛中。分布于广东南部，北至翁源。广东各地均有栽培。

| **资源情况** | 野生资源丰富。栽培资源丰富。药材来源于野生和栽培。

| **采收加工** | 夏、秋季采收，晒干。

| **功能主治** | 辛、苦，温。麻醉，镇惊，解毒消肿，祛风活络。用于跌打肿痛，风湿关节痛，胃痛，牙痛，破伤风，流行性脑脊髓膜炎，蛇虫咬伤，局部麻醉。

| **用法用量** | 内服煎汤，根 15 ~ 30 g，叶 9 ~ 15 g，花 3 ~ 9 g，或干品研末，根 3 ~ 6 g，酒送服。外用适量，鲜叶捣敷。

| **凭证标本号** | 440783191006011LY、440781190712005LY、441823210713004LY。

芸香科 Rutaceae 九里香属 Murraya

千里香

Murraya paniculata (L.) Jack.

| **药 材 名** | 七经通（药用部位：根、叶、花）。

| **形态特征** | 小乔木。树干及小枝白灰色或淡黄灰色，略有光泽，当年生枝绿色。幼苗期的叶为单叶，其后为单小叶或 2 小叶，成长叶有小叶 3 ~ 5，稀有小叶 7，小叶片卵形或卵状披针形，基部短尖，两侧对称或一侧偏斜，叶缘波浪状。花序腋生及顶生；花瓣盛花时稍反折，散生淡黄色半透明油点。果实成熟时呈橙黄色至朱红色，狭长椭圆形。花期 4 ~ 9 月，果期 9 ~ 12 月。

| **生境分布** | 生于石灰岩地区。分布于广东中部以北地区。广东多地有栽培。

| **资源情况** | 野生资源一般。栽培资源较丰富。药材来源于野生和栽培。

| 采收加工 | 夏、秋季采收，晒干。 |

| 功能主治 | 辛、苦，温。麻醉，镇惊，解毒消肿，祛风活络。用于跌打肿痛，风湿关节痛，胃痛，牙痛，破伤风，流行性脑脊髓膜炎，蛇虫咬伤，局部麻醉。 |

| 用法用量 | 内服煎汤，根 15 ~ 30 g，叶 9 ~ 15 g，花 3 ~ 9 g；或干品研末，根 3 ~ 6 g，酒送服。外用适量，鲜叶捣敷。 |

| 凭证标本号 | 440224180403022LY。 |

芸香科 Rutaceae 黄檗属 *Phellodendron*

川黄檗
Phellodendron chinense C. K. Schneid.

| 药 材 名 | 川黄柏（药用部位：茎皮。别名：黄皮树）。

| 形态特征 | 乔木。成年树有厚且纵裂的木栓层，内皮黄色。小枝粗壮，暗紫红色。叶轴及叶柄粗壮，常密被褐锈色柔毛；小叶 7 ~ 15，纸质，长圆状披针形或卵状椭圆形，全缘或浅波浪状，叶背密被长柔毛。花序顶生，花常密集，花序轴粗壮，密被短柔毛。果实多数密集成团，椭圆形或近圆球形，蓝黑色。花期 5 ~ 6 月，果期 9 ~ 11 月。

| 生境分布 | 生于海拔 900 m 以上的杂木林中。广东偶见栽培。

| 资源情况 | 栽培资源较少。药材来源于栽培。

采收加工 | 秋季采收，晒干。

功能主治 | 苦，寒。清热燥湿，泻火解毒。

用法用量 | 内服煎汤，3 ~ 9 g。外用适量，研末调敷；或煎汤浸洗。脾虚泄泻、胃弱食少者禁服。

芸香科 Rutaceae 黄檗属 Phellodendron

秃叶黄檗

Phellodendron chinense C. K. Schneid. var. *glabriusculum* Schneid.

| **药 材 名** | 川黄柏（药用部位：茎皮。别名：黄皮、黄柏）。

| **形态特征** | 乔木。成年树有厚且纵裂的木栓层，内皮黄色。小枝粗壮，暗紫红色。叶轴、叶柄及小叶柄无毛或被疏毛；小叶叶面仅中脉有短毛，叶背沿中脉两侧被疏柔毛，有时几无毛，但有棕色且甚细小的鳞片状体。果序上的果实常较稀疏，椭圆形或近圆球形，蓝黑色。花期 5 ~ 6 月，果期 9 ~ 11 月。

| **生境分布** | 生于海拔 800 ~ 1 500 m 的阴坡稍湿润的山地疏林或密林中。栽培于丘陵坡地或屋旁。分布于广东翁源、乐昌、和平、连山、阳山、连州、英德等。

| 资源情况 | 野生资源一般。栽培资源较少。药材来源于野生。

| 采收加工 | 夏、秋季采收，晒干。

| 功能主治 | 苦，寒。清热解毒，燥湿，泻火，健胃。用于热痢，泄泻，淋浊，痔疮，便血，黄疸性肝炎，结膜炎，口腔炎，中耳炎，瘰疬发热，风湿性关节炎，湿疹，口舌生疮，黄水疮等。

| 用法用量 | 内服煎汤，3 ~ 9 g。外用适量，研末调敷；或煎汤浸洗。脾虚泄泻、胃弱食少者禁服。

| 凭证标本号 | 441823191017003LY。

芸香科 Rutaceae 芸香属 Ruta

芸香 *Ruta graveolens* L.

| 药 材 名 | 臭草（药用部位：全草。别名：臭艾、香草）。

| 形态特征 | 植株高达 1 m，各部有浓烈的特殊气味。二至三回羽状复叶，长 6 ~ 12 cm，末回小羽裂片短匙形或狭长圆形，灰绿色或带蓝绿色。花金黄色，直径约 2 cm。果实长 6 ~ 10 mm，由先端开裂至中部，果皮有凸起的油点；种子甚多，肾形，长约 1.5 mm，褐黑色。花期 3 ~ 6 月及冬末，果期 7 ~ 9 月。

| 生境分布 | 广东南部有栽培。

| 资源情况 | 栽培资源一般。药材来源于栽培。

| **采收加工** | 全年均可采收，阴干或鲜用。 |

| **功能主治** | 辛、微苦，凉。清热解毒，散瘀止痛。用于感冒发热，牙痛，月经不调，小儿湿疹，疮疖肿毒，跌打损伤。 |

| **用法用量** | 内服煎汤，3 ~ 9 g，鲜品 15 ~ 30 g；或捣汁。外用适量，鲜品捣敷。孕妇忌服。 |

芸香科 Rutaceae 茵芋属 Skimmia

乔木茵芋

Skimmia arborescens T. Anderson ex Gamble

| 药 材 名 | 美脉茵芋（药用部位：茎、叶。别名：广西茵芋）。

| 形态特征 | 小乔木。二年生枝的皮层颇薄，干后不皱缩。叶片较薄，椭圆形或长圆形，两面无毛；叶柄长 1 ~ 2 cm。花序长 2 ~ 5 cm，花序轴被微柔毛或无毛；苞片阔卵形，长 1 ~ 1.5 mm；萼片比苞片稍大，边缘均被毛；花瓣 5，倒卵形或卵状长圆形，水平展开或斜向上张开。果实圆球形，直径 6 ~ 8 mm，蓝黑色，通常有种子 1 ~ 3。花期 4 ~ 6月，果期 7 ~ 9 月。

| 生境分布 | 生于海拔 750 m 以上的山地杂木林中较湿润的地方。分布于广东博罗、从化、封开、紫金、龙门、乳源、新兴、信宜、阳春、增城及湛江（市区）、江门（市区）等。

| **资源情况** | 野生资源较丰富。药材来源于野生。 |

| **采收加工** | 全年均可采收，鲜用或切段晒干。 |

| **功能主治** | 辛、苦，温；有毒。祛风除湿。用于风湿病。 |

| **用法用量** | 内服浸酒，0.9 ~ 1.8 g；或入丸剂。阴虚而无风湿实邪者禁服。内服时用量不宜过大，否则易导致中毒。 |

| **凭证标本号** | 440983180407081LY、441322151002903LY。 |

芸香科 Rutaceae 茵芋属 Skimmia

茵芋
Skimmia reevesiana (Fortune) Fortune

药材名

黄山桂（药用部位：茎、叶。别名：深红茵芋、海南茵芋）。

形态特征

灌木，高 1 ~ 2 m。小枝常中空，光滑，干后常有浅纵皱纹。叶有柑橘叶的香气，集生于枝上部；叶片革质，椭圆形至倒披针形，长 5 ~ 12 cm，宽 1.5 ~ 4 cm；叶柄长 5 ~ 10 mm。顶生圆锥花序；花序轴及花梗均被短细毛；花密集，芳香，淡黄白色；花梗甚短。果实椭圆形或倒卵形，长 8 ~ 15 mm，红色，有种子 2 ~ 4。花期 3 ~ 5 月，果期 9 ~ 11 月。

生境分布

生于海拔 1 200 ~ 1 600 m 的山林下。分布于广东乳源、阳山、高州、信宜、博罗、紫金。

资源情况

野生资源一般。药材来源于野生。

采收加工

晒干。

| **药材性状** | 本品茎皮淡灰绿色，光滑，干后常有浅纵皱纹。叶有柑橘叶的香气，集生于枝上部；叶片革质。 |

| **功能主治** | 辛、苦，温；有毒。祛风除湿。用于风湿痹痛，四肢挛急，两足软弱。 |

| **用法用量** | 内服煎汤，3 ~ 6 g。 |

| **凭证标本号** | 441823191115004LY。 |

飞龙掌血 *Toddalia asiatica* (L.) Lam.

| 药 材 名 |

血见飞（药用部位：根皮、叶。别名：大救驾、三百棒、簕钩）。

| 形态特征 |

藤本。茎枝及叶轴具多而向下弯钩的锐刺，当年生嫩枝的顶部有红锈色的短细毛或密被灰白色短毛。三出复叶；小叶无柄，小叶片对光时可见密生的透明油点，揉之有类似柑橘叶的香气，卵形至倒卵状椭圆形，顶部尾状长尖或急尖。花梗短；花淡黄白色。果实橙红色或朱红色，直径 8 ~ 10 mm，有纵向浅沟纹 4 ~ 8，干后沟纹明显。花期几全年，果期秋、冬季。

| 生境分布 |

生于平地至海拔 1 500 m 的山地，常攀缘于树上。广东各地均有分布。

| 资源情况 |

野生资源丰富。药材来源于野生。

| 采收加工 |

夏、秋季采收，晒干。

| **功能主治** | 辛、微苦，温。散瘀止血，祛风除湿，解毒消肿。根皮，用于跌打损伤，风湿性关节炎，肋间神经痛，胃痛，月经不调，痛经，闭经；外用于骨折，外伤出血。叶，外用于痈疖肿毒，毒蛇咬伤。

| **用法用量** | 根皮，内服煎汤，9 ~ 15 g；或浸酒。外用适量，捣烂或研末敷。叶，外用适量，鲜品捣敷。

| **凭证标本号** | 441825190502032LY、441523190516030LY、440281190701015LY。

芸香科 Rutaceae 花椒属 Zanthoxylum

椿叶花椒
Zanthoxylum ailanthoides Siebold et Zucc.

| 药 材 名 | 樗叶花椒（药用部位：树皮）。

| 形态特征 | 落叶乔木。茎干有鼓钉状的锐刺，当年生枝的髓部甚大，常空心，各部无毛。一回羽状复叶有小叶 11 ~ 27；小叶整齐对生；小叶片两面无毛，狭长披针形或近卵形，叶缘有明显裂齿，油点多，叶背有灰白色粉霜。花序顶生，多花，几无花梗；花瓣淡黄白色。分果瓣淡红褐色，干后呈淡灰色或棕灰色，油点多，干后凹陷。花期 8 ~ 9 月，果期 10 ~ 12 月。

| 生境分布 | 生于海拔 500 ~ 1 500 m 的山谷密林中或溪边、路旁等湿润处。分布于广东北部。

| 资源情况 | 野生资源丰富。药材来源于野生。

| 采收加工 | 夏、秋季采收，晒干。

| 药材性状 | 本品干燥品呈板状或卷曲，厚 1.5 ~ 2 mm。外表面青灰色或淡灰褐色，具有多数皱缩浅槽纹，布有不规则的乳头状钉刺，栓皮易脱落并露出浅棕黄色内皮；内表面黄白色或略带棕色，光滑，有细纵纹。质坚韧，断面裂片状。气微，味微苦。

| 功能主治 | 甘、辛，平；有小毒。祛风通络，活血散瘀，解蛇毒。用于跌打肿痛，风湿关节痛，蛇咬伤，外伤出血。

| 用法用量 | 内服煎汤，3 ~ 15 g；或浸酒。外用适量，捣敷；或研末撒；或煎汤洗；或浸酒搽。

| 凭证标本号 | 441825191003010LY、440783191005013LY、440281190627041LY。

芸香科 Rutaceae 花椒属 Zanthoxylum

竹叶花椒
Zanthoxylum armatum DC.

| **药 材 名** | 竹叶椒根（药用部位：根）、竹叶椒叶（药用部位：叶）、竹叶椒（药用部位：果实）。

| **形态特征** | 落叶小乔木。茎枝多锐刺，刺基部宽而扁，红褐色，嫩枝梢及花序轴均无毛，仅叶背基部中脉两侧有丛状柔毛。一回羽状复叶有小叶3 ～ 11，翼叶明显；小叶对生；小叶片披针形或椭圆形，叶面稍皱。花序近腋生或同时生于侧枝之顶，长2 ～ 5 cm，有花30 以内；花被片6 ～ 8。果实紫红色，有少数微凸起的油点。花期4 ～ 5 月，果期8 ～ 10 月。

| **生境分布** | 生于低丘陵坡地至海拔800 m 的山地。分布于广东北部和西部。

| **资源情况** | 野生资源丰富。药材来源于野生。 |

采收加工 | **竹叶椒根**：全年均可采收，洗净、切片、晒干。

竹叶椒叶：夏、秋季采收，晒干。

竹叶椒：果实成熟时采收，晒干，除去种子。

药材性状 | **竹叶椒根**：本品圆柱形，长短不一，直径 0.5 ~ 2.6 cm，暗灰色至灰黄色，有较密的浅纵沟。质坚硬，折断面纤维性，横断面栓皮灰黄色，皮部淡棕色，木部黄白色。味苦，麻舌。

竹叶椒：本品具球形小分果 1 ~ 2，小分果直径 4 ~ 5 mm，先端具细小喙尖，基部无未发育的离生心皮，距基部约 0.7 mm 处有顶部具节的小果柄；外表面红棕色至褐红色，稀疏散布凸出成瘤状的油腺点，内表面光滑，淡黄色，薄革质。果柄被疏短毛。种子圆珠形，直径约 3 mm，表面深黑色，光亮，密布小疣点，种脐圆形，种脊明显。果实成熟时珠柄与内果皮基部相连，果皮质较脆。气香，味麻而凉。

功能主治 | **竹叶椒根**：辛、苦、温；有小毒。祛风散寒，温中理气，活血止痛。用于风湿痹痛，胃脘冷痛，泄泻，痢疾，感冒头痛，牙痛，跌打损伤，痛经，刀伤出血，顽癣，毒蛇咬伤。

竹叶椒叶：苦、辛、微温。平喘利水，散瘀止痛。用于痰饮喘息，水肿胀满，小便不利，脘腹冷痛，关节痛，跌打肿痛。

竹叶椒：辛、微苦，温。温中燥湿，散寒止痛，驱虫止痒。用于脘腹冷痛，寒湿吐泻，蛔厥腹痛，龋齿疼痛，湿疹，疥癣痒疮。

用法用量 | **竹叶椒根**：内服煎汤，9 ~ 30 g，鲜品 60 ~ 90 g；或研末，3 g。外用适量，煎汤洗或含漱；或浸酒揉；或研末调敷；或鲜品捣敷。

竹叶椒叶：内服煎汤，9 ~ 15 g。外用适量，煎汤洗；或研末敷；或鲜品捣敷。

竹叶椒：内服煎汤，6 ~ 9 g；或研末，1 ~ 3 g。外用适量，煎汤洗或含漱；或浸酒搽；或研末塞入龋齿洞中；或鲜品捣敷。

凭证标本号 | 440281200710009LY、441823210410047LY、441422190122073LY。

芸香科 Rutaceae 花椒属 Zanthoxylum

毛竹叶花椒
Zanthoxylum armatum DC. var. *ferrugineum* (Rehder. et E. H. Wils.) C. C. Huang

| 药 材 名 | 毛竹叶花椒（药用部位：果实）。

| 形态特征 | 嫩枝梢及花序轴均有褐锈色短柔毛，其他形态特征与竹叶花椒相同。

| 生境分布 | 生于丘地至海拔 800 m 的山地杂木林中。分布于广东乐昌、连南、乳源、翁源、新丰、阳山、英德等。

| 资源情况 | 野生资源丰富。药材来源于野生。

| 采收加工 | 秋季采收，晒干。

| **功能主治** | 同"竹叶花椒"。

| **用法用量** | 内服煎汤，6 ~ 10 g。

芸香科 Rutaceae 花椒属 Zanthoxylum

岭南花椒

Zanthoxylum austrosinense C. C Huang

| 药 材 名 | 搜山虎（药用部位：根。别名：满山香、总管皮、山胡椒）。

| 形态特征 | 小乔木或灌木。枝褐黑色，具刺，各部无毛。一回羽状复叶有小叶5 ~ 11；除顶部中央的小叶外其余小叶几无柄，整齐对生；小叶片披针形或卵形，油点清晰，干后呈暗红褐色至褐黑色。花序常生于侧枝之顶，花不超过30；花单性或杂性；花被片7 ~ 9，近2轮排列。果柄暗紫红色，长1 ~ 2 cm；分果瓣与果柄同色，直径约5 mm。花期3 ~ 4月，果期8 ~ 9月。

| 生境分布 | 生于海拔300 ~ 900 m的坡地疏林或灌丛中。分布于广东乳源、仁化。

| 资源情况 | 野生资源较少。药材来源于野生。

| 采收加工 | 夏、秋季采收，切片，晒干。 |

| 药材性状 | 本品圆柱形，略弯，有少数分枝，直径 0.5 ~ 2.3 cm。表面深黄棕色至深棕色，具细纵纹，皮孔近圆形或椭圆形，横向突出。质坚硬，折断面纤维性，横断片栓皮薄，深棕色，皮部淡棕色。味微苦。 |

| 功能主治 | 辛，温；有小毒。祛风解表，行气活血，消肿止痛。用于风寒感冒，风湿痹痛，气滞胃痛，龋齿疼痛，跌打肿痛，骨折，毒蛇咬伤。 |

| 用法用量 | 内服煎汤，2 ~ 6 g；或浸酒。外用适量，浸酒搽；或研末，酒调敷。 |

| 凭证标本号 | 440224190608030LY、441823200106008LY。 |

芸香科 Rutaceae 花椒属 Zanthoxylum

簕樄花椒 *Zanthoxylum avicennae* (Lam.) DC.

| **药 材 名** | 簕樄（药用部位：根、叶、果实。别名：狗花椒、鹰不泊、鸡胡党）。

| **形态特征** | 落叶乔木。树干有鸡爪状刺，刺基部扁圆而厚，形似鼓钉，有环纹；幼龄树的枝及叶密生刺，各部无毛。一回羽状复叶有小叶11～21；小叶常对生；小叶片斜卵形至镰状，两侧甚不对称，鲜叶的油点肉眼可见，叶轴常呈狭翼状。花序顶生，多花；花瓣黄白色。分果瓣淡紫红色，单个分果瓣直径4～5 mm，油点大且多，微凸起。花期6～8月，果期10～12月。

| **生境分布** | 生于低海拔山坡、丘陵、平地、路旁的疏林或灌丛中。广东各地均有分布。

| 资源情况 | 野生资源丰富。药材来源于野生。

| 采收加工 | 夏、秋季采收，晒干。

| 药材性状 | 本品根呈不规则圆柱形，有分枝，直径0.5～6 cm。外表面黄色，有纵皱纹及沟纹，落皮层厚1～4 mm，呈枯朽状，粉性，易碎，片块状剥落，剥落处可见灰棕色皮部。质坚硬，难折断。横切面皮部显纤维性，厚1～5 mm，易与木部分离。木部表面棕黄色或棕褐色，直径2～5 cm，外侧有一较明显的环纹，较粗的环纹易分离，老根中心常呈空洞状。气微。味辛、苦且麻舌。

| 功能主治 | 根，用于黄疸性肝炎，肾炎性水肿，风湿性关节炎。叶，用于跌打损伤，腰肌劳损，乳腺炎，疖肿。果实，用于胃痛，腹痛。

| 用法用量 | 内服煎汤，根15～30 g，果实3～6 g。外用适量，鲜叶捣敷。

| 凭证标本号 | 441225180316033LY、441225180726009LY、441225181124003LY。

芸香科 Rutaceae 花椒属 Zanthoxylum

异叶花椒

Zanthoxylum dimorphophyllum Hemsl. Wight

| **药 材 名** | 羊山刺（药用部位：枝叶。别名：三叶花椒）。 |

| **形态特征** | 落叶乔木。枝灰黑色，嫩枝及芽常有红锈色短柔毛。单小叶、指状3小叶或2～5小叶；小叶片卵形至倒卵形，叶缘有明显的钝裂齿，无针状锐刺，叶背的油点多而清晰。花序顶生；花被片6～8，大小不相等。分果瓣紫红色，幼嫩时常被疏短毛，直径6～8 mm，基部有甚短的狭柄，油点稀少，顶侧有短芒尖。花期4～6月，果期9～11月。 |

| **生境分布** | 生于海拔山地林中。广东各地均有分布。 |

| **资源情况** | 野生资源较少。药材来源于野生。 |

| 采收加工 | 秋、冬季采收，晒干。

| 药材性状 | 本品小枝圆柱形，外表面粗糙，红褐色，有纵棱线，小刺极少。单叶互生；叶片披针形，长 4 ~ 7 cm，宽 2 ~ 4 cm，先端渐尖，基部楔形，边缘有波状浅齿。小枝质硬而脆，叶革质。气微，味微辛。

| 功能主治 | 辛，温；有小毒。散寒燥湿。用于目生翳膜，寒湿脚气疼痛。

| 用法用量 | 外用适量，煎汤洗。

| 凭证标本号 | 440281190425007LY、440281190627009LY。

芸香科 Rutaceae 花椒属 *Zanthoxylum*

砚壳花椒 *Zanthoxylum dissitum* Hemsl.

| **药 材 名** | 单面针（药用部位：根、种子。别名：蚌壳花椒、大叶花椒、钻山虎）。

| **形态特征** | 攀缘藤本。枝干上的刺多劲直，叶轴及小叶中脉上的刺向下呈弯钩状，褐红色。一回羽状复叶有小叶 5 ~ 9；小叶互生或近对生；小叶片椭圆形至近圆形，厚纸质或近革质，叶缘棕红色，无毛，油点甚小。花序腋生；萼片及花瓣均为 4，油点不明显；花瓣淡黄绿色。果序上的果实密集成团；果柄短；果实棕色，残存花柱位于一侧。花期 4 ~ 5 月，果期 9 ~ 10 月。

| **生境分布** | 生于海拔 300 ~ 1 500 m 的坡地杂木林或灌丛中。分布于广东恩平、阳春、信宜。

| **资源情况** | 野生资源一般。药材来源于野生。 |

| **采收加工** | 秋季采收，晒干。 |

| **药材性状** | 本品根呈圆柱形，长短不一，直径 0.5 ～ 3 cm；表面黄棕色，具较密粗纵纹或浅纵沟；质坚硬，不易折断，折断面栓皮厚，易断裂，外侧黄棕色，内侧红棕色，横断面皮部灰色，木部淡棕色；气特异，味极苦。种子形如黑豆，直径 5 ～ 6 mm。气浓厚，味麻而苦。 |

| **功能主治** | 根，辛、苦，凉；有小毒，消食助运，行气止痛。用于脾运不健，厌食腹胀，脘腹气滞作痛。种子，辛、涩，温，有小毒，理气止痛。用于疝气痛。 |

| **用法用量** | 内服煎汤，9 ～ 15 g；或浸酒。 |

| **凭证标本号** | 440308191005038LY、440307201116026LY、440304191027012LY。 |

芸香科 Rutaceae 花椒属 *Zanthoxylum*

刺壳花椒 *Zanthoxylum echinocarpum* Hemsl.

| **药 材 名** | 单面针（药用部位：根或根皮、茎叶）。

| **形态特征** | 攀缘藤本。枝、叶有刺，叶轴上的刺较多，花序轴上的刺劲直。分果瓣及小叶均无毛，或仅叶背沿中脉被短柔毛。一回羽状复叶有小叶 5 ~ 11；小叶片厚纸质，卵形至长椭圆形，叶缘有干后变为褐黑色的细油点。花序腋生或兼顶生；萼片及花瓣均为 4。果柄长 1 ~ 3 mm；分果瓣密生长短不等且有分枝的刺，刺长可达 1 cm。花期 4 ~ 5 月，果期 10 ~ 12 月。

| **生境分布** | 生于海拔 200 ~ 1 000 m 的林中。分布于广东乳源、阳山、连州、博罗及云浮（市区）。

| 资源情况 | 野生资源一般。药材来源于野生。

| 采收加工 | 夏、秋季采收，根或根皮切片，晒干，茎叶晒干。

| 功能主治 | 辛、苦，凉。运脾消食，行气止痛。用于脾运不健，厌食腹胀，脘腹气滞作痛。

| 用法用量 | 内服煎汤，9 ～ 15 g。

| 凭证标本号 | 440281190813023LY。

芸香科 Rutaceae　花椒属 Zanthoxylum

大叶臭花椒 *Zanthoxylum myriacanthum* Wall. ex Hook. f.

| **药 材 名** | 驱风通（药用部位：茎、枝、叶。别名：刺椿木、雷公木）。

| **形态特征** | 落叶乔木。茎干有鼓钉状锐刺，花序轴及小枝顶部有较多劲直锐刺，叶轴及小叶无刺。嫩枝中空。一回羽状复叶有小叶 7 ~ 17；小叶对生；小叶片宽卵形至长圆形，两面无毛，油点多且大，干后微凸起，变为红色或黑褐色，叶缘具圆裂齿，齿缝有 1 大油点。花序顶生，多花，花枝被短柔毛；萼片及花瓣均为 5；花瓣白色。分果瓣红褐色，直径约 4.5 mm，油点多。花期 6 ~ 8 月，果期 9 ~ 11 月。

| **生境分布** | 生于海拔 200 ~ 1 000 m 的山坡疏林或石灰岩灌丛中。广东各地均有分布。

| **资源情况** | 野生资源丰富。药材来源于野生。

| **采收加工** | 夏、秋季采收，晒干。

| **功能主治** | 辛、微苦，温。祛风除湿，消肿解毒，止痛止血。用于感冒，风湿痹痛，跌打损伤，骨折，外伤出血，烫火伤，毒蛇咬伤。

| **用法用量** | 内服煎汤，茎、枝 9 ~ 24 g，叶 6 ~ 15 g。外用适量，茎、枝煎汤洗；或干叶研末撒；或鲜叶捣烂，加酒调敷。

| **凭证标本号** | 440781190709015LY、441284190718542LY、441225180722012LY。

芸香科 Rutaceae 花椒属 Zanthoxylum

两面针

Zanthoxylum nitidum (Roxb.) DC.

| 药 材 名 | 光叶花椒（药用部位：根、茎。别名：入地金牛）。

| 形态特征 | 藤状灌木。老茎有蜿蜒而上的翼状木栓层，茎枝及叶轴均有弯钩状锐刺，粗大茎干上部的皮刺基部枕状长椭圆形凸起，中央的针刺短且纤细。一回羽状复叶有小叶 3 ~ 11；小叶对生；小叶片硬革质，阔卵形至狭长椭圆形，先端凹口和边缘疏浅裂齿缝处有油点。花序腋生；花瓣淡黄绿色。果皮红褐色，单个分果瓣直径 5.5 ~ 7 mm，先端有短芒尖。花期 3 ~ 5 月，果期 9 ~ 11 月。

| 生境分布 | 生于海拔 800 m 以下的荒山、旷野的疏林或灌丛中。广东各地均有分布。

| 资源情况 | 野生资源丰富。药材来源于野生。

| 采收加工 | 夏、秋季采收，切片，晒干。

| 药材性状 | 本品为厚片或圆柱形短段，长 2 ～ 20 cm，厚 0.5 ～ 6（～ 10） cm。表面淡棕黄色或淡黄色，有鲜黄色或黄褐色类圆形皮孔。切断面较光滑，皮部淡棕色，木部淡黄色，可见同心性环纹及密集的小孔。质坚硬。气微香，味辛辣、麻舌而苦。

| 功能主治 | 辛、苦，平；有小毒。祛风活血，麻醉止痛，解毒消肿。用于风湿关节痛，跌打肿痛，腰肌劳损，牙痛，胃痛，咽喉肿痛，毒蛇咬伤。

| 用法用量 | 内服煎汤，根 9 ～ 15 g，茎 10 ～ 20 g。外用适量，根捣敷；或茎浸酒涂搽。

| 凭证标本号 | 441523190404028LY、441825190411022LY、440781190828012LY。

芸香科 Rutaceae 花椒属 Zanthoxylum

花椒簕 *Zanthoxylum scandens* Blume

| **药 材 名** | 花椒藤（药用部位：根、茎、叶。别名：乌口簕藤）。

| **形态特征** | 藤状灌木。枝干和叶轴有短钩刺。一回羽状复叶有小叶 5 ~ 25；小叶片较厚而稍硬，卵形至斜长圆形，先端常具钝且微凹缺，凹口处有 1 油点，全缘或叶缘的上半段有细裂齿，干后呈黑褐色，油点不明显。花序腋生或兼顶生；花瓣淡黄绿色。分果瓣紫红色，干后呈灰褐色或乌黑色，直径 4.5 ~ 5.5 mm，先端有短芒尖，油点不明显。花期 3 ~ 5 月，果期 7 ~ 8 月。

| **生境分布** | 生于沿海低地至海拔 1 500 m 的山坡灌丛或疏林下。广东各地均有分布。

| **资源情况** | 野生资源丰富。药材来源于野生。 |

| **采收加工** | 夏、秋季采收，晒干。 |

| **药材性状** | 本品根圆柱形，长短不一，直径 1 ~ 2 cm；表面暗灰棕色，具较密纵沟；质坚硬，横断面栓皮暗黄棕色，易碎，皮部有淡棕色小点；味微苦。枝条圆柱形，外表面棕褐色，有向下弯曲且长约 1 mm的皮刺。奇数羽状复叶；小叶片 5 ~ 25 或部分脱落，多为卵形、椭圆形或略呈菱形，长 4 ~ 8 cm，宽 1.5 ~ 3.5 cm，先端长尾状渐尖，略弯，基部呈楔形且歪斜，上面具光泽，叶脉下凹，叶轴、叶脉凹沟内及中脉下部具疏短微柔毛，无腺点，纸质；气特异，味微苦。 |

| **功能主治** | 辛，温。活血，散瘀，止痛。用于脘腹瘀滞疼痛，跌打损伤。 |

| **用法用量** | 内服煎汤，3 ~ 9 g。外用适量，煎汤熏洗。 |

| **凭证标本号** | 441523200107013LY、441825210313046LY、440781190518022LY。 |

芸香科 Rutaceae 花椒属 Zanthoxylum

青花椒
Zanthoxylum schinifolium Siebold et Zucc.

| 药 材 名 | 青椒（药用部位：叶、种子。别名：野椒、天椒、崖椒）。

| 形态特征 | 灌木。茎枝有短刺，刺基部两侧压扁状，嫩枝暗紫红色。一回羽状复叶有小叶 7 ～ 19；小叶对生，几无柄；小叶片纸质，宽卵形至披针形，油点多或不明显。花序顶生；花瓣淡黄白色。分果瓣红褐色，干后变为暗苍绿色或褐黑色，直径 4 ～ 5 mm，先端几无芒尖，油点小；种子直径 3 ～ 4 mm。花期 7 ～ 9 月，果期 9 ～ 12 月。

| 生境分布 | 生于平地至海拔 800 m 的山地疏林、灌丛中或岩石旁。分布于广东乳源、乐昌、阳山、连州。

| 资源情况 | 野生资源一般。栽培资源一般。药材来源于栽培。

| **采收加工** | 叶，全年均可采收，晒干或鲜用。种子，秋季采收果实，晾干，待开裂时取出种子。 |

| **药材性状** | 本品小叶细小，干后呈苍绿色或褐黑色。 |

| **功能主治** | 辛，温；有小毒。温中散寒，开胃消食，除湿止泻，杀虫止痒，解鱼腥毒。 |

| **用法用量** | 叶，内服煎汤，3 ~ 9 g。外用适量，煎汤洗或捣敷。种子，内服煎汤，2 ~ 5 g；或研末，1.5 g。外用适量，研末，醋调敷。阴虚火旺者禁服。 |

| **凭证标本号** | 441182180508038LY。 |

| **附　注** | 本种产于长江以南、五岭以北者，小叶较大，油点较少；产于五岭南坡，即福建、广东、广西三省区南部者，小叶最大，被毛较密，除叶缘齿缝处有油点外其余部位几无油点。 |

野花椒 *Zanthoxylum simulans* Hance

| **药 材 名** | 柄果花椒（药用部位：根皮、茎皮、果实）。

| **形态特征** | 灌木或小乔木。枝干散生基部宽而扁的锐刺，嫩枝及小叶背面沿中脉或仅中脉基部两侧被短柔毛，或各部均无毛。叶有小叶 5 ~ 15；叶轴有狭窄的叶质边缘，腹面呈沟状凹陷；小叶对生，无柄或位于叶轴基部的小叶有甚短小叶柄，卵形、卵状椭圆形或披针形，长 2.5 ~ 7 cm，宽 1.5 ~ 4 cm，两侧略不对称，顶部急尖或短尖，常有凹口，油点多，干后半透明且常微凸起，间有窝状凹陷，叶面常有刚毛状细刺，中脉凹陷，叶缘有疏离而浅的钝裂齿。聚伞花序顶生，长 1 ~ 5 cm；花被片 5 ~ 8，狭披针形、宽卵形或近三角形，大小及形状有时不相同，长约 2 mm，淡黄绿色；雄蕊 5 ~ 8（~ 10），

花丝及半圆形凸起的退化雌蕊均呈淡绿色，药隔先端有一干后呈暗褐黑色的油点；雌花的花被片为狭长披针形，心皮 2 ~ 3，花柱斜向背弯。花期 3 ~ 5 月，果期 7 ~ 9 月。

| **生境分布** | 广东无野生分布。中国科学院华南植物园有引种。

| **药材性状** | 本品分果球形，常 1 ~ 2 集生，每分果沿腹背缝线开裂达基部，直径 6 ~ 7 mm，基部延长为子房柄，长约 2.5 mm，中部直径约 1 mm，具纵皱纹，表面褐红色，具密集且凸起的小油腺点。种子卵球形，长 4 ~ 4.5 mm，直径 3.5 ~ 4 mm，黑色，光亮，基部种阜嵌入状。果皮质韧。气淡，味苦且微麻、辣。

| **采收加工** | 夏、秋季采收根皮、茎皮，秋、冬季采收果实，晒干。

| **功能主治** | 根皮、茎皮，辛，温，祛风除湿，散寒止痛，解毒。用于风寒湿痹，肢体麻木，脘腹冷痛，吐泻，牙痛，疮疡，毒蛇咬伤。果实，辛，温，有小毒，温中止痛，杀虫止痒。用于脾胃虚寒，脘腹冷痛，呕吐，泄泻，蛔虫腹痛，湿疹，皮肤瘙痒，阴痒，龋齿疼痛。

| **用法用量** | 根皮、茎皮，内服煎汤，6 ~ 9 g；或研末，2 ~ 3 g。外用适量，煎汤洗；或含漱；或研末调敷；或鲜品捣敷。果实，内服煎汤，3 ~ 6 g；或研末，1 ~ 2 g。外用适量，煎汤洗；或含漱；或研末调敷。

芸香科 Rutaceae 花椒属 Zanthoxylum

梗花椒
Zanthoxylum stipitatum C. C. Huang

| 药 材 名 | 麻口皮子药（药用部位：根皮、茎皮。别名：细叶花椒）。

| 形态特征 | 落叶灌木，高 1 ~ 2 m。茎枝无刺或有皮刺，无毛或幼枝部分密被短柔毛。奇数羽状复叶互生，小叶 5 ~ 9；小叶片卵状披针形、长圆状椭圆形、卵形或卵状长圆形，长 2.5 ~ 6 cm，宽 1 ~ 3.5 cm，先端急尖，基部急尖或呈宽楔形，边缘具细小的圆锯齿，或几全缘，纸质，下面通常密生腺点；小叶柄极短，有时基部着生皮刺。花单性，雌雄异株；聚伞圆锥花序顶生，长 3 ~ 6 cm；花被 5 ~ 8，青色；雄花花被长三角形，雄蕊 5 ~ 7，稀为 4 或 8；雌花花被卵圆形至广卵圆形，心皮 4 ~ 6，稀为 7，成熟心皮红紫色，心皮基部具有明显伸长的子房柄。分果爿沿背、腹缝开裂；种子圆卵形，黑色。花期

4 ~ 6 月，果期 7 ~ 9 月。

| **生境分布** | 生于平地、低丘陵、略高的山地疏林或密林下。分布于广东乳源。

| **资源情况** | 野生资源稀少。药材来源于野生。

| **采收加工** | 夏、秋季采收，鲜用或切片晒干。

| **功能主治** | 辛，温；有小毒。祛风散寒，活血止痛，解毒消肿。用于风寒湿痹，腹痛泄泻，咽喉疼痛，牙龈肿痛，无名肿毒，跌打损伤，毒蛇咬伤，吐血，衄血。

| **用法用量** | 内服煎汤，3 ~ 9 g；或研末，1.5 g；或浸酒；或鲜品口嚼咽汁。外用适量，捣烂或研末，酒调敷。

苦木科 Simaroubaceae 臭椿属 Ailanthus

臭椿 *Ailanthus altissima* (Mill.) Swingle

| **药 材 名** | 椿根皮（药用部位：根皮、茎皮、叶、果实。别名：凤眼草、樗白皮）。

| **形态特征** | 落叶乔木，高可达 20 m。树皮平滑而有直纹。奇数羽状复叶互生，有小叶 13 ~ 27；小叶对生或近对生，纸质，卵状披针形，叶基两侧各具 1 或 2 粗锯齿，齿背有腺体 1，叶揉碎后具臭味。圆锥花序长 10 ~ 30 cm；花淡绿色。翅果长椭圆形；种子位于翅的中间，扁圆形。花期 4 ~ 5 月，果期 8 ~ 10 月。

| **生境分布** | 生于村旁、路边、田埂。分布于广东乐昌、新丰等。

| **资源情况** | 野生资源较少。栽培资源一般。药材来源于栽培。

| **采收加工** | 根皮、茎皮，全年均可剥取，晒干，或刮去粗皮晒干。叶，春、夏

季采收，鲜用或晒干。果实，8 ~ 9 月果实成熟时采收，除去果柄，晒干。

| 药材性状 | 本品根皮呈不整齐的片状或卷片状，大小不一，厚 0.3 ~ 1 cm；外表面灰黄色或黄褐色，粗糙，有多数纵向皮孔样突起和不规则纵裂纹或横裂纹，除去粗皮者显黄白色，内表面淡黄色，较平坦，密布梭形小孔或小点；质硬而脆，断面外层颗粒性，内层纤维性；气微，味苦。茎皮呈不规则板片状，大小不一，厚 0.5 ~ 2 cm；外表面灰黑色，极粗糙，有深裂。叶多皱缩、破碎；气微，味淡。果实为菱状长椭圆形，表面淡黄棕色，具细密纵脉纹，微具光泽，种子 1，扁心形，种皮黄色，内有淡黄色、富油质的子叶 2；气微，味苦。

| 功能主治 | 根皮、茎皮，苦、涩，寒，燥湿清热，止泻，止血。用于泄泻，痢疾，便血，崩漏，痔疮出血，带下，蛔虫病，疮疡。叶，苦，凉，清热燥湿，杀虫。用于湿热带下，泄泻，痢疾，湿疹，疮疖。果实，苦，凉，清热利尿，止痛，止血。用于痢疾，白浊，带下，便血，尿血，崩漏。

| 用法用量 | 根皮、茎皮，内服煎汤，6 ~ 9 g；或入丸、散剂。叶，内服煎汤，6 ~ 15 g，鲜品 30 ~ 60 g。果实，内服煎汤，3 ~ 9 g。外用适量，煎汤洗；或熬膏涂。

苦木科 Simaroubaceae 鸦胆子属 Brucea

鸦胆子 *Brucea javanica* (L.) Merr.

| 药 材 名 |

鸦胆子（药用部位：果实。别名：苦参子、老鸦胆）。

| 形态特征 |

灌木或小乔木，高 1.5 ~ 3（~ 8）m。嫩枝、叶柄和花序均被黄色柔毛。羽状复叶互生，有小叶 3 ~ 15；叶缘具粗锯齿。圆锥花序腋生，雄花序长 15 ~ 25 cm，雌花序长约为雄花序的一半；花细小，暗紫色。核果 1 ~ 4，分离，长卵形，长 6 ~ 10 mm，直径 4 ~ 7 mm，成熟时呈灰黑色，外壳硬骨质而脆；种仁黄白色，卵形，有薄膜，含油丰富，味极苦。花期 4 ~ 6 月，果期 8 ~ 10 月。

| 生境分布 |

生于山坡、丘陵、旷野、村边、路旁的疏林或灌丛中。广东各地均有分布。

| 资源情况 |

野生资源较丰富。栽培资源较丰富。药材来源于栽培。

| 采收加工 |

秋、冬季待果皮变黑时，分批采收，扬净，

晒干。

| **药材性状** | 本品核果呈卵形，长 6 ~ 10 mm，直径 4 ~ 7 mm；表面黑色或棕色，有隆起的网状皱纹，网眼呈不规则的多角形，两侧有明显的棱线，先端渐尖，基部有凹陷的果柄痕。果壳质硬而脆。种子卵形，长 5 ~ 6 mm，直径 3 ~ 5 mm，表面类白色或黄白色，具网纹，种皮薄；子叶乳白色，富油性。气微，味极苦。

| **功能主治** | 苦，寒；有小毒。清热解毒，截疟，止痢。用于热毒血痢，冷痢，疟疾，痔疮，赘疣，鸡眼。

| **用法用量** | 内服用龙眼肉包裹，治疟疾 10 ~ 15 粒，治痢疾 10 ~ 30 粒；或装入胶囊吞服。外用适量，捣敷；或制成鸦胆子油局部涂敷；或煎汤洗。

| **凭证标本号** | 440781190515014LY、445224190502103LY、440523190712020LY。

苦木科 Simaroubaceae 牛筋果属 Harrisonia

牛筋果 *Harrisonia perforata* (Blanco) Merr.

| **药 材 名** | 牛筋果（药用部位：根。别名：弓刺、连江箣）。

| **形态特征** | 近直立或稍攀缘灌木，高 1 ~ 2 m。枝条上叶柄的基部有 1 对锐利的钩刺。一回羽状复叶互生，有小叶 5 ~ 13，叶轴在小叶间有狭翅；小叶纸质，菱状卵形，先端钝急尖，基部渐狭而成短柄，边缘有钝齿，有时全缘。总状花序顶生；花瓣白色，披针形；子房 4 ~ 5 室，具 4 ~ 5 浅裂。果实肉质，球形或不规则球形，成熟时呈淡紫红色，直径 1 ~ 1.5 cm。花期 4 ~ 5 月，果期 5 ~ 8 月。

| **生境分布** | 生于低海拔山坡、丘陵的疏林或灌丛中。分布于广东雷州半岛。

| **资源情况** | 野生资源较少。药材来源于野生。

| **采收加工** | 全年均可采收，洗净，切片，鲜用或晒干。 |

| **功能主治** | 苦，凉。清热截疟。用于疟疾，目赤肿痛。 |

| **用法用量** | 内服煎汤，10 ～ 15 g，鲜品加倍。 |

| **凭证标本号** | 440882180501103LY。 |

苦木科 Simaroubaceae 苦木属 Picrasma

苦木

Picrasma quassioides (D. Don) Benn.

药 材 名	苦木（药用部位：茎或茎皮、枝、叶。别名：苦茎皮、苦皮树、苦胆木）。
形态特征	落叶乔木，高 7 ～ 10 m。树皮灰黑色，平滑，有灰色斑纹。奇数羽状复叶互生，长 15 ～ 30 cm；小叶 9 ～ 15，卵状披针形或广卵形，边缘具不整齐的粗锯齿，先端渐尖，基部楔形，除顶生叶外，其余小叶基部均不对称，落叶后留有明显的半圆形或圆形叶痕。花雌雄异株，组成腋生复聚伞花序。核果成熟后呈蓝绿色，长 6 ～ 8 mm，宽 5 ～ 7 mm，3 ～ 4 核果并生，种皮薄；萼宿存。花期 4 ～ 5 月，果期 6 ～ 9 月。
生境分布	生于海拔 600 ～ 900 m 的山地、林缘、溪边、路旁等。分布于广东乳

源、乐昌、大埔、紫金、惠东、连南、阳山、英德、信宜、徐闻及深圳（市区）。

| 资源情况 | 野生资源较少。栽培资源较丰富。药材来源于栽培。

| 采收加工 | 茎或茎皮，全年均可采收，洗净，切片，晒干。叶，夏、秋季采收，洗净，切碎，鲜用或晒干。

| 药材性状 | 本品茎类圆形，直径达30 cm，厚1 cm；表面灰绿色或淡棕色，散布不规则的灰白色斑纹，树心处的块片呈深黄色；断面年轮明显，射线呈放射状排列；质坚硬，折断面纤维状；气微，味苦。茎皮呈单卷状或长片状；内表面黄白色，平滑；质脆，易折断，折断面略粗糙，可见微细纤维；气微，味苦。枝呈圆柱形，长短不一，直径0.5～2 cm；表面灰绿色或棕绿色，有细密的纵纹及多数点状皮孔；质脆，易折断，断面不平整，淡黄色。叶为奇数羽状复叶，易脱落；小叶卵状长椭圆形或卵状披针形，近无柄，长4～16 cm，宽1.5～6 cm，先端锐尖，基部偏斜或稍圆，边缘具钝齿，两面通常呈绿色，有的下表面呈淡紫红色，沿中脉有柔毛；气微，味极苦。

| 功能主治 | 苦，寒；有毒。清热解毒，燥湿杀虫。用于上呼吸道感染，肺炎，急性胃肠炎，痢疾，胆道感染，疮疖，疥癣，湿疹，烫火伤，毒蛇咬伤。

| 用法用量 | 内服煎汤，6～15 g，大剂量可用至30 g；或入丸、散剂。外用适量，研末撒或调敷；或煎汤洗；或浸酒搽。

橄榄科 Burseraceae 橄榄属 *Canarium*

橄榄
Canarium album (Lour.) Raeusch.

| 药 材 名 | 橄榄（药用部位：果实。别名：白榄、黄榄）。

| 形态特征 | 乔木，高 10 ~ 20 m。树皮淡灰色，平滑。奇数羽状复叶互生；小叶 3 ~ 6 对，纸质至革质，披针形或椭圆形。雄花序为聚伞圆锥花序，雌花序为总状花序，均腋生。果序长 1.5 ~ 15 cm，具 1 ~ 6 果实；果萼扁平；果实卵圆形至纺锤形，横切面近圆形，无毛，成熟时呈黄绿色，外果皮厚，干时有皱纹，果核渐尖，横切面圆形至六角形；种子 1 ~ 2，不育室稍退化。花期 4 ~ 5 月，果期 10 ~ 12 月。

| 生境分布 | 生于低海拔的杂木林中。分布于广东西部。广东大部分地区有栽培。

| **资源情况** | 野生资源较少。栽培资源较丰富。药材来源于栽培。 |

| **采收加工** | 秋季采摘成熟果实，晒干或阴干；或用盐水浸渍、用开水烫后晒干。 |

| **药材性状** | 本品呈纺锤形，两端钝尖，长 2.5 ~ 4 cm，直径 1 ~ 1.5 cm。表面棕黄色或黑褐色，有不规则皱纹。果肉灰棕色或棕褐色，质硬。果核梭形，暗红棕色，具纵棱；内分 3 室，每室有种子 1。气微，果肉味涩，久嚼微甜。 |

| **功能主治** | 甘、涩，平。清热解毒，利咽，生津。用于咽喉肿痛，咳嗽痰黏，烦热口渴，醉酒，鱼蟹中毒。 |

| **用法用量** | 内服煎汤，6 ~ 12 g；或熬膏；或入丸剂。外用适量，研末撒；或油调敷。 |

| **凭证标本号** | 441523190921013LY、445224190511128LY、441422190125196LY。 |

乌榄

Canarium Pimela K. D. Koenig

| 药 材 名 | 乌榄（药用部位：根、叶、果实。别名：黑榄、木威子）。

| 形态特征 | 乔木，高 10 ～ 16 m。小枝褐绿色，无毛。一回羽状复叶互生，无托叶；小叶 4 ～ 6 对，纸质至革质，宽椭圆形，先端急渐尖，尖头短而钝，基部阔楔形，偏斜，全缘，网脉明显。聚伞圆锥花序腋生。果实具长柄，狭卵圆形，长 3.5 ～ 4.5 cm，宽 1.5 ～ 2 cm，成熟时呈紫黑色；种子 1 ～ 2，不育室适度退化。花期 4 ～ 5 月，果期 5 ～ 11 月。

| 生境分布 | 生于海拔 1 200 m 以下的平原、丘陵、山地杂木林中。分布于广东东部、中部至西部。广东中部、西部地区多有栽培。

| 资源情况 | 野生资源较少。栽培资源较丰富。药材来源于栽培。

| **采收加工** | 根，全年均可采挖，洗净，鲜用或晒干。叶，全年均可采收，鲜用或晒干。果实，8 ~ 11 月果实成熟时采收，鲜用。 |

| **药材性状** | 本品核果呈卵状长圆形。表面棕褐色，两端锐尖，凹凸不平，具明显的纵棱纹3，先端具3眼点，每眼点两侧各具1弧形细纵沟，纵沟直达种子中下部，2纵沟向相反方向弯曲。 |

| **功能主治** | 根，淡，平。舒筋活络，祛风除湿。用于内伤吐血，风湿痹痛，腰腿疼痛，手足麻木。叶，微苦、微涩，凉。清热解毒，消肿止痛。用于感冒发热，肺热咳嗽，丹毒，疖肿，崩漏。果实，酸、涩，平。止血，利水，解毒。用于内伤吐血，咳嗽痰血，水肿，外伤出血。 |

| **用法用量** | 根，内服煎汤，15 ~ 30 g。叶，内服煎汤，6 ~ 15 g。外用适量，煎汤洗。果实，内服煎汤，3 ~ 10 g。外用适量，煎汤洗。 |

| **凭证标本号** | 441284190805117LY、445224191004116LY、440523190711041LY。 |

棟科 Meliaceae 米仔兰属 Aglaia

米仔兰 *Aglaia odorata* Lour.

| 药 材 名 | 米仔兰（药用部位：枝、叶、花。别名：碎米兰、米兰花、珠兰）。

| 形态特征 | 常绿灌木或小乔木。多分枝，幼枝顶部被锈色星状鳞片。奇数羽状复叶互生；叶轴有狭翅；小叶 3 ~ 5，对生，厚纸质，先端 1 小叶最大，下部小叶远较先端小叶小，倒卵形，先端钝，基部楔形，全缘。圆锥花序腋生；花黄色。果实为浆果，卵形或近球形，直径约 1 cm；种子有肉质假种皮。花期 6 ~ 11 月，果期 7 月至翌年 3 月。

| 生境分布 | 生于低海拔疏林中。分布于广东南部。广东阳春、化州、高州及深圳（市区）、中山（市区）、广州（市区）、肇庆（市区）等有栽培。

| 资源情况 | 野生资源较少。药材来源于栽培。

| 采收加工 | 枝、叶，全年均可采收，洗净，鲜用或晒干。花，夏季采收含苞待放的花，用竹竿轻轻打下，去净杂质，阴干。

| 药材性状 | 本品细枝灰白色至绿色，直径 2 ～ 5 mm；外表面有浅沟纹，并有凸起的枝痕、叶痕及多数细小的疣状突起。干燥的小叶片长椭圆形，长 2 ～ 6 cm，先端钝，基部楔形而下延，无柄，上面有浅显的网脉，下面羽脉明显，叶缘稍反卷；薄革质，稍柔韧。干燥花朵呈细小、均匀的颗粒状，棕红色，下端有一极细的花梗，基部有小宿萼 5，花冠由 5 花瓣紧包而成，内面有不太明显的花蕊，淡黄色；体轻，质硬稍脆；气清香。

| 功能主治 | 枝、叶，辛，微温。活血散瘀，消肿止痛。用于风湿关节痛，跌打损伤，痈疽肿毒。花，行气宽中，宣肺止咳。用于胸膈满闷，噎膈初起，感冒咳嗽。

| 用法用量 | 内服煎汤，枝、叶 6 ～ 12 g，花 3 ～ 9 g；或泡茶。外用适量，捣敷；或熬膏涂。

| 凭证标本号 | 440783191208013LY、445224210307006LY、441422190723634LY。

棟科 Meliaceae 山棟属 Aphanamixis

大叶山棟 *Aphanamixis grandifolia* Blume

| 药 材 名 |

苦油木（药用部位：根、叶。别名：红萝木、山椤）。

| 形态特征 |

乔木，高达 30 m。叶通常为奇数羽状复叶，有时为偶数羽状复叶，有小叶 10 ~ 21；小叶对生，革质，基部一侧圆形，另一侧楔形，偏斜，最下部的小叶较小，卵形，基部圆形，侧脉于近边缘处连结。花序腋生；花瓣 3，圆形。蒴果球状梨形，直径 2.5 ~ 2.8 cm，无毛；种子黑褐色，扁圆形，长 1.3 ~ 1.5 cm，宽 1 ~ 1.2 cm。花期 6 ~ 8 月，果期 10 月至翌年 4 月。

| 生境分布 |

生于海拔 100 ~ 1 000 m 的平原、丘陵的疏林或灌丛中。分布于广东阳春、信宜、廉江、徐闻。广东深圳（市区）、珠海（市区）、广州（市区）有栽培。

| 资源情况 |

野生资源较少。栽培资源一般。药材来源于野生和栽培。

| **采收加工** | 全年均可采收，根洗净，切片，晒干，叶鲜用或晒干。 |

| **功能主治** | 苦、辛，温。祛风止痛。用于风湿关节肿痛，四肢麻木。 |

| **用法用量** | 内服煎汤，6 ~ 15 g。 |

楝科 Meliaceae 山楝属 Aphanamixis

山楝

Aphanamixis polystachya (Wall.) R. N. Parker

| 药 材 名 | 山罗（药用部位：茎皮、叶。别名：假桐油）。

| 形态特征 | 乔木。叶为奇数羽状复叶，有小叶 9 ~ 11（~ 15）；小叶对生，初呈膜质，后呈亚革质，在强光下可见很小的透明斑点，长椭圆形，最下部的 1 对小叶较小，侧脉每边 11 ~ 12，纤细，全缘。花序腋生；花瓣 3，圆形。蒴果近卵形，长 2 ~ 2.5 cm，直径约 3 cm，成熟后呈橙黄色，开裂为 3 果瓣；种子有假种皮。花期 5 ~ 9 月，果期 10 月至翌年 4 月。

| 生境分布 | 生于低海拔至中海拔的杂木林中或路旁。分布于广东阳春、信宜、化州、廉江、徐闻。广东深圳（市区）、珠海（市区）、广州（市区）

有栽培。

| 资源情况 | 野生资源较少。栽培资源较丰富。药材来源于栽培。

| 采收加工 | 夏、秋季采收，晒干。

| 功能主治 | 祛风消肿。用于四肢麻木、屈伸不利，风寒湿痹等。

| 用法用量 | 内服煎汤，6 ～ 15 g。

| 凭证标本号 | 440882180602064LY。

棟科 Meliaceae 麻棟属 Chukrasia

麻棟

Chukrasia tabularis A. Juss.

药材名

麻棟（药用部位：根皮。别名：白椿、毛麻棟）。

形态特征

乔木，高达 30 m。老茎皮纵裂，具苍白色的皮孔。叶通常为偶数羽状复叶，长 30 ～ 50 cm；小叶 10 ～ 16。圆锥花序顶生；花长 1.2 ～ 1.5 cm，有香味；花瓣黄色或略带紫色。蒴果灰黄色或褐色，近球形或椭圆形，长约 4.5 cm，宽 3.5 ～ 4 cm，表面粗糙而有淡褐色小疣点；种子扁平，有膜质的翅，连翅长 1.2 ～ 2 cm。花期 4 ～ 5 月，果期 7 月至翌年 1 月。

生境分布

生于海拔 100 ～ 500 m 的山坡、山谷林中。分布于广东乳源、龙门、连山、连州及阳江（市区）、深圳（市区）。广东广州（市区）有栽培。

资源情况

野生资源较少。栽培资源较丰富。药材来源于栽培。

| 采收加工 | 全年均可采挖根，剥取根皮，洗净，鲜用或晒干。 |

| 功能主治 | 苦，寒。消炎，退热。用于感冒发热。 |

| 用法用量 | 内服煎汤，6 ～ 10 g。 |

| 凭证标本号 | 440781190826027LY、441823210528019LY、445224191004012LY。 |

楝科 Meliaceae 麻楝属 Chukrasia

毛麻楝

Chukrasia tabularis A. Juss. var. *velutina* King

| 药 材 名 | 毛麻楝（药用部位：根皮、叶）。

| 形态特征 | 乔木，高达 25 m。叶轴、叶柄、小叶背面及花序轴均密被黄色茸毛。老茎皮纵裂，具苍白色的皮孔。叶通常为偶数羽状复叶，长 30 ~ 50 cm；小叶 10 ~ 16。圆锥花序顶生；花瓣黄色或略带紫色。蒴果灰黄色或褐色，近球形或椭圆形，长约 4.5 cm，宽 3.5 ~ 4 cm，表面粗糙而有淡褐色小疣点；种子扁平，有膜质的翅。花期 4 ~ 5 月，果期 7 月至翌年 1 月。

| 生境分布 | 生于山谷中。分布于广东高州、徐闻及茂名（市区）等。

| 资源情况 | 野生资源较少。药材来源于栽培。

| **采收加工** | 夏、秋季采收，晒干。

| **功能主治** | 苦，寒。疏风清热。用于感冒发热。

| **用法用量** | 内服煎汤，6 ~ 10 g。

棟科 Meliaceae 浆果楝属 Cipadessa

浆果楝
Cipadessa baccifera (Roth) Miq.

| 药 材 名 | 灰毛浆果楝（药用部位：根、叶。别名：野茶辣）。

| 形态特征 | 灌木或小乔木，高 1 ~ 10 m。嫩枝具灰白色皮孔。叶连柄长 20 ~ 30 cm，叶轴和叶柄被黄色柔毛；小叶通常 4 ~ 6 对，对生，纸质，卵形至卵状长圆形，下部小叶远较先端小叶小，先端渐尖或急尖，基部圆形或宽楔形，偏斜，两面均被紧贴的灰黄色柔毛，背面毛尤密。圆锥花序腋生；花瓣白色或黄色，外被紧贴的疏柔毛。核果小，球形，直径约 5 mm，成熟后呈紫黑色。花期 4 ~ 10 月，果期 8 ~ 12 月。

| 生境分布 | 广东广州（市区）有栽培。

| 资源情况 | 栽培资源一般。药材来源于栽培。

| 采收加工 | 全年均可采收，洗净，鲜用或晒干。

| 功能主治 | 辛、苦，微温。清热解毒，行气通便，截疟。用于感冒发热，疟疾，痢疾，脘腹绞痛，风湿痹痛，跌打损伤，烫伤，皮炎，外伤出血。

| 用法用量 | 内服煎汤，9 ~ 15 g，鲜品 30 g。外用适量，煎汤洗；或捣敷。

棟科 Meliaceae 棟属 Melia

棟
Melia azedarach L.

| 药 材 名 |

苦楝（药用部位：根皮、茎皮、果实。别名：苦楝皮、楝树果、楝枣子）。

| 形态特征 |

落叶乔木，高 15 ~ 20 m。树皮灰褐色，纵裂。小枝有叶痕。二至三回奇数羽状复叶互生；小叶对生，卵形、椭圆形至披针形，顶生 1 小叶通常略大，先端短渐尖，边缘有钝锯齿。圆锥花序约与叶等长；花瓣淡紫色，倒卵状匙形。核果球形至椭圆形，长 1.5 ~ 2 cm，淡黄色，内果皮木质，每室有种子 1；种子椭圆形。花期 4 ~ 5 月，果期 10 ~ 12 月。

| 生境分布 |

生于低海拔的丘陵、旷野、村边、路旁的疏林或杂木林中。广东各地均有分布。

| 资源情况 |

野生资源较少。栽培资源丰富。药材来源于栽培。

| 采收加工 |

根皮、茎皮，全年均可采收，或除去粗皮，晒干。果实，秋、冬季果实成熟呈黄色时采摘，或收集脱落的果实，晒干、阴干或烘干。

| **药材性状** | 本品根皮呈不规则条块，片状或槽状，长短、宽窄不一，厚 3 ～ 6 mm；外表面灰褐色或灰棕色，有不规则的纵裂深沟纹，内表面淡黄色，有细纵纹；质坚韧，不易折断；气微弱，味极苦。茎皮呈槽形，片状或长卷筒状，长短不一，厚 3 ～ 7 mm；外表面灰褐色或灰棕色，较平坦，内表面白色或淡黄色；质坚脆，易折断；气味与根皮同。核果长圆形至近球形，外表面棕黄色至灰棕色，微有光泽，干且皱，先端偶见花柱残痕，基部有果柄痕，果肉较松软，淡黄色，遇水浸润显黏性，果核卵圆形，坚硬，具 4 ～ 5 棱，内分 4 ～ 5 室，每室含种子 1；气特异，味酸、苦。

| **功能主治** | 根皮、茎皮，苦，寒，有小毒，杀虫。用于蛔虫病，钩虫病，蛲虫病，滴虫性阴道炎，疥疮，头癣。果实，苦，寒，有小毒，归肝、胃经，行气止痛，杀虫。用于脘腹、胁肋疼痛，疝气痛，虫积腹痛，头癣，冻疮。

| **用法用量** | 根皮、茎皮，内服煎汤，6 ～ 15 g，鲜品 15 ～ 30 g；或入丸、散剂。外用适量，煎汤洗；或研末调敷。果实，内服煎汤，3 ～ 10 g。外用适量，研末调涂。

| **凭证标本号** | 441523190402028LY、440783190715024LY、440281190424001LY。

棟科 Meliaceae 棟属 Melia

川楝

Melia toosendan Siebold et Zucc.

| 药 材 名 | 川楝子（药用部位：果实、茎皮、根皮。别名：川楝皮、金铃子、川楝实）。

| 形态特征 | 乔木，高达 10 m。幼枝密被褐色星状鳞片，老枝无鳞片，暗红色，具皮孔，叶痕明显。二回羽状复叶长 35 ~ 45 cm，每羽片有小叶 4 ~ 5 对；小叶对生，具短柄或近无柄；小叶片卵形或窄卵形。圆锥花序腋生；花瓣淡紫色，匙形。核果大，椭圆状球形，长约 3 cm，果皮薄，成熟后呈淡黄色，内果皮为坚硬木质，有棱，6 ~ 8 室。花期 3 ~ 4 月，果期 9 ~ 11 月。

| 生境分布 | 广东阳春、龙川及广州（市区）等有栽培。

| 资源情况 | 栽培资源较少。药材来源于栽培。

| **采收加工** | 果实，11～12月果皮呈浅黄色时采收，除去杂质，晒干。茎皮、根皮，夏季采收，晒干。

| **药材性状** | 本品核果呈类圆形，直径2～3.2 cm。表面金黄色至棕黄色，微有光泽，少数凹陷或皱缩，具深棕色小点，先端有花柱残痕，基部凹陷，有果柄痕。外果皮革质，与果肉间常有空隙；果肉松软，淡黄色，遇水浸湿显黏性。果核球形或卵圆形，质坚硬，两端平截，有6～8纵棱，内分6～8室，每室含长圆形的黑棕色种子1。气特异，味酸、苦。

| **功能主治** | 果实，苦，寒，有小毒，泻火，止痛，杀虫。用于脘腹、胁肋疼痛，疝气痛，虫积腹痛，头癣。茎皮、根皮，苦，寒，有毒，杀虫，除湿热，止痛。用于蛔虫病，蛲虫病，风疹，疥癣。

| **用法用量** | 内服煎汤，3～10 g；或入丸、散剂。外用适量，研末调涂；或煎汤熏洗。

| **凭证标本号** | 440224181203031LY。

棟科 Meliaceae 香椿属 *Toona*

红椿
Toona ciliata M. Roem.

药材名

赤昨工（药用部位：根皮。别名：红楝子、双翅香椿）。

形态特征

大乔木，高达 30 m。小枝有稀疏的苍白色皮孔。叶为偶数或奇数羽状复叶，通常有小叶 7 ~ 8 对；小叶对生或近对生，纸质，每边有侧脉 12 ~ 18，侧脉在背面凸起。圆锥花序顶生，约与叶等长或比叶稍短；花瓣 5，白色，长圆形。蒴果长椭圆形，长 2 ~ 2.5 cm，木质，干后紫褐色，有苍白色皮孔；种子两端具翅，翅扁平，膜质。花期 4 ~ 6 月，果期 10 ~ 12 月。

生境分布

生于海拔 560 ~ 1 550 m 的沟谷林内或河旁村边。分布于广东乳源、乐昌、曲江、博罗、阳山、五华、新兴、电白及珠海（市区）、肇庆（市区）、清远（市区）。

资源情况

野生资源较少。栽培资源较丰富。药材来源于栽培。

| **采收加工** | 春季采挖根，刮去外面栓皮，以木锤轻捶之，使皮部与木部分离，再剥取根皮，晒干。 |

| **功能主治** | 辛、酸、微苦，凉。除热，燥湿，涩肠止血。用于久泻久痢，肠风便血，崩漏，带下，遗精，白浊，小儿疳积，疥疮，蛔虫病。 |

| **用法用量** | 内服煎汤，6 ~ 15 g；或入丸、散剂。外用适量，煎汤洗；或研末调敷。 |

| **凭证标本号** | 441823200707002LY。 |

楝科 Meliaceae 香椿属 Toona

小果香椿 *Toona microcarpa* (C. DC.) Harms

| 药 材 名 |

紫椿（药用部位：根皮、叶、果实。别名：思茅红椿）。

| 形态特征 |

乔木，高达 15 m。树皮灰黑色或褐色，纵裂。偶数羽状复叶长 30 ～ 50 cm；小叶 6 ～ 12 对，对生或互生，纸质，长圆形或长圆状卵形，先端渐尖或尾状渐尖，基部圆形或阔楔形，明显偏斜。圆锥花序顶生或腋生；花瓣白色，椭圆状倒卵形。蒴果椭圆形，无毛，长 1.8 ～ 2 cm，果瓣薄；种子椭圆形，两端均具膜质翅。花期 4 ～ 5 月，果期 8 ～ 10 月。

| 生境分布 |

生于丘陵、山地或常绿阔叶林中。分布于广东云浮（市区）、茂名（市区）等。广东广州有栽培。

| 资源情况 |

野生资源较少。栽培资源较少。药材来源于野生。

| 采收加工 |

根皮，春季采挖根，除去栓皮，剥取根皮，

晒干。叶，夏、秋季采收，鲜用或晒干。果实，秋、冬季果实成熟时采收，晒干。

| **功能主治** | 苦、甘、涩，温。燥湿，止血，杀虫。用于溃疡，消化道出血，血崩，痢疾，肠炎，皮肤瘙痒，痈疖，痔疮。

| **用法用量** | 内服煎汤，根皮 6 ～ 15 g，鲜叶 30 ～ 60 g，果实 3 ～ 9 g。外用适量，煎汤洗；或研末调敷。

香椿 *Toona sinensis* (A. Juss.) M. Roem.

|药 材 名|

椿白皮（药用部位：茎皮、根皮）、香椿子（药用部位：果实。别名：红椿、香铃子）。

|形态特征|

落叶乔木，高达 16 m。树皮粗糙，深褐色，片状脱落。偶数羽状复叶；小叶 16 ~ 20，对生或互生；小叶片卵状披针形或卵状长圆形，全缘或有疏离的小锯齿，侧脉平展，与中脉几成直角。圆锥花序顶生；花瓣 5，白色。蒴果狭椭圆形，长 2 ~ 3.5 cm，深褐色，有苍白色的小皮孔；种子上端有膜质的长翅，下端无翅。花期 6 ~ 8 月，果期 10 ~ 12 月。

|生境分布|

生于疏林中。栽培于房前屋后、村边、路旁。分布于广东乳源、乐昌、阳山、连州、英德、封开、高要及广州（市区）。

|资源情况|

野生资源较少。药材来源于栽培。

|采收加工|

椿白皮： 茎皮，全年均可剥取，鲜用或晒干。

根皮，全年均可采挖树根，刮去外面黑皮，以木锤捶之，使皮部与木部分离，再行剥取，晒干或鲜用。

香椿子：秋季采收，晒干。

| **药材性状** | **椿白皮：**本品为块状或长卷形，厚薄不一，外表面红棕色，有纵纹及裂隙，有的可见细小圆皮孔内表面有细纵纹或毛须；质坚硬，断面层状，纤维性；气微香，味淡。

香椿子：本品长 2.5 ~ 3.5 cm，果皮开裂为 5 瓣，裂片披针形，外表面黑褐色，内表面黄棕色，厚约 2.5 mm，果轴呈圆锥形，先端钝尖，黄棕色；种子着生于果轴及果瓣之间，5 列，有极薄的种翅，黄白色，半透明，种仁细小；气微弱。

| **功能主治** | **椿白皮：**苦、涩，温。祛风利湿，止血止痛。用于泄泻，痢疾，肠风便血，崩漏，带下，蛔虫病，丝虫病，疮癣。

香椿子：祛风，散寒，止痛。用于外感风寒，风湿痹痛，胃痛，疝气痛，痢疾。

| **用法用量** | **椿白皮：**内服煎汤，6 ~ 15 g；或入丸、散剂。外用适量，煎汤洗；或熬膏涂；或研末调敷。

香椿子：内服煎汤，6 ~ 15 g；或研末。

| **凭证标本号** | 440281200713030LY、441882190615015LY、441224180830006LY。

棟科 Meliaceae 鹧鸪花属 Trichilia

茸果鹧鸪花

Trichilia sinensis Bentv.

| 药 材 名 |

白骨走马（药用部位：根、叶、果实。别名：绒果海木）。

| 形态特征 |

灌木，高1～3 m。幼枝被黄色柔毛，老枝无毛。奇数羽状复叶长13～30 cm；小叶7～9，膜质，披针形或长椭圆形，侧脉弯拱而连结。圆锥花序腋生，较叶略短；花瓣5，白色，长圆形。蒴果近球形，直径8～12 mm，被黄色柔毛和极密的横线条；种子通常1，稀2，近球形，黑紫色或黑色，有光泽。花期4～9月，果期8～12月。

| 生境分布 |

生于低海拔山坡的疏林或灌木林中。广东广州有引种。

| 资源情况 |

栽培资源稀少。药材来源于栽培。

| 采收加工 |

根，全年均可采挖，洗净，切片，晒干。叶，春、夏季采收，鲜用或晒干。果实，秋、冬

季果实将成熟时采收，晒干。

| **功能主治** | 苦，寒；有小毒。杀虫止痒，燥湿止血。用于蛔虫腹痛，下肢溃疡，疥疮，湿疹瘙痒，外伤出血。

| **用法用量** | 内服煎汤，5 ~ 10 g。外用适量，煎汤洗；捣敷；研末撒或调涂。

楝科 Meliaceae 杜楝属 *Turraea*

杜楝 *Turraea pubescens* Hell.

| 药 材 名 | 杜楝（药用部位：枝、叶。别名：纽扣丹）。

| 形态特征 | 灌木，高 2 ~ 3 m。幼枝被黄色柔毛，后变无毛，褐色，有纵条纹。叶片椭圆形、卵形或倒卵形，长 5 ~ 10 cm，宽 2 ~ 4.5 cm，先端渐尖，基部通常呈楔形或近圆形，两面均被疏柔毛；叶柄被黄色柔毛。总状花序腋生，呈伞房状，总花梗极短；花瓣 5，白色，线状匙形。蒴果球形，有种子 5；种子长椭圆形，通常弯曲如新月。花期 4 ~ 7 月，果期 8 ~ 11 月。

| 生境分布 | 生于低海拔地区或海边灌木林中。分布于广东徐闻。

| 资源情况 | 野生资源较少。栽培资源较少。药材来源于野生和栽培。

| 采收加工 | 全年均可采收，鲜用或晒干。

| 功能主治 | 苦，凉。清热解毒，收敛止泻。用于泄泻，痢疾，咽喉肿痛，外伤出血。

| 用法用量 | 内服煎汤，6 ～ 15 g。外用适量，鲜品捣敷。

| 凭证标本号 | 440882180512014LY。

异木患 *Allophylus viridis* Radlk.

| **药 材 名** | 异木患（药用部位：全株。别名：大果、小叶枫）。 |

| **形态特征** | 灌木。三出复叶，被柔毛；顶生叶长椭圆形或披针状长椭圆形，长 5 ~ 15 cm，侧生叶两侧稍不对称，边缘有小锯齿，仅背面侧脉腋内有簇毛。花序总状，主轴不分枝；萼片无毛；花瓣鳞片2深裂，被须毛。果实近球形。花期8 ~ 9 月，果期11 月。 |

| **生境分布** | 生于低海拔地区的灌木林中。分布于广东雷州半岛。中国科学院华南植物园有引种。 |

| **资源情况** | 野生资源较少。药材来源于野生。 |

| **采收加工** | 夏、秋季采收，洗净，晒干。

| **功能主治** | 辛、甘，温。归肾经。祛风散寒，健胃，行气止痛。用于风湿痹痛，跌打损伤。

| **用法用量** | 内服煎汤，9 ~ 18 g。

| **凭证标本号** | 440882180501018LY。

倒地铃
Cardiospermum halicacabum L.

| 药 材 名 |

三角泡（药用部位：全株或果实。别名：假苦瓜、包袱草、灯笼草）。

| 形态特征 |

草质藤本。茎有5棱或6棱和相同数量的直槽，棱上被皱曲柔毛。二回三出复叶；叶柄长3～4 cm；小叶近无柄，顶生小叶近菱形，长3～8 cm。圆锥花序；萼片4，被缘毛；花瓣乳白色；雄蕊与花瓣近等长或较花瓣稍长；子房被短柔毛。蒴果梨形、陀螺状倒三角形或近长球形，高1.5～3 cm。花期夏、秋季，果期秋季至初冬。

| 生境分布 |

生于旷野、村边、路旁阳光充足的灌丛中。广东各地均有分布。

| 资源情况 |

野生资源丰富。药材来源于野生。

| 采收加工 |

全株，夏、秋季采收，除去杂质，晒干。果实，秋、冬季采收，晒干。

| 功能主治 | 全株，凉血解毒，散瘀消肿。用于黄疸，淋病，疔疮，湿疹，脓疱疮，疥疮，蛇咬伤，二便不通，跌打损伤。果实，祛风解痉，解毒。用于小儿脐风，湿疹，皮炎，疮痈。

| 用法用量 | 内服煎汤，9 ~ 15 g。

| 凭证标本号 | 445224190511117LY、440523190730009LY、441523190921057LY。

无患子科 Sapindaceae 龙眼属 Dimocarpus

龙眼 *Dimocarpus longan* Lour.

| 药 材 名 |

龙眼（药用部位：根或根皮、叶、假种皮、种子。别名：桂圆、贺眼、圆眼）。

| 形态特征 |

常绿乔木。小枝被微柔毛。小叶 4 ~ 5 对，两侧不对称，背面粉绿色，侧脉 12 ~ 15 对，在背面凸起；小叶柄长不及 5 mm。花序顶生或近枝顶腋生，密被星状毛；萼片三角状卵形，长约 2.5 mm，两面被绒毛和星状毛；花瓣乳白色，仅外面被微柔毛。果实近球形。花期春、夏季，果期夏季。

| 生境分布 |

多栽培于堤岸、村边园圃中。广东无野生分布。广东东部、中部至西南部普遍栽培。

| 资源情况 |

栽培资源丰富。药材来源于栽培。

| 采收加工 |

根或根皮，全年均可采收，洗净，鲜用或切片晒干。叶，老叶全年均可采收，嫩叶早春采收，鲜用或晒干。假种皮，夏、秋季采收成熟果实，干燥，除去壳、核，晒至干爽不黏。种子，果实成熟后采收果实，剥除果皮、假种皮，取出种子，鲜用或晒干。

| 药材性状 | 本品假种皮为不规则块片，外表面皱缩不平，质柔润，有黏性，味甜，以片大而厚、色黄棕、半透明、甜味浓者为佳。种子茶褐色，被肉质假种皮包裹。

| 功能主治 | 根或根皮，微苦，平。利湿，通络。用于乳糜尿，带下，风湿关节痛。叶，微苦，平。清热解毒，解表利湿。用于流行性脑脊髓膜炎，感冒，肠炎；外用于阴囊湿疹。假种皮，甘，平。补心脾，养血安神。用于病后体虚，神经衰弱，健忘，心悸，失眠。种子，微苦、涩，平。止血，止痛。用于胃痛。

| 用法用量 | 根或根皮，内服煎汤，30 ~ 60 g；或熬膏。外用适量，捣敷。叶，内服煎汤，9 ~ 15 g。外用适量，研末调敷。假种皮，内服煎汤，3 ~ 9 g；或研末。外用适量，煅存性，研末撒。种子，内服煎汤，3 ~ 9 g；或研末。外用适量，煅存性，研末撒。

| 凭证标本号 | 441284190730401LY、440783200312030LY、441422190730197LY。

无患子科 Sapindaceae 车桑子属 Dodonaea

坡柳 *Dodonaea viscosa* Jacq.

| **药材名** | 车桑子（药用部位：全株或根、叶、花、果实。别名：山杨柳、油明子、炒米柴）。 |

| **形态特征** | 小乔木，高达 3 m 或更高。单叶互生；叶片线形至长圆形，长 5 ~ 12 cm，全缘或边缘具不明显的浅波状，两面有黏液。花序顶生或在小枝上部腋生，比叶短，主轴和分枝均有棱角；萼片 4；雄蕊 7 或 8。蒴果倒心形或扁球形，具 2 或 3 翅。花期秋末，果期冬末春初。 |

| **生境分布** | 生于离海岸不远的荒地或干旱山坡。分布于广东南雄、普宁、饶平、陆河、南澳、徐闻及深圳（市区）、汕头（市区）等。 |

| **资源情况** | 野生资源较丰富。药材来源于野生。 |

| 采收加工 | 全年均可采收，鲜用或晒干。

| 药材性状 | 本品小枝扁，有狭翅或棱角，覆有胶状黏液。叶形和大小变化大，无毛；叶柄短或近无。萼片果时脱落；无花瓣。蒴果高 1.5 ~ 2.2 cm，连翅宽 1.8 ~ 2.5 cm；种子每室 1 或 2，透镜状，黑色，种皮膜质或纸质，有脉纹。

| 功能主治 | 全株，止痒。外用于疮毒，湿疹。根，消肿解毒。用于牙痛，风毒流注。叶，微苦、辛，温，解毒，消炎，祛风湿。用于癃闭，肩部漫肿，咽喉炎，疮痈疔疖，烫火伤。花、果实，止咳。用于顿咳。

| 用法用量 | 内服煎汤，6 ~ 15 g。外用适量，捣敷。

| 凭证标本号 | 445224201007001LY、440523190712004LY、440882180430430LY。

无患子科 Sapindaceae 栾树属 Koelreuteria

复羽叶栾树 *Koelreuteria bipinnata* Franch.

| 药 材 名 |

摇钱树（药用部位：根、花、果实）。

| 形态特征 |

乔木。二回羽状复叶；小叶 9 ~ 17，多互生；小叶柄短或近无。圆锥花序大型，长达 70 cm，与花梗同被短柔毛；萼片 5 裂达中部；花瓣 4，长圆状披针形；雄蕊 8；子房三棱状长圆形，被柔毛。蒴果近球形，成熟时呈褐色，果瓣外具网状脉纹。花期 7 ~ 9 月，果期 8 ~ 10 月。

| 生境分布 |

生于山地疏林中。分布于广东乳源、博罗。

| 资源情况 |

野生资源较少。栽培资源丰富。药材来源于栽培。

| 采收加工 |

全年均可采收，鲜用或晒干。

| 功能主治 |

根，苦，平，祛风清热，止咳，散瘀，止痛，活血，杀虫。用于风热咳嗽，跌打损伤等。

花，清肝明目，清热止咳。用于燥热引起的视物不清，风热咳嗽，咽痛，口干等。果实，行气止痛。用于筋骨痛。

| **用法用量** | 内服煎汤，6 ～ 15 g。

無患子科 Sapindaceae 栾树属 Koelreuteria

栾树
Koelreuteria paniculata Laxm.

| 药 材 名 | 栾华（药用部位：花。别名：灯笼树、摇钱树、五乌拉叶）。

| 形态特征 | 乔木或灌木。叶为一回或不完全二回，偶为二回羽状复叶；小叶（7 ~）11 ~ 18，无柄或具极短的柄，对生或互生，边缘有不规则钝锯齿。聚伞圆锥花序长达 40 cm，密被微柔毛；花淡黄色；萼裂片边缘具腺状缘毛，呈啮蚀状；花瓣 4，开花时花瓣外反，呈线状长圆形，长 5 ~ 9 mm；雄蕊 8，花丝下半部密被开展的白色长柔毛。蒴果圆锥形，具 3 棱。花期 6 ~ 8 月，果期 9 ~ 10 月。

| 生境分布 | 生于海拔 200 ~ 1 200 m 的疏林中。广东无野生分布。栽培于广东广州（市区）、深圳（市区）、佛山（市区）等。

| **资源情况** | 栽培资源较丰富。药材来源于栽培。

| **采收加工** | 6 ~ 7 月采收，晒干或阴干。

| **功能主治** | 苦，寒。清肝明目。用于目赤肿痛，多泪。

| **用法用量** | 内服煎汤，3 ~ 6 g。

| **凭证标本号** | 440184150113293LY。

无患子科 Sapindaceae 荔枝属 Litchi

荔枝 *Litchi chinensis* Sonn.

| 药 材 名 | 荔枝（药用部位：根、假种皮或果肉、种子。别名：大荔、丹荔、丽支）。 |

| 形态特征 | 常绿乔木。小叶 2 ~ 4 对，披针形或卵状披针形，长 6 ~ 15 cm，全缘，腹面深绿色，背面粉绿色，两面无毛；侧脉在腹面不明显，在背面稍凸起。花序顶生；萼被金黄色短绒毛；雄蕊 6 ~ 7，有时 8；子房密被小瘤体和硬毛。花期春季，果期夏季。 |

| 生境分布 | 广东中部至南部普遍栽培。 |

| 资源情况 | 栽培资源丰富。药材来源于栽培。 |

| **采收加工** | 根，全年均可采挖，洗净，鲜用或晒干。假种皮、果肉，6～7月果实成熟时采收，鲜用或晒干。种子，夏季采摘成熟果实，除去果皮和肉质假种皮，取种子，洗净，晒干。 |

| **药材性状** | 本品果实球形，红色，有多数尖锐的疣状突起。种子长圆形或长卵形，稍扁，长 1.5～2.5 cm。 |

| **功能主治** | 根，微苦、涩，温，消肿止痛。用于胃寒胀痛，疝气，遗精，喉痹。假种皮或果肉，甘、酸，温，益气补血。用于烦渴，便血，血崩，脾虚泄泻，病后体虚，胃痛，呃逆；外用于瘰疬溃烂，疔疮肿毒，外伤出血。种子，甘、微苦、涩，温，理气，散结，止痛。用于体虚，胃气冷痛，疝气，子痈，妇人腹中血气刺痛。 |

| **用法用量** | 根，内服煎汤，10～30 g，鲜品60 g。假种皮或果肉，内服煎汤，5～10，或烧存性，研末，或浸酒；外用捣敷，或烧存性，研末撒。种子，内服煎汤，6～10 g，或研末，1.5～3 g，或入丸、散剂；外用研末调敷。 |

| **凭证标本号** | 441523200719001LY、440783190716001LY、441284191005388LY。 |

无患子科 Sapindaceae 韶子属 Nephelium

韶子

Nephelium chryseum Blume

| **药 材 名** | 韶子（药用部位：果实。别名：毛荔枝）。

| **形态特征** | 常绿乔木。小叶常为 4 对，稀为 2 或 3 对，全缘，背面粉绿色，被柔毛，侧脉在腹面近平坦或微凹陷，在背面凸起；小叶柄长 5 ～ 8 mm。雄花序与叶近等长，雌花序较短；雄蕊 7 ～ 8。果实椭圆形，红色，连刺长 4 ～ 5 cm，宽 3 ～ 4 cm；刺长 1 cm 或过之，两侧扁，先端尖，弯钩状。花期春季，果期夏季。

| **生境分布** | 生于海拔 500 ～ 1 500 m 的山地密林中。分布于广东高要、信宜、阳春、廉江。

| **资源情况** | 野生资源较少。药材来源于野生。

| 采收加工 | 夏季采收，烘干或晒干。

| 功能主治 | 甘、酸，温。祛风散寒，收敛止痢，消炎解毒。用于口腔炎，痢疾，消化道溃疡等。

| 用法用量 | 内服煎汤，9 ～ 15 g。外用适量，煎汤洗。

无患子科 Sapindaceae 无患子属 *Sapindus*

无患子 *Sapindus saponaria* Linn.

| **药 材 名** | 无患子根（药用部位：根）、无患子果（药用部位：果实。别名：油患子、苦患子、洗手果）。 |

| **形态特征** | 落叶乔木。叶连柄长达 45 cm 或更长，叶轴稍扁；小叶 5 ~ 8 对，常近对生；小叶片长椭圆状披针形，长 7 ~ 15 cm，基部稍不对称，两面无毛或背面被微柔毛；小叶柄长约 5 mm。花序顶生，圆锥形；花瓣 5，披针形；雄蕊 8，伸出；子房无毛。分果爿近球形，直径 2 ~ 2.5 cm，橙黄色，干时呈黑色。花期春季，果期夏、秋季。 |

| **生境分布** | 生于低海拔的山坡疏林中或村边旷地上。广东大部分地区有分布。 |

广东大部分地区有栽培。

| 资源情况 | 野生资源较丰富。栽培资源较丰富。药材来源于野生和栽培。

| 采收加工 | **无患子根**：全年均可采挖，晒干。

无患子果：秋季果实成熟时采收，烘干或晒干。

| 功能主治 | **无患子根**：苦、辛，凉。宣肺止咳，解毒化湿。用于外感发热，咳喘，白浊，带下，咽喉肿痛，毒蛇咬伤。

无患子果：苦、微辛，寒；有小毒。清热除痰，利咽止泻。用于白喉，咽喉炎，扁桃体炎，支气管炎，百日咳，急性肠胃炎。

| 用法用量 | **无患子根**：内服煎汤，10 ~ 15 g。外用适量。

无患子果：内服煎汤，3 ~ 6 g；或研末。外用适量，烧灰或研末吹喉、擦牙；或煎汤洗；或熬膏涂。

| 凭证标本号 | 440281200714008LY、441622200909012LY、441224180718013LY。

七叶树科 Hippocastanaceae 天师栗属 Aesculus

天师栗
Aesculus chinensis Bunge var. *wilsonii* (Rehder) Turland & N. H. Xia

| 药 材 名 | 娑罗子（药用部位：果实或种子。别名：猴板栗、娑罗果）。

| 形态特征 | 落叶乔木。掌状复叶对生；叶柄长 10 ~ 15 cm；小叶 5 ~ 7，稀 9，长圆状倒卵形至长圆状倒披针形，边缘有密锯齿，长 10 ~ 25 cm。花序顶生，直立，圆筒形，长 20 ~ 30 cm；花香，杂性，雄花与两性花同株；花瓣 4，白色；雄蕊 7，伸出花外，长短不等。蒴果黄褐色，卵圆形或近梨形，长 3 ~ 4 cm，先端有短尖头，无刺，有斑点，成熟时常 3 裂；种子常为 1，稀 2，发育良好，近球形，直径 3 ~ 3.5 cm，栗褐色。花期 4 ~ 5 月，果期 9 ~ 10 月。

| 生境分布 | 生于山地林中。分布于广东乳源。

李晓东提供

| **资源情况** | 野生资源较少。药材来源于野生。

| **采收加工** | 果实，10月采收成熟果实，晒7～9天后再用文火烘至全干，烘前用针在果皮上刺扎，以防爆破，也可直接晒干或剥除果皮后晒干。种子，秋季果实成熟时采收果实，除去果皮，留取种子，晒干或低温干燥。

| **药材性状** | 本品果实略呈卵形或倒卵形，直径2.5～4 cm，先端微突尖，基部有果柄痕迹，果皮表面棕褐色，粗糙，有稀疏的黄棕色斑点，有3纵沟；果壳干后厚约1 mm。种子呈扁球形或类球形，似板栗，直径3～3.5 cm，表面棕色或棕褐色，多皱缩，凹凸不平，略具光泽；种脐色较浅，近圆形，一侧有1凸起的种脊，有的种脊不甚明显，其面积占种子的1/4～1/2；种皮硬而脆；子叶2，肥厚，坚硬，形似栗仁，黄白色或淡棕色，粉性；无臭，味先苦而后甜。

| **功能主治** | 甘，温。疏肝理气，止痛。用于乳房胀痛，胃脘痛，痛经。

| **用法用量** | 内服煎汤，5～10 g；或烧灰冲酒。

李晓东提供

伯乐树科 Bretschneideraceae 伯乐树属 Bretschneidera

伯乐树
Bretschneidera sinensis Hemsl.

徐晔春提供

| 药 材 名 |

山桃树（药用部位：茎皮。别名：南华木、钟萼木）。

| 形态特征 |

乔木。羽状复叶长达 45 cm，总轴有毛或无毛；叶柄长 10 ~ 18 cm；小叶 7 ~ 15，长 6 ~ 26 cm，全缘。花序长 20 ~ 36 cm；总花梗、花梗、花萼外面有棕色短绒毛；花淡红色，直径约 4 cm；花萼直径约 2 cm，长 1.2 ~ 1.7 cm；子房、花柱有柔毛。果实椭圆状球形，长 3 ~ 5.5 cm，直径 2 ~ 3.5 cm。花期 3 ~ 9 月，果期 5 月至翌年 4 月。

| 生境分布 |

生于海拔 150 ~ 1 500 m 的山地林中。分布于广东中部、西部和北部。

| 资源情况 |

野生资源一般。药材来源于野生。

| 采收加工 |

春、夏季植株生长旺盛时采收，晒干。

| 功能主治 | 甘、淡，平。祛风除湿，解毒散瘀。用于筋骨痛。

| 用法用量 | 内服煎汤，6～9g。外用适量，鲜品捣敷。

| 凭证标本号 | 441882190614018LY。

徐晔春提供

紫果槭
Acer cordatum Pax

| **药 材 名** | 紫果槭（药用部位：花。别名：紫槭、小紫槭、长柄紫果槭）。 |

| **形态特征** | 乔木。叶卵状长圆形，稀卵形，长 6 ~ 9 cm，除接近先端部分具稀疏细锯齿外，其余部分全缘，无毛；叶柄紫色或淡紫色，长约 1 cm。花 3 ~ 5 组成伞房花序，着生于有 2 叶的小枝先端；花萼片 5，紫色；花瓣 5，淡白色或淡黄白色；雄蕊 8。翅果嫩时呈紫色，成熟时呈黄褐色；小坚果凸起，无毛，长 4 mm，宽 3 mm；翅宽 1 cm，张开成钝角或近水平。花期 4 月，果期 9 月。 |

| **生境分布** | 生于海拔 100 ~ 1 200 m 的疏林中。分布于广东北部和东北部。 |

资源情况	野生资源较丰富。药材来源于野生。
采收加工	春季采收，晒干。
功能主治	微苦，凉。凉血解毒，止咳化痰。用于咯血，扁桃体炎，支气管炎。
用法用量	内服煎汤，30 g。
凭证标本号	440281190627051LY、440224180403010LY、441827180714014LY。

槭树科 Aceraceae 槭树属 Acer

青榨槭 *Acer davidii* Franch.

| **药 材 名** | 青榨槭(药用部位：根、茎皮。别名：光陈子、飞故子、青蛤蟆）。 |

| **形态特征** | 落叶乔木。叶近长圆形，长 6 ～ 14 cm，边缘具钝圆齿，嫩叶下面沿叶脉被紫褐色短柔毛，老后无毛；叶柄长约 2 ～ 8 cm。花黄绿色，杂性，雄花与两性花同株，组成下垂总状花序；萼片 5；花瓣 5；雄蕊 8；子房被红褐色短柔毛。翅果成熟后呈黄褐色，翅宽 1 ～ 1.5 cm。花期 4 月，果期 9 月。 |

| **生境分布** | 生于山地疏林中。分布于广东北部和东北部。 |

| **资源情况** | 野生资源丰富。药材来源于野生。 |

| **采收加工** | 夏、秋季采收，洗净，切片，晒干。

| **药材性状** | 本品茎皮厚 2 ～ 3 mm。外皮鲜时有西瓜状斑块，稍干则变为紫褐色，久存则变为灰绿褐色或灰褐色，不开裂或凸棱处微裂，皮孔极明显，黄白色；内皮棕黄色至微紫色，纤维发达。横断面鲜时可见齿状花纹，干后花纹消失，层与层之间有褐色隔带。

| **功能主治** | 甘、苦，平。祛风除湿，散瘀消肿，消食健脾。用于风湿痹痛，肢体麻木，关节不利，跌打肿痛，泄泻，痢疾，小儿消化不良。

| **用法用量** | 内服煎汤，6 ～ 15 g；或研末，3 ～ 6 g；或浸酒。外用适量，研末调敷。

| **凭证标本号** | 441825190801067LY、440281190626027LY、441224180612046LY。

槭树科 Aceraceae 槭树属 Acer

罗浮槭
Acer fabri Hance

| **药 材 名** | 蝴蝶果（药用部位：果实。别名：红翅槭、红槭、费伯槭）。 |

| **形态特征** | 常绿乔木。叶片革质，披针形至长圆状倒披针形，长 7 ~ 11 cm，全缘，下面无毛或脉腋稀被丛毛；叶柄长 1 ~ 1.5 cm，无毛。花杂性，雄花与两性花同株；萼片 5，紫色；花瓣 5，白色，略短于萼片；雄蕊 8；子房无毛。果皮一端向外延伸成翅状，平展，张开成钝角，长 25 ~ 30 mm，黄褐色或淡褐色；小坚果凸起，卵形，直径约 5 mm。花期 3 ~ 4 月，果期 9 月。 |

| **生境分布** | 生于山地林中。分布于广东除南部以外的地区。 |

| **资源情况** | 野生资源丰富。药材来源于野生。 |

| **采收加工** | 夏季采收，晒干。 |

| **药材性状** | 本品为单粒种子的果实，果皮一端向外延伸成翅状，平展，类匙形，长 25 ～ 30 mm，宽 6 ～ 10 mm，黄褐色或淡棕色，偶见 2 带翅果实并列排于一纤细果柄上且张开成钝角，形似蝴蝶的翅膀。小坚果凸起，卵形，直径约 4 mm。破碎后气微，味微苦、涩。 |

| **功能主治** | 微苦、涩，凉。清热，利咽喉。用于咽喉炎，扁桃体炎，声音嘶哑，肝炎，肺结核，胸膜炎。 |

| **用法用量** | 内服煎汤，15 ～ 30 g。 |

| **凭证标本号** | 441523191018033LY、440281190427036LY、441623180912019LY。 |

槭树科 Aceraceae 槭树属 *Acer*

飞蛾槭
Acer oblongum Wall. ex DC.

| 药 材 名 | 飞蛾树（药用部位：根皮。别名：鄂西飞蛾槭、异色槭、三裂飞蛾槭）。

| 形态特征 | 常绿乔木。叶长圆状卵形，长 5 ~ 7 cm，全缘，下面有白粉；叶柄无毛。花杂性，绿色或黄绿色，雄花与两性花同株，常组成伞房花序，顶生于具叶小枝；萼片 5；花瓣 5；雄蕊 8；花柱短，无毛，2 裂，柱头反卷。翅果嫩时呈绿色，成熟时呈淡黄褐色；小坚果凸起，呈四棱形；翅与小坚果张开，近成直角。花期 4 月，果期 9 月。

| 生境分布 | 生于山地林中。分布于广东阳山、连州、封开。

| 资源情况 | 野生资源较少。药材来源于野生。

| 采收加工 | 全年均可采收，晒干。

| 功能主治 | 苦，凉。祛风除湿。用于关节疼痛。

| 用法用量 | 内服煎汤，15 ~ 30 g。

| 凭证标本号 | 441225180730112LY。

清风藤科 Sabiaceae 泡花树属 Meliosma

垂枝泡花树 *Meliosma flexuosa* Pamp.

| 药 材 名 |

垂枝泡花树（药用部位：叶。别名：红糯米稀）。

| 形态特征 |

落叶灌木或小乔木，高 3 ~ 5 m。芽、幼枝、幼叶中脉、花序轴均被淡褐色长柔毛。腋芽常 2 枚并生。单叶互生；叶片膜质，倒卵形或倒卵状椭圆形，长 6 ~ 12 cm，宽 3 ~ 3.5 cm，先端渐尖或骤尖，叶基部窄楔形，叶缘具锐尖的锯齿，两面疏被柔毛，脉腋具不明显髯毛，侧脉 12 ~ 18 对，直达齿端；叶柄长 1 ~ 2 cm，基部稍膨大并包裹腋芽。圆锥花序顶生，下垂；主轴及侧枝呈 "之"字形弯曲，侧枝向下弯垂；花小，白色，直径 4 ~ 5 mm。核果近卵形，长约 5 mm，核具细网纹，中肋锐凸起，从腹孔一边延至另一边。花期 5 ~ 6 月，果期 7 ~ 9 月。

| 生境分布 |

生于海拔约 1 000 m 的山地林中。分布于广东乳源。

| 资源情况 |

野生资源较少。药材来源于野生。

| **采收加工** | 夏、秋季采收，鲜用或晒干。

| **功能主治** | 甘、辛，平。清热解毒，镇痛，利水。用于外感头痛。

| **用法用量** | 内服煎汤，15 ～ 30 g。

清风藤科 Sabiaceae 泡花树属 Meliosma

香皮树
Meliosma fordii Hemsl.

| 药 材 名 | 香皮树（药用部位：茎皮、叶。别名：罗浮泡花树、钝叶泡花树、过假麻）。

| 形态特征 | 常绿小乔木，高 5 ~ 10 m。小枝被褐色柔毛。单叶互生；叶片纸质或近革质，披针形或倒披针形，长 9 ~ 18 cm，先端渐尖，叶基窄楔形，全缘或近顶部每边有锯齿 1 ~ 3，上面无毛，有光泽，下面有疏柔毛；叶柄长 1.5 ~ 3.5 cm，被疏柔毛或长柔毛，侧脉 14 ~ 20 对，弯拱上升。圆锥花序顶生或近顶生，被褐色柔毛，分枝 3 ~ 4，宽广；花极小，白色；花瓣 5，外面 3 花瓣近圆形，内面 2 花瓣 2 裂达中部。核果近球形或扁球形，直径 3 ~ 5 mm，褐色；核具细网纹。花期 5 ~ 7 月，果期 8 ~ 10 月。

| 生境分布 | 生于海拔 300 ~ 1 000 m 的林中。广东各地均有分布。 |

| 资源情况 | 野生资源较丰富。药材来源于野生。 |

| 采收加工 | 茎皮，秋、冬季采收，洗净，切片，晒干。叶，夏、秋季采收，洗净，鲜用或晒干。 |

| 功能主治 | 苦、甘，平。滑肠通便。用于肠燥便秘。 |

| 用法用量 | 内服煎汤，6 ~ 9 g。 |

| 凭证标本号 | 441523190919047LY、441825190709009LY。 |

清风藤科 Sabiaceae 泡花树属 Meliosma

笔罗子
Meliosma rigida Siebold et Zucc.

| 药 材 名 | 灵寿茨（药用部位：根皮、果实。别名：野枇杷）。

| 形态特征 | 常绿小乔木，高达 10 m。树皮灰褐色。小枝被锈色绒毛。单叶互生；叶片革质，倒披针形或椭圆形，长 8 ~ 25 cm，宽 2.5 ~ 4.5 cm，先端长渐尖，基部渐窄，呈楔形，全缘或上部有疏锯齿，上面嫩时有毛，下面被锈色绒毛，侧脉 13 ~ 18 对，在下面凸起；叶柄长 1.5 ~ 4 cm，有短绒毛。圆锥花序顶生，有锈色绒毛，分枝广展；花小，白色，密生，直径 3 ~ 4 mm。核果球形，直径 5 ~ 8 mm；核球形，具细网纹。花期 5 ~ 6 月，果期 8 月。

| 生境分布 | 生于海拔 100 ~ 1 800 m 的阔叶林中。分布于广东乳源、饶平、大埔、平远、蕉岭、博罗、梅县、龙川、高要及深圳（市区）、潮州

（市区）。

| **资源情况** | 野生资源丰富。药材来源于野生。

| **采收加工** | 根皮，全年均可采收，晒干或鲜用。果实，秋季果实成熟时采收，晒干。

| **药材性状** | 本品核果球形，直径 5 ～ 8 mm，干后表面呈棕绿色。果核球形，稍偏斜，具凸起的细网纹，中肋稍隆起。气微。

| **功能主治** | 根皮，甘、微辛，平，利水解毒。用于感冒，咳嗽。果实，苦，平，解表，止咳。用于感冒，咳嗽。

| **用法用量** | 内服煎汤，6 ～ 9 g。

| **凭证标本号** | 441523190919014LY、441622200923049LY。

清风藤科 Sabiaceae 泡花树属 *Meliosma*

山檨叶泡花树

Meliosma thorelii Lecomte

| 药 材 名 | 山檨叶泡花树（药用部位：根、枝叶。别名：花木香）。

| 形态特征 | 常绿乔木，高 6 ~ 14 m。单叶互生；叶片近革质，倒披针形或椭圆状倒披针形，长 12 ~ 25 cm，宽 4 ~ 8 cm，先端渐尖，基部窄楔形，全缘或中部以上有锐齿，无毛或仅下面被疏柔毛，脉腋具髯毛，侧脉 15 ~ 22 对，在两面均凸起；叶柄长 1.5 ~ 2 cm。圆锥花序顶生或生于上部叶腋内，直立，被褐色柔毛；花小，具短梗；花瓣 5，外面 3 花瓣近圆形，内面 2 花瓣窄披针形，不裂。核果球形，稍偏斜，直径 6 ~ 9 mm；核具稍凸起的网纹。花期夏季，果期 10 ~ 11 月。

| 生境分布 | 生于海拔 200 ~ 1 000 m 的山林中。分布于广东博罗、增城、惠阳、

英德、信宜及茂名（市区）。

| **资源情况** | 野生资源一般。药材来源于野生。

| **采收加工** | 根，秋、冬季采挖，洗净，切片，鲜用或晒干。枝、叶，全年均可采收，鲜用或晒干。

| **功能主治** | 祛风除湿，消肿止痛。用于风湿关节痛，跌打损伤，腰膝疼痛。

| **用法用量** | 内服煎汤，6 ~ 9 g。外用适量，捣敷；或煎汤熏洗。

| **凭证标本号** | 441422190414637LY。

灰背清风藤 *Sabia discolor* Dunn

| 药 材 名 | 广藤根（药用部位：根、茎。别名：白背清风藤）。

| 形态特征 | 常绿攀缘木质藤本。嫩枝具纵纹，老枝深褐色，具白蜡层。单叶互生；叶片纸质，卵形、卵状椭圆或椭圆形，长 4 ~ 7 cm，宽 2 ~ 4 cm，先端尖或圆钝，基部圆形，全缘，反卷，叶面绿色，干后呈黑色，叶背灰白色，两面无毛，侧脉 3 ~ 5 对；叶柄长 0.7 ~ 1.5 cm。聚伞花序腋生，有 2 ~ 5 花；花绿色，长约 5 mm。分果爿红色，倒卵状圆形或倒卵形，长约 5 mm；核中肋凸起，呈翅状，两侧面有不规则块状凹穴，腹部凸出。花期 3 ~ 4 月，果期 5 ~ 8 月。

| 生境分布 | 生于海拔 300 ~ 1 700 m 的山地灌木林中。分布于广东乳源、始兴、南雄、和平、蕉岭、平远、丰顺、大埔、梅县、饶平、龙门、英德、

封开及汕头（市区）。

| **资源情况** | 野生资源丰富。药材来源于野生。

| **采收加工** | 秋、冬季采挖根，夏、秋季采收茎，洗净，切片，鲜用或晒干。

| **功能主治** | 甘、苦，平。祛风利湿，活血通络，止痛。用于风湿关节痛，跌打损伤，肝炎。

| **用法用量** | 内服煎汤，6～9 g。外用适量，捣敷；或煎汤洗。

| **凭证标本号** | 441825210314014LY、440224180330015LY。

清风藤科 Sabiaceae 清风藤属 Sabia

簇花清风藤 *Sabia fasciculata* Lecomte ex H. Y. Chen

| 药 材 名 | 小发散（药用部位：全株）。

| 形态特征 | 常绿攀缘木质藤本。单叶互生；叶片长圆形、椭圆形或窄椭圆形，长 5 ～ 12 cm，宽 1.5 ～ 3.5 cm，先端长渐尖，基部宽楔形或圆形，全缘，叶面深绿色，叶背淡绿色，侧脉 5 ～ 8 对；叶柄长 0.8 ～ 1.5 cm。伞状聚伞花序有花 3 ～ 4，再排成伞房花序；花小，淡绿色；花瓣有红色斑纹。分果爿红色，倒卵形，长 0.8 ～ 1 cm；核中肋凸起而成窄翅，两侧面有 1 ～ 2 行蜂窝状凹穴，腹部凸出，呈三角形。花期 2 ～ 5 月，果期 5 ～ 10 月。

| 生境分布 | 生于山地林中。分布于广东乐昌、信宜及深圳（市区）。

| **资源情况** | 野生资源较少。药材来源于野生。 |

| **采收加工** | 全年均可采收，洗净，切片，晒干。 |

| **功能主治** | 甘、微涩，温。祛风除湿，散瘀消肿。用于风湿痹痛，跌打瘀肿。 |

| **用法用量** | 内服煎汤，10 ~ 30 g；或浸酒。外用适量，浸酒搽。 |

清风藤科 Sabiaceae 清风藤属 Sabia

清风藤 *Sabia japonica* Maxim.

| 药 材 名 | 清风藤（药用部位：根、茎、叶。别名：青藤、寻风藤）。

| 形态特征 | 落叶攀缘木质藤本。幼枝有细毛，老枝叶柄基部常宿存木质单刺或双刺。单叶互生；叶片纸质，卵状椭圆形、卵形或宽卵形，长 3.5 ~ 7 cm，宽 2.5 ~ 3.5 cm，先端短尖，基部圆形或楔形，全缘，叶面中脉有疏毛，叶背灰绿色，脉上被疏柔毛，侧脉 3 ~ 5 对；叶柄长 2 ~ 5 mm。花单生或数花组成聚伞花序，腋生；花黄绿色，下垂，直径 7 ~ 8 mm。分果爿近圆形或肾形，直径约 5 mm；核有中肋，两侧面具蜂窝状凹穴。花期 2 ~ 3 月，果期 4 ~ 7 月。

| 生境分布 | 生于海拔 800 m 以下的山谷疏林中或林缘。分布于广东乳源、仁化、始兴、乐昌、曲江、平远、连平、阳山、英德及深圳（市区）。

| 资源情况 | 野生资源一般。栽培资源较少。药材来源于野生。

| 采收加工 | 根，秋、冬季采挖，洗净，切片，鲜用或晒干。茎，春、夏季采收，切段，晒干。叶，夏、秋季采收，鲜用。

| 药材性状 | 本品茎呈圆柱形，灰黑色，光滑。外表面有纵皱纹及叶柄残基，呈短刺状；断面皮部较薄，灰黑色，木部黄白色。气微，味微苦。

| 功能主治 | 微辛，温。祛风利湿，活血解毒。用于风湿痹痛，跌打肿痛，骨髓炎，皮肤瘙痒。

| 用法用量 | 内服煎汤，9 ~ 15 g，大剂量可用 30 ~ 60 g；或浸酒。外用适量，鲜品捣敷；或煎汤熏洗。

| 凭证标本号 | 440281190626008LY、441623180628037LY。

清风藤科 Sabiaceae 清风藤属 Sabia

毛萼清风藤

Sabia limoniacea Wall. ex Hook. f. et Thomson var. *ardisoides* (Hook. et Arn.) L. Chen

| 药 材 名 | 毛萼清风藤（药用部位：全株。别名：长序清风藤、柠檬清风藤、大叶清风藤）。

| 形态特征 | 常绿攀缘木质藤本。单叶互生，革质；叶片长圆形、椭圆形或卵状椭圆形，长 7 ～ 15 cm，宽 4 ～ 6 cm，先端短渐尖或急尖，基部阔楔形或圆形，全缘，两面均无毛，侧脉 6 ～ 7 对，网脉稀疏，在叶面不明显，在叶背明显凸起；叶柄长 1.5 ～ 2.5 cm。聚伞花序有花 2 ～ 4，再组成圆锥花序，长 7 ～ 15 cm；花淡绿色、黄绿色或淡红色。分果爿近圆形或近肾形，长 1 ～ 1.5 cm，红色；核中肋不明显，侧面具蜂窝状凹穴。花期 9 ～ 12 月，果期翌年 4 月。

| 生境分布 | 生于海拔 1 000 m 以下的山地林中或林缘。分布于广东龙门、博罗、

新兴、怀集及河源（市区）、肇庆（市区）、深圳（市区）等。

| **资源情况** | 野生资源一般。药材来源于野生。

| **采收加工** | 全年均可采收，洗净，晒干。

| **功能主治** | 苦，凉。祛风止痛。用于风湿痹痛，跌打损伤。

| **用法用量** | 内服煎汤，9 ~ 15 g；或浸酒。外用适量，鲜品捣敷。

| **凭证标本号** | 441825190501057LY、440781190518006LY。

清风藤科 Sabiaceae 清风藤属 Sabia

尖叶清风藤 *Sabia swinhoei* Hemsl.

药材名

尖叶清风藤（药用部位：全株。别名：海南清风藤、伞序清风藤、台湾清风藤）。

形态特征

常绿攀缘木质藤本。小枝纤细，被长柔毛。单叶互生；叶片革质，椭圆形、卵状椭圆形、卵形或宽卵形，长 5 ~ 12 cm，宽 2 ~ 5 cm，先端渐尖或尾尖，基部圆形或宽楔形，全缘，叶背面被短柔毛，侧脉 4 ~ 6 对；叶柄长 3 ~ 5 mm，被柔毛。伞状聚伞花序被疏长柔毛，有 2 ~ 7 花；花小，淡绿色。分果爿深蓝色，近圆形或倒卵形，基部偏斜，长 8 ~ 9 mm；核中肋不明显，侧面有不规则条块状凹穴，腹部凸出。花期 3 ~ 4 月，果期 7 ~ 9 月。

生境分布

生于海拔 700 ~ 1 200 m 的山地林中或林缘。分布于广东乳源、新丰、仁化、始兴、乐昌、和平、连平、平远、大埔、龙门、博罗、从化、增城、花都、连山、阳山、连州、英德、封开、怀集、广宁、信宜及深圳（市区）、潮州（市区）。

| 资源情况 | 野生资源较丰富。药材来源于野生。

| 采收加工 | 全年均可采收，洗净，晒干。

| 功能主治 | 苦，凉。祛风止痛。用于风湿痹痛，腰膝疼痛。

| 用法用量 | 内服煎汤，9 ~ 15 g。外用适量，鲜品捣敷。

| 凭证标本号 | 440281190817001LY、441882190617009LY。

野鸦椿
Euscaphis japonica (Thunb.) Kanitz

| 药 材 名 | 野鸦椿（药用部位：根或根皮、茎皮、叶、果实或种子。别名：鸡肾果、鸡眼睛、鸡肫子）。

| 形态特征 | 落叶灌木或小乔木，高 3 ~ 8 m。树皮灰色，具纵裂纹。小枝及芽红紫色，枝叶揉碎后有恶臭气味。奇数羽状复叶，叶对生，叶片厚纸质，长卵形或椭圆形，长 4 ~ 6 cm，先端渐尖，基部钝圆，具细锯齿，齿尖有腺体，叶背沿脉有柔毛，中脉、侧脉在两面均明显；小叶 5 ~ 9；小托叶三角状线形，有微柔毛。圆锥花序顶生，花多，密集；花黄白色，直径约 5 mm。蓇葖果长 1 ~ 2 cm，紫红色，有纵脉纹；种子近圆形，假种皮肉质，黑色，有光泽。花期 5 ~ 6 月，果期 8 ~ 9 月。

| **生境分布** | 生于山坡、谷地灌丛中。广东各地均有分布。

| **资源情况** | 野生资源丰富。栽培资源一般。药材来源于野生。

| **采收加工** | 根或根皮，9 ~ 10 月采收，洗净，切片，鲜用或晒干。茎皮，全年均可采收，晒干。叶，全年均可采收，鲜用或晒干。果实或种子，秋季采收成熟果实或种子，晒干。

| **药材性状** | 本品果实为蓇葖果，常 2 ~ 3 着生于同一果柄的先端，单个蓇葖果呈倒卵形，稍扁，微弯曲，先端较宽大，下端较窄小，长 7 ~ 20 mm，宽 5 ~ 8 mm。果皮外表面呈红棕色，有凸起的分叉脉纹；内表面淡棕红色或棕黄色，具光泽。蓇葖果内有种子 1 ~ 2；种子扁球形，直径约 5 mm，黑色，具光泽，一端边缘可见凹下的种脐，种皮外层质脆，内层坚硬，种仁白色，油质。气微，果皮味微涩，种子味淡而油腻。

| **功能主治** | 根或根皮，微苦，平，解表，清热，利湿。用于外感头痛，风湿性腰痛，痢疾，泄泻，跌打损伤。茎皮，辛，温，行气，利湿，祛风，退翳。用于小儿疝气，风湿关节痛，水痘，目生翳障。叶，辛、苦，微温，祛风止痒。用于妇女阴痒。果实或种子，辛，温，祛风散寒，行气止痛，消肿散结。用于胃痛，寒疝疼痛，泄泻，痢疾，脱肛，月经不调，子宫下垂，睾丸肿痛。

| **用法用量** | 根或根皮、茎皮，内服煎汤，9 ~ 15 g，鲜品 30 ~ 60 g，或浸酒；外用适量，捣敷，或煎汤熏洗。叶，外用适量，煎汤洗。果实或种子，内服煎汤，9 ~ 15 g，或泡酒。

| **凭证标本号** | 441882180506030LY、441421180204641LY。

省沽油科 Staphyleaceae 瘿椒树属 Tapiscia

银鹊树
Tapiscia sinensis Oliv.

| 药 材 名 | 瘿椒树（药用部位：根、果实）。

| 形态特征 | 落叶乔木，高达 15 m。树皮具清香气。奇数羽状复叶互生；小叶 5 ~ 9，对生；小叶片卵形或窄卵形，长 6 ~ 14 cm，宽 3.5 ~ 6 cm，先端渐尖，基部心形或近心形，具锯齿，两面无毛或下面脉腋被毛，叶背灰白色，密被白粉；侧生小叶柄短，顶生小叶柄长达 12 cm。圆锥花序腋生，雄花与两性花异株，雄花序长达 25 cm，两性花序长约 10 cm；花小，黄色，有香气。核果近球形或椭圆形，长约 7 mm。花期 6 ~ 7 月，果期 9 ~ 10 月。

| 生境分布 | 生于海拔 700 ~ 1 000 m 的山地疏林中。分布于广东乳源、乐昌。

| 资源情况 | 野生资源较少。药材来源于野生。

| 采收加工 | 根，全年均可采挖，洗净，晒干。果实，秋季果实成熟时采收，晒干。

| 功能主治 | 解表，清热，祛湿。用于外感头痛。

| 用法用量 | 内服煎汤，9 ~ 15 g。外用适量，煎汤洗。

省沽油科 Staphyleaceae 山香圆属 *Turpinia*

锐尖山香圆
Turpinia arguta (Lindl.) Seem.

| 药 材 名 | 山香圆（药用部位：根、叶。别名：两指剑、千打捶、七寸钉）。

| 形态特征 | 落叶灌木，高 1 ~ 3 m。老枝灰褐色，幼枝具灰褐色斑点。单叶对生；叶片厚纸质，椭圆状披针形或长椭圆形，长 7 ~ 22 cm，宽 2 ~ 6 cm，先端渐尖，具尖尾，基部钝圆或宽楔形，具疏锯齿，齿尖具硬腺体，侧脉 10 ~ 13 对；叶柄长 1.2 ~ 1.8 cm；托叶生于叶柄内侧。圆锥花序顶生，长 5 ~ 8 cm；花白色，长 0.8 ~ 1 cm。果实近球形，成熟时呈红色，干后呈黑色，粗糙，直径约 1 cm。花期 4 ~ 5 月，果期 7 ~ 9 月。

| 生境分布 | 生于海拔 100 ~ 1 400 m 的山谷疏林、溪边、林缘、灌丛中。广东

各地均有分布。

| 资源情况 | 野生资源丰富。药材来源于野生。

| 采收加工 | 根，冬季采挖，洗去泥土，切片，晒干。叶，夏、秋季采收，晒干。

| 药材性状 | 本品根呈丝片状，长 25 ~ 50 mm，宽约 10 mm；表面灰绿色或黄绿色；呈革质而脆；气微，味微苦。叶呈椭圆形或长圆形，长 7 ~ 22 cm，宽 2 ~ 6 cm，先端渐尖，基部楔形，边缘具疏锯齿，近基部全缘，锯齿先端具腺点，上表面绿褐色，具光泽，下表面淡黄绿色，较粗糙，主脉淡黄色至浅褐色，于下表面凸起，侧脉羽状，叶柄长 0.5 ~ 1 cm；近革质而脆；气芳香，味苦。

| 功能主治 | 根，苦，寒，活血散瘀，消肿止痛。用于跌打损伤，脾脏肿大，疮疖肿毒。叶，苦，寒，清热解毒，利咽消肿，活血止痛。用于乳蛾喉痹，咽喉肿痛，疮疡肿毒，跌扑伤痛。

| 用法用量 | 内服煎汤，15 ~ 30 g，鲜品 30 ~ 60 g。外用适量，鲜品捣敷。

| 凭证标本号 | 440783200102007LY、441224180717041LY。

省沽油科 Staphyleaceae 山香圆属 Turpinia

越南山香圆
Turpinia cochinchinensis (Lour.) Merr.

药 材 名	越南山香圆（药用部位：全株。别名：大果山香圆）。
形态特征	落叶小乔木，高 6 ~ 7 m。老枝褐色或黑褐色，幼枝颜色较淡，皮孔褐色，明显，枝有节。奇数羽状复叶对生；小叶 5 ~ 7；小叶片革质，长圆形或长圆状椭圆形，长 10 ~ 12 cm，宽 2.5 ~ 4 cm，先端尾尖，基部宽楔形，具疏圆齿或锯齿，两面光亮，主脉在两面均明显，侧脉 7 ~ 8 对，在近边缘处网结，网脉不明显；侧生小叶柄长 2 ~ 3 mm，顶生小叶柄长 1.5 cm。圆锥花序顶生，长达 17 cm，花序分枝密集，较叶长；花小，白色，密集。浆果球形，紫色，干后呈黑褐色，直径约 7 mm。
生境分布	生于海拔 600 ~ 1 300 m 的山地林中。分布于广东阳春、信宜、高

曾佑派提供

州及茂名（市区）。

| **资源情况** | 野生资源较少。药材来源于野生。

| **采收加工** | 夏、秋季采收，晒干。

| **功能主治** | 淡，平。祛风活血，通经活络。用于跌打损伤。

| **用法用量** | 内服煎汤，15 ~ 30 g。外用适量，鲜品捣敷。

曾佑派提供

省沽油科 Staphyleaceae 山香圆属 Turpinia

山香圆

Turpinia montana (Blume) Kurz

| 药 材 名 | 山香圆（药用部位：根、叶。别名：羊屎蒿、光山香圆、狭叶山香圆）。

| 形态特征 | 小乔木。奇数羽状复叶对生；小叶 5 ~ 7，对生；小叶片纸质，长圆形或长圆状椭圆形，长 5 ~ 6 cm，先端尾尖，基部宽楔形，具疏圆齿或锯齿，两面无毛，下面淡绿色，侧脉明显，网脉在两面几不可见；侧生小叶柄长 2 ~ 3 mm，顶生小叶柄长 1.5 cm。圆锥花序顶生，长达 17 cm，花序疏散，较叶长；花白色，直径约 3 mm。浆果近球形，绿色至紫红色，直径 4 ~ 7 mm。花期 8 ~ 10 月，果期 8 ~ 12 月。

| 生境分布 | 生于海拔 500 ~ 1 400 m 的密林或山谷疏林中。分布于广东新丰、

五华、海丰、陆丰、龙门、惠东、博罗、从化、增城、花都、罗定、台山、新会、阳春、信宜及东莞（市区）、深圳（市区）、珠海（市区）、清远（市区）。

| 资源情况 | 野生资源丰富。药材来源于野生。

| 采收加工 | 根，冬季采挖，洗去泥土，切片，晒干。叶，夏、秋季采收晒干。

| 功能主治 | 苦，寒。活血止痛，解毒消肿，抗菌消炎。用于急性咽炎，急性扁桃体炎，咽喉充血，水肿等。

| 用法用量 | 内服煎汤，15 ~ 30 g。

| 凭证标本号 | 440781190518008LY。

南酸枣

Choerospondias axillaris (Roxb.) B. L. Burtt et A. W. Hill.

| 药 材 名 | 南酸枣（药用部位：树皮、果实或果核。别名：五眼果、四眼果、酸枣树）。

| 形态特征 | 落叶乔木，高 8 ~ 20 m。树皮灰褐色，片状剥落。小枝粗壮，暗紫褐色，具皮孔。奇数羽状复叶互生；小叶 7 ~ 13，对生；小叶片膜质至纸质，长卵形或长圆状披针形，长 4 ~ 12 cm，宽 2 ~ 4.5 cm，叶基部偏斜，全缘，两面无毛，仅叶背的脉腋具簇生毛。聚伞状圆锥花序，花单性或杂性异株；萼片、花瓣 5；雄蕊 10。核果椭圆状球形，黄色，中果皮肉质，呈浆状；果核先端有 5 眼孔。花期 4 ~ 7 月，果期 6 ~ 11 月。

| 生境分布 | 生于海拔 200 ~ 1 200 m 的平地、山坡、丘陵或山谷疏林中。广东

各地均有分布。

| **资源情况** | 野生资源丰富。栽培资源丰富。药材来源于野生和栽培。

| **采收加工** | 树皮，全年均可采收，晒干或熬膏。果实或果核，秋季果实成熟时采收果实，晒干，或取鲜果实堆放发酵，使果肉腐烂，取果核，洗净，晒干。

| **药材性状** | 本品果实呈椭圆形或卵圆形，长 2 ~ 3 cm，直径 1.4 ~ 2 cm，表面黑褐色或棕褐色，稍有光泽，具不规则皱褶；果肉薄，棕褐色，硬而脆；果核近卵状球形，红棕色或黄棕色，先端有明显的小孔 5（稀 4 或 6），质坚硬；种子 5，长圆形。无臭，味酸。以个大、肉厚、黑褐色者为佳。

| **功能主治** | 树皮，酸、涩、凉，清热解毒，祛湿，杀虫。用于疮疡，烫火伤，阴囊湿疹，痢疾，带下，疥癣。果实、果核，甘、酸、平，行气活血，安心养神，消积，解毒。用于胸痛，心悸气短，神经衰弱，失眠，支气管炎，食滞腹满，腹泻，疝气，烫火伤。

| **用法用量** | 树皮，内服煎汤，15 ~ 30 g；外用适量，煎汤洗，或熬膏涂。果实或果核，内服煎汤，果实 30 ~ 60 g，果核 15 ~ 24 g；外用适量，果核煅炭，研末调敷。

| **凭证标本号** | 441825190414003LY、441422190706349LY。

人面子
Dracontomelon duperreanum Pierre

| 药 材 名 | 人面子（药用部位：果实、叶。别名：人面果、银棯、仁面）。

| 形态特征 | 常绿大乔木，高达 25 m，具板根。幼枝具条纹，被灰色绒毛。奇数羽状复叶互生；小叶 11 ~ 17，互生，叶轴及叶柄疏被柔毛；小叶片长圆形，近革质，长 6 ~ 12 cm，宽 2.5 ~ 4 cm，全缘，两面沿中脉被微柔毛，下面脉腋具簇毛。圆锥花序顶生或腋生，长 10 ~ 23 cm，疏被灰色微柔毛；花小，长约 6 mm，白色。核果扁球形，黄色；果核压扁，上面盾状凹入，呈面具状。花期 4 ~ 5 月，果期 8 月。

| 生境分布 | 栽培于村边、路旁、池畔等。广东除北部以外地区均有栽培。

| **资源情况** | 栽培资源丰富。药材来源于栽培。

| **采收加工** | 果实，秋季采收，晒干或盐渍。叶，全年均可采收，鲜用或晒干。

| **药材性状** | 本品核果扁球形，肉质，长约 2 cm，直径约 2.5 cm；果核压扁，直径 1.7 ～ 1.9 cm，上面盾状凹入，具 5 室，形似面具；种子 3 ～ 4。味甘、酸。

| **功能主治** | 果实，甘、酸，凉，健脾，生津，醒酒，解毒。用于食欲不振，热病口渴，醉酒，咽喉肿痛，风毒疮痒。叶，苦、酸，凉，解毒敛疮。用于褥疮。

| **用法用量** | 果实，内服生食，3 ～ 4 枚，或煎汤；外用适量，捣敷。叶，外用适量，煎汤洗。

| **凭证标本号** | 440923140819021LY、440881180227006LY。

漆树科 Anacardiaceae 厚皮树属 Lannea

厚皮树 *Lannea coromandelica* (Houtt.) Merr.

| 药 材 名 | 厚皮树（药用部位：茎皮。别名：胶皮麻、厚皮麻、牛瘦木）。

| 形态特征 | 落叶乔木，高 4 ~ 10 m。树皮厚，有槽纹，灰白色。小枝密被锈色星状毛。奇数羽状复叶互生，聚生于小枝先端，叶轴、叶柄及小叶柄疏被锈色星状毛；小叶 7 ~ 9，对生；小叶片膜质至纸质，长卵形或长圆状卵形，长 5 ~ 9 cm，宽 2 ~ 3.5 cm，先端长渐尖，基部稍偏斜，全缘，上面无毛，下面沿脉疏被锈色星状毛，侧脉 6 ~ 10 对。雄花序圆锥状，长 15 ~ 30 cm，雌花序短，总状，被锈色星状毛；花小，单性同株或异株。核果卵形，紫红色，长 0.8 ~ 1 cm。花期 3 ~ 4 月。

| 生境分布 | 生于海拔 100 ~ 1 000 m 的丘陵、山坡疏林或灌丛中。分布于广东

高州、廉江、徐闻、阳西及阳江（市区）。

| **资源情况** | 野生资源较少。药材来源于野生。

| **采收加工** | 全年均可采收，刮去粗皮，鲜用或晒干。

| **功能主治** | 淡、涩，凉。接骨，解毒。用于骨折，食河豚、木薯及菠萝中毒。

| **用法用量** | 内服煎汤，60 ~ 120 g。外用适量，捣敷。

| **凭证标本号** | 440882180429039LY。

漆树科 Anacardiaceae 杧果属 Mangifera

杧果
Mangifera indica L.

| 药 材 名 | 杧果（药用部位：果实或果核、叶。别名：马蒙、麻蒙果）。

| 形态特征 | 常绿大乔木，高达 20 m。树皮厚，灰褐色，鳞片状脱落。单叶互生，常聚生于枝顶；叶片革质，长圆形或长圆状披针形，长 10 ~ 30 cm，宽 3 ~ 6 cm，先端渐尖，基部楔形或近圆形，边缘皱波状，叶面具光泽，全缘，侧脉 20 ~ 25 对；叶柄长 2 ~ 6 cm。圆锥花序顶生，长 20 ~ 35 cm，具总梗，被黄色柔毛；花小，杂性，黄色，芳香。核果肾形，微扁，长 5 ~ 10 cm，直径 3 ~ 4.5 cm，果肉厚；果核扁。花期 3 ~ 4 月，果期 7 ~ 8 月。

| 生境分布 | 广东各地均有栽培。亦有逸为野生者。

| **资源情况** | 栽培资源丰富。药材来源于栽培。 |

| **采收加工** | 夏季果实成熟时采摘果实，鲜用或晒干；或食用杧果后收集果核，晒干。 |

| **药材性状** | 本品核果肾形，长 5～10 cm，直径 3～4.5 cm，成熟时呈黄色，果肉厚。果核扁，呈长卵形，长 5～8 cm，直径 3～4.5 cm，厚 1～2 cm；表面黄白色或灰棕色，具数条斜向筋脉纹及绒毛状纤维，韧性，中央隆起，边缘一侧扁而薄，另一侧圆钝，质坚硬，内藏种子，摇动作响；破开后内表面黄白色，光滑，有种子 1；种皮薄，膜质，半透明，易脱落；种仁黄白色，肥厚，肾形。气微，味微酸、涩。 |

| **功能主治** | 果实，健胃，生津，止呕，止咳。用于口渴，呕吐，食少，咳嗽。果核，健胃消食，化痰行气。用于饮食积滞，食欲不振，咳嗽，疝气，睾丸炎。叶，止咳，化积，止痒。用于消渴，疳积，湿疹。 |

| **用法用量** | 果实，内服适量，作食品。果核，内服煎汤，10～12 g，或研末。叶，内服煎汤，15～30 g；外用适量，煎汤洗，或捣敷。 |

| **凭证标本号** | 445224190726014LY、440523190711028LY。 |

| **附　注** | 本种同属植物扁桃 *Mangifera persiciformis* C. Y. Wu et T. L. Ming 果实或果核的功能与杧果果实或果核的功能相同。 |

漆树科 Anacardiaceae 藤漆属 Pegia

泌脂藤
Pegia sarmentosa (Lecomte) Hand.-Mazz.

| 药 材 名 |

脉果漆（药用部位：茎、叶。别名：利黄藤）。

| 形态特征 |

攀缘状木质藤本。小枝紫褐色，无毛或近无毛。奇数羽状复叶互生；小叶 9 ~ 15，对生或近对生，叶轴和叶柄上面具槽，叶轴及叶柄被卷曲微柔毛；小叶片膜质或薄纸质，长圆形或长圆状椭圆形，长 4 ~ 11 cm，宽2 ~ 4.5 cm，先端渐尖或骤尖，基部近心形，上部具钝齿，叶面具灰白色的细小乳突体，中脉被卷曲的黄色微柔毛，叶背的脉腋具灰黄色髯毛，具侧脉 6 ~ 8 对。圆锥花序长10 ~ 30 cm，分枝疏散而纤细，疏被微柔毛；花小，杂性，白色。核果椭圆形或卵圆形，紫红色，稍扁。

| 生境分布 |

生于海拔 600 m 左右的山坡灌丛中。分布于广东英德、阳山及云浮（市区）。

| 资源情况 |

野生资源较少。药材来源于野生。

│采收加工│ 夏、秋季采收，茎切片，晒干，叶鲜用。

│功能主治│ 酸，平。清热利湿，解毒消肿。用于湿热黄疸，风湿热痹，湿疹，毒蛇咬伤。

│用法用量│ 内服煎汤，15 ～ 30 g。外用适量，煎汤洗；或捣敷。

漆树科 Anacardiaceae 黄连木属 Pistacia

黄连木 *Pistacia chinensis* Bunge

| 药 材 名 | 黄楝树（药用部位：茎皮、叶。别名：楷树）。

| 形态特征 | 落叶大乔木，高达 25 m。树皮暗褐色，鳞片状剥落。小枝灰棕色，有柔毛；冬芽红色，有特殊气味。偶数羽状复叶互生，叶轴及叶柄被微柔毛；小叶 5 ~ 7 对，对生或近对生；小叶片纸质，披针形或窄披针形，长 5 ~ 10 cm，宽约 2 cm，先端渐尖或长渐尖，基部偏斜，全缘，侧脉在两面凸起。花单性，雌雄异株，雄花排成长 5 ~ 8 cm 的密集总状花序，雌花排成长 18 ~ 20 cm 的疏散圆锥花序；花小，黄绿色，无花瓣。核果倒卵状球形，略压扁，直径约 5 mm，成熟时呈紫红色，干后具纵向细条纹。花期 3 ~ 4 月，果期 9 ~ 11 月。

| 生境分布 | 生于山地、丘陵或平原疏林中。分布于广东乳源、南雄、乐昌、

饶平、兴宁、陆丰、阳山、连州、德庆、四会及云浮（市区）、广州（市区）。

| **资源情况** | 野生资源丰富。栽培资源一般。药材来源于野生和栽培。

| **采收加工** | 茎皮，全年均可采收，洗净，切片，晒干。叶，夏、秋季采收，鲜用或晒干。

| **功能主治** | 苦，寒；有小毒。生津，解毒，利湿。用于口渴，咽喉肿痛，口舌糜烂，吐泻，痢疾，无名肿毒，疮疹。

| **用法用量** | 内服煎汤，15 ～ 30 g。外用适量，煎汤洗；或捣汁涂。

| **凭证标本号** | 441882180511004LY、440281200709042LY。

漆树科 Anacardiaceae 盐肤木属 Rhus

盐肤木
Rhus chinensis Mill.

| **药 材 名** | 盐肤木（药用部位：根、叶。别名：盐霜柏、蒲连盐、五倍子树）。

| **形态特征** | 落叶小乔木或灌木，高 2 ~ 10 m。小枝被锈色柔毛，疏生圆形小皮孔。奇数羽状复叶互生，叶轴及叶柄常有翅；小叶对生，4 ~ 8 对；小叶片纸质，边缘有粗锯齿，下面密生锈色柔毛，长 5 ~ 9.5 cm。圆锥花序顶生，密被锈色柔毛；花小，杂性，黄白色。核果近扁球形，直径约 5 mm，红色，被灰白色柔毛和红色腺毛。花期 7 ~ 9 月，果期 9 ~ 11 月。

| **生境分布** | 生于海拔 500 ~ 1 700 m 的山坡、林缘、疏林中或荒坡、旷地的灌丛中。广东各地均有分布。

| 资源情况 | 野生资源丰富。药材来源于野生。

| 采收加工 | 根，全年均可采收，鲜用，或切片，晒干。叶，夏、秋季采收，随采随用。

| 药材性状 | 本品根圆柱形或圆锥形，表面棕褐色至黑褐色，主根上端具凸起的红棕色或紫棕色皮孔，下端及粗侧根皮孔明显减少。质地坚脆，易折断，断面红棕色至棕褐色，木质部浅棕色，具放射状纹理，可见导管孔。叶轴具翅；小叶对生，叶片边缘有粗锯齿，叶背密被锈色柔毛。

| 功能主治 | 根，酸、咸，平，祛风湿，利水消肿，活血，解毒。用于风湿痹痛，水肿，咳嗽，跌打肿痛，乳痈，癣疮。叶，酸、咸，寒，止咳，止血，收敛，解毒。用于咳嗽，便血，血痢，盗汗，疮疡，湿疹，蚊虫咬伤。

| 用法用量 | 内服煎汤，9 ～ 15 g，鲜品 30 ～ 60 g。外用适量，研末调敷；或煎汤洗；或鲜品捣敷。

| 凭证标本号 | 441523190921015LY、441825190807034LY。

漆树科 Anacardiaceae 漆属 Toxicodendron

野漆
Toxicodendron succedaneum (L.) Kuntze

| **药 材 名** | 山漆树（药用部位：根、叶、茎皮、果实。别名：木蜡树、漆木、痒漆树）。

| **形态特征** | 落叶乔木或小乔木，高达 10 m。树皮暗褐色，具白色乳汁，乳汁干后呈黑色。奇数羽状复叶互生，常集生在小枝先端；小叶 9 ~ 15，对生或近对生；小叶片薄革质，长圆状椭圆形，长 5 ~ 10 cm，宽 2 ~ 3.5 cm，先端短尾尖，基部多少偏斜，叶背常被白粉，全缘。圆锥花序腋生，长 7 ~ 15 cm，长为复叶长之一半；花小，杂性，黄绿色，直径约 2 mm。核果斜卵形，淡黄色，稍侧扁，不裂。花期 5 ~ 6 月，果期 9 ~ 10 月。

| **生境分布** | 生于海拔 1 500 m 以下的平地、山坡、路旁灌丛或疏林中。广东各

地均有分布。

| **资源情况** | 野生资源丰富。药材来源于野生。

| **采收加工** | 根、茎皮全年均可采收，洗净，鲜用，或切片，晒干。叶，春季采收，鲜用或晒干。果实，秋季果实成熟时采收，晒干。

| **药材性状** | 本品核果斜卵形，直径 7 ~ 10 mm，压扁，干时有皱纹。外果皮薄，淡黄色，无毛；中果皮厚，蜡质，白色。果核坚硬，压扁。

| **功能主治** | 苦、涩，平；有小毒。平喘，解毒，散瘀消肿，止痛，止血。用于咯血，吐血，尿血，血崩，外伤出血，跌打损伤，疮毒疥癣，毒蛇咬伤。

| **用法用量** | 内服煎汤，15 ~ 30 g。外用适量，鲜品捣敷；或干品研末调敷。

| **凭证标本号** | 441882180409004LY、441523190921040LY。

| **附 注** | 本种的同属植物木蜡树 *Toxicodendron sylvestre* (Siebold et Zucc.) Kuntze 亦作山漆树应用，其功效与本种相似。

木蜡树
Toxicodendron sylvestre (Siebold et Zucc.) Kuntze

| 药 材 名 | 木蜡树（药用部位：根、叶、果实。别名：野漆树、山漆树、野毛漆）。

| 形态特征 | 落叶小乔木，高达 10 m。树皮灰褐色，具白色乳汁，乳汁干后呈黑色；芽及小枝被黄褐色绒毛。奇数羽状复叶互生；叶轴和叶柄圆柱形，密被黄褐色绒毛；小叶 7 ~ 13，对生；小叶片纸质，卵形或卵状椭圆形，基部圆形，偏斜，全缘，上面被微柔毛，下面被绒毛，中脉毛较密；小叶柄短或近无柄。圆锥花序长 8 ~ 15 cm，为叶长之半，被锈黄色柔毛；花小，杂性，黄色。核果扁圆形，偏斜，淡棕黄色，光滑无毛，成熟后不裂。花期 4 ~ 5 月，果期 7 ~ 10 月。

| 生境分布 | 生于海拔 1 000 m 以下的山野阳坡疏林或灌木林中。分布于广东北部、东北部和西部。

| 资源情况 | 野生资源一般。药材来源于野生。

| 采收加工 | 根，夏、秋季采挖，洗净，切片，晒干。叶，夏、秋季采收，鲜用或晒干。果实，9～11 月果实成熟后采收，晒干。

| 药材性状 | 本品核果偏斜，圆形，压扁，长大于宽，长约 8 mm，宽 6～7 mm。外果皮薄，具光泽，无毛，成熟时不裂；中果皮蜡质。果核坚硬，成熟时呈淡黄色。

| 功能主治 | 辛、温；有小毒。散瘀消肿，止血生肌。用于风湿腰痛，跌打损伤，刀伤出血，毒蛇咬伤、

| 用法用量 | 内服煎汤，9～15 g。外用适量，捣敷；或浸酒涂擦。

| 凭证标本号 | 441825190412005LY、440281190425005LY。

漆树科 Anacardiaceae 漆属 Toxicodendron

漆
Toxicodendron vernicifluum (Stokes) F. A. Barkley

| 药 材 名 | 干漆（药用部位：树脂。别名：山漆、小木漆、大木漆）。

| 形态特征 | 落叶大乔木，高达20 m。树皮灰白色，粗糙，不规则纵裂，具白色乳汁，乳汁干后呈黑色。幼枝被黄色柔毛。奇数羽状复叶互生；叶轴及叶柄被微柔毛；小叶9～13，对生或近对生；小叶片卵状椭圆形或长圆状椭圆形，长6～13 cm，宽3～6 cm，叶背沿中脉密被黄色柔毛，基部偏斜，圆形或阔楔形，全缘。圆锥花序腋生，长15～30 cm，与复叶等长；花杂性或雌雄异株，密而小，黄绿色，长约3.5 mm。核果扁球形，直径7～8 mm，灰黄色，有光泽，无毛，不裂；中果皮蜡质；果核坚硬。花期5～6月，果期7～10月。

| 生境分布 | 广东英德有栽培。

| 资源情况 | 栽培资源较少。药材来源于栽培。

| 采收加工 | 割破漆树树皮，收集自行流出的树脂，待干后凝结成团块。

| 药材性状 | 本品呈不规则块状，黑褐色或棕褐色；表面粗糙，有蜂窝状细小孔洞或呈颗粒状，有光泽；质坚硬，不易折断，断面不平整，具特殊臭气。遇火燃烧时冒出黑烟，此时漆臭更强烈。以块整、色黑、坚硬、漆臭重者为佳。

| 功能主治 | 辛，温；有小毒。破瘀，消积，杀虫。用于闭经，癥瘕，虫积。

| 用法用量 | 内服入丸、散剂，2 ~ 4.5 g。外用烧烟熏。

| 凭证标本号 | 441422190317348LY、440224181116010LY。

牛栓藤科 Connaraceae 红叶藤属 Rourea

小叶红叶藤 *Rourea microphylla* (Hook. et Arn.) Planch.

| 药 材 名 | 牛栓藤（药用部位：根、茎、叶。别名：牛见愁、荔枝藤、霸王藤）。

| 形态特征 | 藤状灌木。高 1 ~ 4 m。奇数羽状复叶有小叶 11 ~ 17，有时多至 27，生于小侧枝上的小叶有时 5 ~ 9；小叶片幼时红色或带紫色，发育后绿色，近革质，卵形至卵状长圆形，常偏斜，全缘。花白色或淡黄色；圆锥花序腋生，长 2.5 ~ 5 cm，花小，芳香；萼片 5 裂，边缘具短缘毛；花瓣 5，长于萼片；雄蕊 10，花丝基部合生成管；雌蕊 5，离生，其中 4 雌蕊常不发育，子房长圆形，花柱纤细。蓇葖果椭圆形或斜卵形，成熟时红色，略弯曲；种子 1，长约 1 cm，假种皮膜质。花期 3 ~ 9 月，果期 5 月至翌年 3 月。

| 生境分布 | 生于海拔 100 ~ 600 m 的山坡或疏林中。分布于广东西部、中部、

东部、北部等。

| 资源情况 | 野生资源丰富。药材来源于野生。

| 采收加工 | 茎，全年均可采收，切段或切片，晒干。叶，全年均可采收，鲜用或晒干。

| 药材性状 | 本品茎近圆柱形，长短不一，直径 1 ~ 4 cm，表面淡灰棕色，老茎具深或浅的纵沟，附灰白色地衣；质坚硬；横断面木部淡棕色，有众多小孔，皮部深棕红色，老茎有 2 ~ 3 层淡棕色与深红棕色相间排列、断续的同心环；气微，味淡。小叶片近革质，多皱缩或破碎，完整者卵形至卵状长圆形，长 2 ~ 4 cm，宽 0.5 cm，先端渐尖而钝，基部楔形至圆形，常偏斜，两面无毛，全缘；气微，味淡。

| 功能主治 | 根，甘、微辛，温。活血通经，止血止痛。用于闭经。茎、叶，苦、涩，凉。清热解毒，消肿止痛，止血。用于疮疖，跌打肿痛，外伤出血等。

| 用法用量 | 根，内服煎汤，9 ~ 15 g。茎、叶，外用适量，煎汤洗；或鲜叶捣敷。

| 凭证标本号 | 441523200108010LY、440781190516015LY、440781190828006LY。

红叶藤 *Rourea minor* (Gaertn.) Alston

| 药 材 名 | 瑶藤（药用部位：根、叶）。

| 形态特征 | 藤本或攀缘灌木。高达 25 m。枝无毛或幼枝被疏短柔毛。奇数羽状复叶具 3（~ 7）小叶；小叶片纸质，近圆形、卵圆形、披针形或长椭圆形，先端小叶稍大，长 3 ~ 12 cm，宽 2 ~ 5 cm，先端急尖或短渐尖，基部宽楔形或圆形，两侧对称，稍偏斜，全缘，两面无毛，网脉明显。花芳香，直径约 1 cm；萼片卵形，先端边缘常被缘毛；花瓣白色或黄色，长椭圆形，有纵脉纹；雌蕊离生。蓇葖果弯月形或椭圆形而稍弯曲，长 1.5 ~ 2.5 cm，直径 0.7 ~ 1.5 cm，先端急尖，具宿存萼；种子椭圆形，长 1.5 cm，红色，全部包以膜质假种皮。花期 4 ~ 10 月，果期 5 月至翌年 3 月。

| 生境分布 | 生于海拔 800 m 以下的山坡或疏林中。分布于广东花都、曲江、翁源、台山、信宜、怀集、封开、德庆、高要、惠州、博罗、阳春、英德、云浮、新兴及深圳（市区）、珠海（市区）等地。

| 资源情况 | 野生资源较丰富。药材来源于野生。

| 采收加工 | 根，全年均可采挖，切段或切片，晒干。叶，全年均可采收，鲜用或晒干。

| 功能主治 | 苦、涩，凉。消肿止血，收敛生肌。用于跌打肿痛，外伤出血等。

| 用法用量 | 外用适量，煎汤洗；或鲜叶捣敷。

| 凭证标本号 | 445121190223188LY。

胡桃科 Juglandaceae 青钱柳属 Cyclocarya

青钱柳

Cyclocarya paliurus (Batalin) Iljinsk.

药材名

青钱李（药用部位：叶。别名：山麻柳、山化树）。

形态特征

落叶乔木，高 10 ~ 30 m。小枝黑褐色，具灰白色皮孔。奇数羽状复叶互生；小叶 7 ~ 9，近革质，长椭圆状披针形或长圆形，长 5 ~ 14 cm，宽 2 ~ 6 cm，基部偏斜，边缘有细锯齿。花单性，雌雄同株；2 ~ 4 雄性荑黄花序簇生于叶腋，雄蕊 12 ~ 30；雌性荑黄花序单个顶生，子房下位，2 柱头裂片羽毛状。果实为坚果，有由苞片及小苞片形成的革质圆盘状翅。花果期 4 ~ 10 月。

生境分布

生于海拔 500 m 以上的山地疏林中。分布于广东乳源、乐昌、梅县等。

资源情况

野生资源一般。药材来源于野生。

采收加工

夏、秋季采收，晒干或鲜用。

| **药材性状** | 本品小叶片多破碎，完整小叶片呈革质，长椭圆状披针形，长 5 ~ 14 cm，宽 2 ~ 6 cm，先端渐尖，基部不对称，边缘有细齿，上面灰绿色，下面黄绿色或褐色。气清香，味淡。

| **功能主治** | 辛、微苦，平。祛风止痒，清热解毒，消炎止痛，杀虫。用于顽癣，糖尿病，高脂血症。

| **用法用量** | 外用鲜品适量，捣烂，取汁涂搽。

胡桃科 Juglandaceae 黄杞属 Engelhardia

黄杞
Engelhardia roxburghiana Wall.

| **药 材 名** | 黄杞（药用部位：树皮、叶。别名：黄榉、仁杞、土厚朴）。 |

| **形态特征** | 常绿乔木，高可达 20 m。小枝紫褐或黑褐色，嫩枝被黄褐色鳞秕。偶数羽状复叶互生；小叶 3 ~ 5 对；小叶片革质，长圆形、长椭圆形或卵形，长 5 ~ 12 cm，宽 2 ~ 4 cm，基部不对称。花单性，雌雄同株稀异株；雄花组成柔荑花序，苞片和小苞片极小；雌花组成穗状花序，苞片和小苞片合生，3 裂；坚果球形，直径 4 mm，密被鳞秕。花果期 5 ~ 10 月。 |

| **生境分布** | 生于丘陵、山地较干燥的疏林或次生林中。广东各地均有分布。 |

| **资源情况** | 野生资源较丰富。药材来源于野生。 |

| 采收加工 | 夏、秋季采收，晒干或鲜用。

| 药材性状 | 本品树皮厚呈单卷或双卷筒状，长短不一，3 ~ 4 mm。外表面粗糙，灰褐色或灰棕色，皮孔椭圆形，内表面平滑，紫褐色，有浅纵纹；质坚脆，易折断，断面不平整，略呈层片状；气微，味微苦、涩。叶为偶数羽状复叶，小叶片 6 ~ 10，常不完整，多卷曲，展平后呈长椭圆状披针形或略呈镰刀状弯曲，长 5 ~ 12 cm，宽 2 ~ 4 cm，革质，全缘，上表面褐色或灰绿色，下表面浅灰绿色，主脉突出，侧脉羽状；质脆，易破碎；气微，味微苦。

| 功能主治 | 树皮，微苦、辛，平，行气化湿，导滞。用于脾胃湿滞，脘腹胀闷，泄泻。叶，微苦，凉，清热，止痛。用于脾胃湿滞，胸腹胀闷，疝气痛，感冒发热。

| 用法用量 | 树皮，内服煎汤，6 ~ 15 g。叶，内服煎汤，9 ~ 15 g。

| 凭证标本号 | 441284190718512LY、440224180531017LY、41225180722053LY。

胡桃科 Juglandaceae 胡桃属 Juglans

胡桃 *Juglans regia* Linn.

| 药 材 名 | 胡桃仁（药用部位：种仁。别名：核桃仁、胡桃肉）、分心木（药用部位：种隔）、青龙衣（药用部位：外果皮）。

| 形态特征 | 落叶乔木，高 15 ~ 35 m。奇数羽状复叶互生；小叶 5 ~ 9；小叶片椭圆状卵形至长椭圆形，长 6 ~ 15 cm，宽 3 ~ 10 cm；小叶柄短或近无。花单性，雌雄同株；雄花组成葇荑花序，雄蕊 12 ~ 22；雌花 2 至数朵簇生于枝顶，子房下位，具羽毛状 2 花柱。果实近球形；外果皮肉质，内果皮坚硬，骨质，表面凹凸皱曲，有 2 纵棱，先端具短尖头。花果期 5 ~ 10 月。

| 生境分布 | 栽培植物。广东乳源及韶关（市区）、广州（市区）等有少量栽培。

| **资源情况** | 栽培资源较少。药材来源于栽培。

| **药材性状** | **胡桃仁**：本品完整种子由两片脑状子叶组成类球形，但通常为不规则且大小不一的块片状；外皮淡黄色或黄褐色、膜状，有深棕色脉纹；断面（子叶）白色、质脆易碎，油质丰富。气微，味甘。

青龙衣：本品呈皱缩的半球状或块片状，纵面多向内卷曲，直径 3 ~ 5 cm，厚 6 ~ 10 mm，肉质。外表面较光滑，黑绿色，有黑色斑点，一端有一果柄断痕；内表面黄白色，不平坦。气无，味苦、涩。

| **功能主治** | **胡桃仁**：甘，温。补肾，温肺，润肠。用于肾阳不足，腰膝酸软，阳痿遗精，虚寒喘咳，肠燥便秘。

青龙衣：苦、涩，平。止痛，止咳，止泻，解毒，杀虫。用于脘腹疼痛，痛经，久咳，泄泻久痢，痈肿疮毒，顽癣，秃疮，白癜风。

| **用法用量** | **胡桃仁**：内服煎汤，6 ~ 9 g。

青龙衣：内服煎汤，9 ~ 15 g；或入丸、散剂。外用适量，鲜品擦拭；或捣敷；或煎汤洗。

| **凭证标本号** | 441882180814087LY。

胡桃科 Juglandaceae 化香树属 Platycarya

化香树
Platycarya strobilacea Siebold et Zucc.

| **药 材 名** | 化香树叶（药用部位：叶。别名：白皮树叶、山麻柳叶、放香树叶）。

| **形态特征** | 落叶乔木，高 6 ~ 20 m。奇数羽状复叶互生；小叶 7 ~ 23，无柄，卵状披针形至长椭圆状披针形，长 4 ~ 12 cm，宽 1 ~ 4 cm，基部偏斜。花单性，雌雄同株，无花被；3 ~ 13 雄性柔荑花序顶生，呈伞房状，雄蕊 8 ~ 12，花药 2 室；雌花序直立，生于雄花序上方，子房与苞片贴生，花柱短，柱头 2 裂。果序卵状椭圆形至长椭圆状圆柱形。花果期 4 ~ 10 月。

| **生境分布** | 生于山地、山坡疏林中。分布于广东乳源、乐昌、封开、高要、阳春、阳山、连州及云浮（市区）、肇庆（市区）等。

| **资源情况** | 野生资源较丰富。药材来源于野生。

| **采收加工** | 全年均可采收，洗净，鲜用或晒干。

| **药材性状** | 本品多为不完整羽状复叶；叶柄、叶轴呈淡黄棕色；小叶片多呈皱缩、破碎状，完整小叶片薄革质，长椭圆状披针形，先端渐尖，基部偏斜，边缘有重齿，上表面灰绿色，下表面黄绿色。气微清香，味淡。

| **功能主治** | 辛，温；有毒。解毒，止痒，杀虫。用于疮疖肿毒，骨痛，阴囊湿疹，顽癣，癞头疮，无名肿毒。

| **用法用量** | 外用适量，煎汤洗；或鲜品捣敷。禁内服。

| **凭证标本号** | 441882180511005LY。

胡桃科 Juglandaceae 化香树属 Platycarya

圆果化香树 *Platycarya longipes* Y. C. Wu

| 药 材 名 | 化香树叶（药用部位：叶。别名：小化香树叶）。

| 形态特征 | 落叶小乔木。小枝紫褐色，具椭圆形皮孔。奇数羽状复叶互生；小叶 3 ~ 5，长 3 ~ 8 cm，宽 2 ~ 3.5 cm，顶生小叶椭圆状披针形，侧生小叶长椭圆状披针形，稍呈镰状弯曲。花单性，雌雄同株；2 ~ 6 雄性柔荑花序生于小枝顶，呈伞房状，雄蕊 8；雌花序直立，生于雄花序上方，雌花苞片卵状披针形，硬革质。果序近球形。花果期 3 ~ 10 月。

| 生境分布 | 生于海拔 450 ~ 800 m 的石灰岩地区的灌木林或疏林中。分布于乳源、乐昌、端州、鼎湖、封开、高要、阳春、阳山、连州及云浮（市区）等。

资源情况	野生资源一般。药材来源于野生。
采收加工	夏、秋季采收，鲜用。
功能主治	同"化香树"。
用法用量	同"化香树"。
凭证标本号	441882190617015LY。

胡桃科 Juglandaceae 枫杨属 Pterocarya

枫杨
Pterocarya stenoptera C. DC.

| 药 材 名 | 麻柳叶（药用部位：枝、叶。别名：水麻柳、小鸡树）、枫柳皮（药用部位：树皮）、麻柳树根（药用部位：根或根皮）、麻柳果（药用部位：果实）。

| 形态特征 | 落叶大乔木。幼枝具灰黄色皮孔。偶数或奇数羽状复叶互生；叶轴具翅；小叶 10 ～ 25，卵状长圆形至长椭圆状披针形，基部歪斜，叶背沿脉及脉腋有毛。单性花，雌雄同株；雄性葇黄花序长 6 ～ 10 cm，单生于叶痕腋内，雄蕊 5 ～ 12；雌性葇黄花序顶生，长约 5 cm，雌花着生于卵圆形的苞腋内。果序长达 30 cm；小坚果具 2 狭翅。花果期 4 ～ 9 月。

| 生境分布 | 生于溪旁、河边或湿润的山地林中。分布于广东北部和中部。

| **资源情况** | 野生资源较丰富。药材来源于野生。

| **采收加工** | 麻柳叶：春、夏、秋季采收，除去杂质，晒干或鲜用。
枫柳皮：夏、秋季采收，晒干或鲜用。
麻柳树根：全年均可采收，除去泥土，洗净，晒干，或剥取根皮，晒干。
麻柳果：夏、秋季果实近成熟时采收，晒干或鲜用。

| **药材性状** | 麻柳叶：本品小叶常皱缩，质脆，展平后呈长椭圆形至长椭圆状披针形，长
5 ～ 12 cm，宽 2.5 ～ 3.5 cm，绿褐色，上面稍粗糙，中脉、侧脉及下面被稀疏毛；
小叶柄极短或无。气微，味微淡。

| **功能主治** | 麻柳叶：苦、辛，温；有小毒。祛风止痛，杀虫止痒，解毒敛疮。用于风湿痹
痛，血吸虫病，痈疮，牙痛，疥癣，湿疹，滴虫性阴道炎，烫伤，溃疡不敛，
咳嗽气喘。
枫柳皮：辛、苦，温；有小毒。祛风止痛，杀虫，敛疮。用于风湿麻木，寒湿
骨痛，头颅伤痛，齿痛，疥癣，痔疮，烫伤，溃疡日久不敛。
麻柳树根：苦、辛，热。祛风止痛，杀虫止痒，解毒敛疮。用于风湿痹痛，牙痛，
疥癣，疮疡肿毒，溃疡日久不敛，烫火伤，咳嗽。
麻柳果：苦，温。温肺止咳，解毒敛疮。用于风寒咳嗽，疮疡肿毒，天疱疮。

| **用法用量** | 麻柳叶：内服煎汤，6 ～ 15 g。外用鲜叶适量，煎汤洗；或捣敷；或浸酒搽。
枫柳皮：外用适量，煎汤含漱或熏洗；或浸酒搽。
麻柳树根：内服煎汤，3 ～ 6 g；或浸酒。外用适量，研末调敷；或捣敷。
麻柳果：内服煎汤，9 ～ 25 g。外用适量，煎汤洗。

| **凭证标本号** | 440281190628010LY、441823200725002LY、440224180530031LY。